KU-684-371

CAŁA NOWA JA

W serii:

Z tobą lub bez ciebie

Żony na pokaz

Klub niewiernych żon

Zapowiedzi 2012

Wyścig po miłość

Pocztówka prosto z serca

SHARI LOW

CAŁA NOWA JA

Z angielskiego przełożyła
Joanna Schoen

REMI

Tytuł oryginału: *BRAND NEW ME*

Copyright © Shari Low 2008
All rights reserved

Polish edition copyright © Wydawnictwo Remi Katarzyna Portnicka 2011

Polish translation copyright © Joanna Schoen 2011

Redakcja: Beata Słama

Zdjęcie na okładce: iStockphoto

Projekt graficzny okładki: Katarzyna Portnicka, Wojciech Portnicki

Skład: Michał Nakonieczny

ISBN 978-83-63142-18-6

Wyłączny dystrybutor
Firma Księgarska Olesiejuk spółka z ograniczoną odpowiedzialnością S.K.A.
ul. Poznańska 91, 05-850 Ożarów Mazowiecki
tel. 22 721 30 00, fax 22 721 30 01
www.olesiejuk.pl, e-mail: fk@olesiejuk.pl

Sprzedaż wysyłkowa
www.olesiejuk.pl
www.empik.pl
www.merlin.pl
www.amazonka.pl

Wydawnictwo REMI Katarzyna Portnicka
ul. Łukowska 8/98
04-113 Warszawa

www.wydawnictworemi.pl

2012. Wydanie II, op. miękka

Druk: Abedik S.A.

Prolog

Trzy... dwa... jeden...
Szczęśliwego Nowego Roku!

Korki od szampana wyskoczyły z butelek, pofrunęło confetti, huknęła muzyka, kochankowie przytulili się, a ich serca przepełniła radość, że witają kolejny rok...

Działo się tak niestety tylko w telewizji.

Siedzieliśmy u mnie w salonie na kanapie: troje dwudziestokilkuletnich przyjaciół w mrocznych humorach, przyglądających się świętowaniu na ekranie i trzymających po zimnym ogniu w jednej ręce i drinku w drugiej.

– Oficjalnie można nas uznać za najsmutniejszych ludzi na ziemi – wymamrotałam.

– Co to, to nie! – zaprotestował Stuart.

Trish oddała się wykonaniu przeboju Celin Dion *My Heart Must Go On* w wersji tragikomicznej.

– Zgoda, teraz już jesteśmy – przyznał Stu. - Dobrze, Trish, jeszcze jedna zwrotka, refren i wystarczy. Bo inaczej moje uszy zaraz zaczną krwawić.

Każde kolejne słowo wypowiadał głośniej niż poprzednie, bo starał się przekrzyczeć łomot petard i dźwięk gwizdków dobiegające z mieszkania obok. Nawet moja sąsiadka, pani Naismith, bawiła się o wiele lepiej niż my, co, biorąc pod uwagę, iż była po siedemdziesiątce, wpędzało mnie w coraz czarniejszą depresję.

Niespodziewanie zalała mnie fala uniesienia. Kiedy teraz o tym myślę, dochodzę do wniosku, że był to zapewne skutek wypicia kilku sporych kieliszków rose cava, lecz w tamtej chwili wydawało mi się, że jest to coś na wskroś autentycznego i bardzo ważnego.

– Robię postanowienie noworoczne – oznajmiłam.

– Zaczyna się... – Stuart rzucił okiem na zegarek. – Dwie minuty i trzy sekundy. Mamy nowy rekord.

Zignorowałam go i podniosłam głos, żeby było mnie słychać mimo dźwięków, jakie wydawała Trish, idąc na dno razem z „Titanikiem".

– Moje kochane smutasy, słuchajcie: w tym roku kończę z byciem niespełnioną singielką bez kasy. Zamierzam znaleźć idealną pracę, idealnego faceta i idealne życie. Och, i oczywiście seks, zamierzam uprawiać cholernie dużo seksu!

Wstałam zamaszyście i teatralnym gestem uniosłam kieliszek, by wznieść toast.

– O rany! – jęknęli Stu i Trish.

Reakcja mojej publiczności była naprawdę entuzjastyczna.

– Wiem – podjęłam – to ogromne wyzwanie, ale jestem zdeterminowana. – Wyrażałam się podniośle i z powagą godną polityka obwieszczającego zamiar objęcia urzędu prezesa rady ministrów.

– Leni, odsuń się sprzed telewizora, no! Nie chodziło o ciebie, głupiutka krowo – wygłaszasz tę samą mowę od tysiąc dziewięćset dziewięćdziesiątego roku. Krzyczeliśmy przez tego faceta, który gra na dudach. Podmuch wiatru podwiał mu kilt i ukazał jego oręż milionowym tłumom.

Trish przestała nieudolnie wcielać się w Celine Dion i zaniosła się chichotem.

– Jego szanse na udaną randkę tego wieczoru stanęły pod znakiem zapytania – orzekła.

Stu rzucił się bronić szkalowanego mężczyzny:

– Hej, zobacz, jaki tam jest mróz, miej serce.

Runęłam na kanapę, podczas gdy Stu wraz z Trish bawili się coraz lepiej w miarę, jak prezenter telewizyjny potęgował urok sytuacji, próbując przytrzymać podwiewany kilt całkiem uroczego, skądinąd, muzyka, znacznych rozmiarów mikrofonem.

Cudownie – ogłoszenie mojej życiowej przemiany bezczelnie przebił epizod, który stanie się najważniejszym punktem programów typu *Największe wpadki telewizji* do końca świata. Z drugiej strony... mieli trochę racji. Moje postanowienia noworoczne to faktycznie nic nowego. Jednak tym razem byłam zdecydowana. Jak diabli. Ten rok miał być tym, w którym wszystko w moim życiu się zmieni, a jedynym sposobem, by to się udało, to być dzielną, bez strachu podejmować wyzwania i czujnie szukać okazji. I to od zaraz.

Ciekawe, czy jest jakiś sposób, by zdobyć numer tego dudziarza?

1
Jedną nogą na Księżycu

Cztery tygodnie później...

– Leni, czy naprawdę wierzysz, że gwiazdy sterują twoim losem? – pytała kobieta siedząca naprzeciwko mnie.

Ustawiła biurko w miejscu zgodnym z zasadami feng shui, przestudiowała moje stopy, oczyściła mi czakry i zrobiła zdjęcie mojej aury. I to wszystko na pierwszym spotkaniu.

Było to moje drugie i decydujące spotkanie w sprawie pracy, na które ona przygotowała się znakomicie, przynosząc zestawienia naszych horoskopów (chińskich), odczytując informacje z moich siatkówek, analizując mój znak zodiaku (Waga) i zachęcając mnie do medytacji, w czasie której miałyśmy połączyć się z naszymi wyższymi „ja". Mówiąc zupełnie szczerze, moje wyższe „ja" chciało przede wszystkim dowiedzieć się, czy dostałam u niej pracę i czy uwzględniła dobre ubezpieczenie zdrowotne, ponieważ siedzenie tak długo po turecku z całą pewnością sprawi, że okolica, gdzie zaczynają się moje nogi, niebawem będzie wymagała pilnej interwencji lekarza.

W międzyczasie kiwałam głową najbardziej zen, jak tylko potrafiłam, w stronę Zary Delty, duchowego guru, pisarki, telewizyjnej celebrytki i założycielki najpopularniejszej strony internetowej poświęconej astrologii: www.wszystkojestwgwiazdach.net.

Pomijając wpływy kosmosu, Urana, Neptuna i różnych sił nadprzyrodzonych, które mogły być w to zamieszane, to dzięki Trish znalazłam się przed obliczem panny Delty. Po czterech latach w wyższej szkole gastronomii Trish porzuciła zamiar stania się szefem kuchni. Było to na ostatnim roku, po tym, jak szczególnie niełatwy okres pracy w kuchni uświadomił jej, że zamykanie tak wybuchowej osoby jak ona w ograniczonej przestrzeni wraz z ludźmi słynącymi ze zmiennych humorów i obfitością morderczych narzędzi na podorędziu może doprowadzić do tego, że będzie musiała poszukać bardzo dobrego prawnika. Zamiast tego wybrała drogę kariery na szczeblu kierowniczym i awansowała na menedżera dań i napojów niezwykle wykwintnego hotelu w Londynie, zanim uległa upodobaniu do rzeczy niskich i show-biznesu, przyjmując posadę szefowej recepcji i cateringu najpopularniejszego programu telewizji śniadaniowej. Zajęcie to wymagało od niej serdecznego witania, utulania i zaspokajania każdego kaprysu (w tym kulinarnego) gwiazd i gości programu. Ktoś pilnie potrzebuje marcepanu z bajki o Królewnie Śnieżce? Nie ma sprawy, Trish się tym zajmie (chociaż równie chętnie pokaże, gdzie taki frykas można sobie wsadzić, skąd wydobyć go będzie mógł tylko uzdolniony chirurg). Jeśli hollywoodzka gwiazda z pierwszych stron gazet zażąda, by jej makrobiotyczne otręby podane zostały przez buddyjskich mnichów na deskorolkach, Trish pomknie w te pędy do świątyni i żwawo udzieli rzeczonym mnichom lekcji sportów ulicznych. Gwiazdka serialu zjawia się nietrzeźwa, ubrana w ciuchy z przedwczorajszej imprezy, na dodatek zgubiwszy po drodze bieliznę, na ratunek rusza Trish z niezawodnym zapasem kawy, aspiryny i ciepłych majtek. Ponoć udało jej się wyleczyć niesfornego gwiazdora filmowego z nękających go wszy łonowych, a wszystko to podczas poprzedzającej program sesji pod prysznicem okraszonej upiornymi okrzykami (jego), po której pozostał zagadkowo ubrudzony ręcznik. Choć Trish do dziś odmawia komentarzy, od dnia rzeczonego incydentu w szufladzie jej biurka spoczywa para solidnych gumowych rękawic.

Krótko mówiąc, nie było rzeczy, której nie potrafiłaby zorganizować dla rozpieszczonych celebrytów, pojawiających się na ekranach brytyjskich telewizorów każdego ranka. Największą zaś primadonną (zdaniem Trish) była Zara Delta, stała astrolog programu, która zjawiała się z końcem każdego tygodnia z porcją gwiezdnych wróżb.

Jednak szczęśliwie dla mnie (choć można mieć inne zdanie, co do pracy u wybuchowej pani astrolog przekonanej, że jej cykl miesiączkowy jest we władaniu gwiezdnych mocy), w następny piątek po naszym sylwestrowym „balecie" Trish zdołała odłożyć na bok prywatne odczucia, gdy Zara wpadła do poczekalni dla artystów spóźniona, zrzędząc, że jej osobisty asystent w czasie noworocznego urlopu „dał nogę na Bahamy" z członkiem boysbandu i zapomniał wrócić. Moja oddana przyjaciółka Trish przypadła do niej z tacą ciasteczek i oznajmiła, że ma osobę, która idealnie zastąpi zbiegłego asystenta. Osobą tą, rzecz jasna, miałam być ja. Inna sprawa, że nie potrafiłam wymyślić, jak moje pięcioletnie doświadczenie w dziale marketingu Miejskiego Zaopatrzenia Sanitarnego (chociaż uroczyście przysięgam, że to nie ja wpadłam na pomysł sloganu „Nasze podzespoły toaletowe nie wpuszczą cię w kanał") miało mnie przygotować do bycia osobistą asystentką telewizyjnej gwiazdy.

Gdy Trish zadzwoniła do mnie, by przekazać mi tę informację, zrobiła to z subtelnością bomby atomowej z napięciem przedmiesiączkowym.

– Właściwie to nie masz wyjścia. A ona jest zdesperowana – przyjmie byle kogo. Jest w niezłym bagnie.

– Trish, nie chciałabym mówić o rzeczach oczywistych, ale skoro robi to, co robi, nie powinna tego wszystkiego przewidzieć?

– Leni, chcesz tę pracę czy nie?

Zawahałam się. Pewnie nie chcę. Choć moja stymulowana winem noworoczna „decyzja" pochodziła prosto z serca, jak uroczo zauważył Stu, wygłaszałam tego typu deklaracje co roku. Dzięki typowej dla mnie niechęci do podejmowania jakiegokolwiek ryzyka, moje noworoczne postanowienia przemijały zwykle wraz z noworocznym kacem.

Z rozkoszą rzuciłabym się w wir przygód i napawała dreszczykiem, o jaki przyprawiają spontaniczne działania, lecz doskonale wiem, jakie mam przymioty, i zdaję sobie sprawę, że... cóż, jestem ciepłą kluchą. Dobrze czuję się wśród tego, co znam. Należę do osób spójnych i przewidywalnych. Zdarza mi się czasem czerpać przyjemność z nudzenia się. Natomiast w tych rzadkich momentach, gdy podejmuję intensywny wysiłek, by stać się odważną i otwartą na wyzwania, jakie niesie życie, mój „gen od wyzwań" daje za wygraną po pięciu minutach i wraca na kanapę do czipsów i telewizora.

– Leni? LENI?! – Trish huczała do mnie w słuchawce.

Mój wzrok, kierowany jej uniesieniem, przenoszącym się zapewne po kablu telefonicznym, natrafił na książkę wystającą z mojej torebki: *Dziesięć kroków, by stać się Zupełnie Nową Osobą*. Zmarnowane drzewa i 6 funtów i 99 pensów, skończyłam bowiem ją czytać w metrze tego ranka i zdałam sobie sprawę, że moja osoba wcale nie stała się zupełnie nowa. Mój niepokój wzrósł, kiedy w myślach przygotowywałam się do wygłoszenia banałów typu: „Dzięki, naprawdę dzięki, ale nie, super przyjaciółka z ciebie, super, że pamiętałaś".

– Trish, dzięki...

Rozmowa wymknęła się spod kontroli, bo dokładnie w tym momencie Archie Botham, kierownik projektów naszej firmy, zjawił się, spuchnięty z dumy tak wielkiej, że, przysięgam, musiał chyba wygrać na loterii lub odkryć sposób, by położyć kres całemu złu wszechświata. Kiedy rzucił na moje biurko bezkształtny kawałek plastiku, zdałam sobie sprawę, że to żadna z tych rzeczy.

– Ta spłuczka zrewolucjonizuje toalety – oznajmił, a na jego twarzy malowała się pewność, że Nobla za wyposażenie sanitarne ma w kieszeni. – Napisz oświadczenie dla prasy, Leni – zażądał z wyraźnym akcentem z Lancastershire. – Rany, dziewczyno, oto, co da nam miejsce w historii: spłuczka Bothama.

Powiadają, że kiedy zbliża się śmierć, przed oczami przewijają się co ważniejsze momenty życia. Nagle zdałam sobie sprawę, że jeśli ja, Eleanor Olive Lomond, lat dwadzieścia siedem, zostanę uśmiercona w niedalekiej przyszłości przez salmonellę z bagietki z kurczakiem i majonezem zjedzonej na lunch, ostatnią rzeczą, którą ujrzę, będzie moje nazwisko pod notką prasową o przełomowym rozwiązaniu toaletowym.

– Tak, biorę ją! – krzyknęłam.

– Spłuczkę? – zapytał Archie z więcej niż szczątkowym zdumieniem.

– Co?! – zapytała głośno Trish.

Gestem wskazałam Archiemu telefon wciśnięty między moją szyję i bark, prosząc o minutkę spokoju. Wycofał się, przytulając epokowy wynalazek do piersi.

– Mówię, że biorę tę pracę – powtórzyłam szeptem, nie chcąc gasić euforii Archiego wieścią o mojej potencjalnej dezercji.

– Mądra decyzja. Najpierw będziecie musiały jednak odbyć rozmowę.

– Powiedz tylko kiedy i gdzie.

Mogę to zrobić. Naprawdę mogę. Zrobiłam właśnie stumilowy krok (choć nie bez pomocy Trish) i teraz, by stać się nową osobą, muszę po prostu być odważna i zdeterminowana...

– Roztropnie będzie powiedzieć jej, że wierzysz w zjawiska paranormalne i że oglądasz ją w telewizji. Zara żyje troszkę... wiesz... w swoim świecie.

... i kłamać jak z nut.

I tak oto znalazłam się przed Zarą Deltą, nadrywając sobie ścięgna w kroczu i pukając do bram zen. Czułam, że nie będzie to najlepszy moment, by powiadomić ją o tym, że jedyne zen, jakie znam, to przybytek z kebabami o tej nazwie, znajdujący się ostatnio w centrum zainteresowania lokalnego sanepidu.

Jak przystało na doskonałą osobistą asystentkę (a także po to, by ukryć fakt, że to dopiero druga rozmowa o pracę w moim dorosłym życiu) szczegółowo zaznajomiłam się z poradami, co należy i czego nie należy robić podczas takich rozmów. Krępujące wyznanie numer jeden: książka *Dziesięć kroków, by stać się Zupełnie Nową Osobą* nie była jednorazowym czy przypadkowym zakupem. Istnieje całkiem spora szansa, że jednoosobowo zapewniam byt całemu sektorowi wydawniczego poradników. Mam rozwinięty nałóg kupowania książek ze słowami „krok po kroku" i „dla opornych" w tytule. Na pozór więc powinnam poradzić sobie w każdej sytuacji, obudzić w sobie olbrzyma, zrobić prezentację w PowerPoincie, jednocześnie zaskarbiając sobie przyjaźń ludzi, wywierając na nich wpływ, myśląc przy tym pozytywnie i odbudowując więzi emocjonalne z babcią.

Niestety akcent na „powinnam" nie jest przypadkowy. Jakimś sposobem te pokrzepiające biblie poradnictwa traciły swoją ważność po około ośmiu godzinach po tym, jak przeczytałam ich ostatnią stronę, kiedy moje głęboko zakorzenione cechy wracały na swoje miejsce, a przebudowany szkielet osobowości odkształcał się, by na powrót stać się tym, z którym się urodziłam. Mimo to nie mogłam przestać ich czytać. Byłam jak zakupoholiczka ześwirowana na punkcie butów, która kupiła już czternaście par na czterocalowym koturnie, każda w innym kolorze, i która mimo to nie zdecydowała się żadnej z nich nosić. Mówiąc szczerze, najbardziej potrzebny był mi poradnik, jak zerwać z nałogiem kupowania poradników.

Co niezbyt zaskakujące, żadna z technik czy sugestii zawartych w przed chwilą przeczytanej książce nie okazała się przydatna podczas rozmowy. Mówię „rozmowa", ale w rzeczywistości za każdym razem, kiedy się odzywałam, Zara natychmiast uciszała mnie, mówiąc, że utrudniam jej próby zjednoczenia naszych sił duchowych. Było to ponad tydzień temu, a teraz, ku mojemu potężnemu zdumieniu, Zara oddzwoniła. Moje siły duchowe musiały być wyjątkowo łatwe do poderwania i skwapliwie przyjęły zaloty.

Podczas minionych siedmiu dni moje naturalne skłonności (te, które błagały mnie, bym porzuciła zwariowane pomysły o nowej pracy i szalonych astrologów) zostały szybko sprowadzone do parteru przez ogromną ciekawość oraz świadomość, że jeśli nie zdecyduję się na zmianę natychmiast, będę zmuszona do emerytury podziwiać spłuczkę Bothama.

Wyczytałam w *Bądź gotowa, ta praca jest twoja* (9 funtów i 99 pensów, dostępne we wszystkich dobrych księgarniach), że pracodawcy wyrabiają sobie opinię już po pierwszym rzucie oka na kandydata, wobec czego postanowiłam stać się nieco bardziej oficjalna i upięłam moje nieokiełznane rude włosy sięgające łopatek w (tylko nieco bałaganiarski) kok. Włożyłam też garsonkę (Primark, czarny poliester, 19 funtów i 99 pensów), białą bluzkę, i wcisnęłam moje protestujące stopy w czarne eleganckie buty na trzycalowym obcasie. Chwilę później zdałam sobie sprawę, że mój ubiór prawdopodobnie wywoła u Zary wrażenie, że zaraz podam kurczaka cacciatore we włoskiej restauracji. Ponadto biorąc pod uwagę fakt, że moje obcasy dały mi sto osiemdziesiąt centymetrów wzrostu, czyli około dwudziestu centymetrów więcej, niż ma moja potencjalna szefowa, postanowiłam podejść do kwestii nieco inaczej. Zdecydowałam się zatem na rzeczy mniej oficjalne: czarne obcisłe dżinsy, balerinki, biały podkoszulek i miękki szal z wełny merynosów. Włosy z przedziałkiem na środku, luźne i falujące, nietknięte prostownicą. U Nicole Kidman takie uczesanie jest sexy, wygląda naturalnie i pasuje do „Vogue'a", na mnie to ptasie gniazdo wzięte wprost z „National Geographic".

Nagle Zara otworzyła oczy i dramatycznie nabrała powietrza. Cóż to? Czyżby właśnie podjęła decyzję? A może uznała, że moje wyższe ja nie nadaje się do tej pracy? Nie, jej oczy się zamknęły i wpadła w dziwny trans. Zara Delta: członek założyciel stowarzyszenia „Świry To My".

Chociaż właściwsze byłoby „Podstarzałe Hipiski To My", biorąc pod uwagę fakt, że jej garderoba składała się wyłącznie z wzorzystych luźnych szat, japonek z trzciny i opasek na czoło z mnóstwem kwiatów. Dziś miała na głowie z jednej strony słonecznika, a z drugiej zaś trzy wielkie stokrotki, które, więdnąc, chyliły się ku ramionom. Jej gęste włosy barwy mahoniu spływały luźno do pasa, a na powieki nałożyła tyle niebieskiego cienia, że mogłaby przyozdobić całą kapelę grającą na dansingach utwory Abby. Oficjalnie skończyła czterdzieści lat, ale wyglądała młodziej – najwyraźniej wewnętrzny spokój to znakomity sposób na uniknięcie zmarszczek.

Kiedy ona zajęta była dziwnym mruczeniem, ja przyglądałam się otoczeniu i zdałam sobie sprawę, że w porównaniu z pracą w podupadającym przemysłowym gmachu na przedmieściach Slough, ta robota będzie bajeczna. Dosłownie. Biuro znajdowało się w sporej kamienicy w stylu georgiańskim w Notting Hill, która wyglądała jak dom odnoszącego sukcesy maklera giełdowego, jego żony zajmującej się wystrojem wnętrz i trójki dziatek imieniem Palomina, Pheromona i Calispera. Musiałam jednak porzucić wszelkie uprzedzenia tuż przed drzwiami, na których wyrzeźbione były mongolskie znaki wojenne, mające zniechęcać złe duchy, negatywne moce, jak i lokalnych opryszków uzbrojonych w farby w sprayu.

Olbrzymi podłużny hol wyglądał jak miniaturowe planetarium. Dywan był czarny, a ściany i sufit koloru nocnego nieba.

Fluorescencyjne gwiazdy pokrywały wszystko, co było w zasięgu wzroku. Pomieszczenie nie przypominało biura, tylko widok z okna statku kosmicznego „Enterprise". W rogu, za futurystycznym srebrnym biurkiem, siedziała recepcjonistka oświetlona lampką i migającymi na czerwono przyciskami centralki telefonicznej. Pierwszą rzeczą, jaka rzuciła mi się w oczy, to to, jak mizernie ta osoba wygląda – nic dziwnego, brak światła słonecznego z całą pewnością czyni ją podatną na liczne choroby zakaźne.

Biuro Zary zajmowało całe pierwsze piętro i panował w nim klimat tworzony przez osobliwą telewizyjną guru New Age, która wyglądała jak skrzyżowanie niedobitka z Woodstock z Cher z późnych lat osiemdziesiątych. Na ścianach i suficie udrapowano intensywnie czerwony jedwab, nadający miejscu urok beduińskiego namiotu. W każdym kącie stały olbrzymie rośliny, a na każdym centymetrze hebanowej podłogi rozpościerały się wzorzyste perskie dywany. Dwa drzewa oddały życie, by mogło powstać jej niezwykle rozłożyste biurko, oba rozcięte wzdłuż, a następnie złożone obok siebie – pomysł ten mógłby być całkiem funkcjonalny, gdyby wcześniej usunięto gałęzie. Niestety, zielona gęstwina wypełniała cały jeden róg pomieszczenia. Reszta podłogi była przykryta takimi samymi megapoduszkami, na jakich siedziała Zara. Były to wielkie kwadraty gęsto wyszywanego i wysokogatunkowego adamaszku w odcieniach głębokiej ochry, pośród których stały pnie drzew zamienione w stoły.

Zara miała jednak (w odróżnieniu od nieszczęsnej, bladej i odwitaminizowanej recepcjonistki) trzy okazałe georgiańskie okna przesuwne, które wpuszczały do wewnątrz nieco światła słonecznego. A właściwie wpuszczałyby, gdyby nie była osiemnasta w styczniu, a za oknami nie zapadłaby ciemna noc.

Nagle Zara poderwała się, wzięła z biurka wielki, pozłacany, grawerowany kielich i skierowała się w stronę okna, któremu przed sekundą się przyglądałam. Dziwne. Zbieg okoliczności? A może dałam jej podpowiedź myślami? O Boże, czyżby ona potrafiła czytać w moich myślach? Myśl o czymś przyjemnym, myśl o czymś przyjemnym...

Otworzyła okno i wystawiła rękę z kielichem na zewnątrz.

Hmm... A więc Zara:

a) w sposób ekologiczny chłodzi puchar herbaty za pomocą deszczówki;
b) na przekór przepisom BHP podaje coś do picia robotnikowi, który łamiąc podobne przepisy, myje okna nocami;
c) w sumie to nie wiedziałam, co mogłoby być, ponieważ nie potrafiłam sobie wyobrazić logicznego (lub jakiegokolwiek innego) powodu, dla którego trzymała ten kielich w wyprostowanej ręce za oknem w zimną, ciemną, styczniową noc.

– Ojcze Księżycu – zawodziła – ześlij mi znak, że jestem na właściwej ścieżce, prowadzącej do przeznaczenia, które nam niesiesz.

Jej głos prawie zranił mnie w policzek, po tym, jak odbił się od podłogi. Dosłownie wyła do księżyca. Nie potrzebowałam sił proroczych Ojca Księżyca, by ustalić, że ta kobieta jest mniej więcej tak zrównoważona, jak wibrator w hamaku. I to w czasie huraganu.

Niespodziewanie przykryła ręką puchar i odwróciła się do mnie, a jej triumfalny uśmiech wskazywał jednoznacznie, że cokolwiek ten facet na niebie dla niej zrobił, jest z tego powodu bardzo uradowana.

Przesuwając się bezszelestnie po podłodze (jak robot na niewidocznych kółkach z serialu science fiction, a to za sprawą długiego kaftana i braku butów), zbliżyła się do mnie i delikatnie zdjęła rękę z kielicha, by pokazać mi, co jest w środku.

– Przysłał nam go – zakomunikowała, niemal dysząc ze szczęścia.

– Nie wygłupiaj się, tu nic nie ma, ty pokręcona wariatko! – odparłam. Ale tylko w myślach. W rzeczywistości byłam zbyt zdumiona, by cokolwiek wykrztusić, i zrobiłam tylko minę, która dawała Zarze znakomity wgląd w stan moich plomb.

Spojrzałam do wnętrza kielicha. Nic. Puściutki. Zupełnie pozbawiony zawartości.

– Zesłał nam księżycowy promień – wyjaśniła.

Oczywiście, promień księżyca. Powinnam była zauważyć.

– Leni, to znak.

Czekałam, aż doda „...abym udała się na wypoczynek do zaciemnionego pokoju i została tam tak długo, aż halucynogenne grzybki przestaną działać".

– To znak, że jesteśmy na właściwej ścieżce – dodała.

Zaczynałam rozumieć, dlaczego jej poprzedni asystent wybrał ścieżkę prowadzącą przez lotnisko Heathrow.

Starałam się zrobić minę wyrażającą zachętę i otwartość taką, jaką można by obdarować czterolatka mówiącego, że jego wyimaginowany przyjaciel właśnie bierze szybki prysznic przed kolacją.

– A więc, Leni, czy jesteś całkowicie przekonana, że chcesz tu pracować?

Nieeeeeee!

– Całkowicie – odrzekłam.

Zrozumcie, miałam tu być z dala od spłuczek. Samo dotarcie tutaj pomogło mi przerwać złą passę, a na dodatek miałam zarabiać rocznie piętnaście kawałków więcej niż w mojej obecnej pracy. Zdążyłam już zdecydować, że jeśli tylko oddanie w ofierze mojego pierworodnego nie jest częścią oferty, to wezmę tę robotę.

Zara opadła na poduszkę i przyjęła pozycję medytacyjną: siad po turecku, zamknięte oczy, dłonie zwrócone ku górze i oparte na kolanach, kciuk i środkowy palec przyciśnięte do siebie.

– Czy jesteś gotowa na nowe wyzwania i doświadczenia, które niesie przeznaczenie?

Pokiwałam głową, opierając się pokusie podniesienia nieco dramatyzmu chwili przez dodanie głębokiego „hmm".

– Zatem witaj w drużynie. Niezmiernie się cieszę, że tu jesteś, i myślę, że nasza współpraca będzie przebiegała w idealnej harmonii.

Moje wyższe „ja" zawiwatowało bezgłośnie i zaczęło robić meksykańską falę. Udało się! Owszem, to wszystko jest dziwaczne i nawet odrobinę przerażające, ale najważniejsze, że otworzyła się przede mną inna przyszłość niż ta w towarzystwie spłuczek. Zostałam osobistą asystentką Zary Delty. I cóż z tego, że nie potrafię odróżnić wschodu Księżyca od pierścieni Saturna – jakoś to ogarnę. Poza tym to nie może być aż tak skomplikowane. W umyśle spakowałam wszystkie wątpliwości do pliku „Ta Praca W Ogóle Nie Ma Sensu", odsunęłam go na bok i pozwoliłam sobie na przelotny moment samozachwytu – nie minął miesiąc od sylwestra, a ja jestem na najlepszej drodze, by zmienić w moim życiu wszystko. I, doprawdy, większej zmiany nie potrafiłam sobie wyobrazić.

Zara otworzyła oczy i uśmiechnęła się życzliwie. Może praca dla niej nie będzie taka zła? Może teraz jestem nieco oszołomiona jej dziwactwami i ekscentrycznością, które po kilku tygodniach nie będą robić na mnie większego wrażenia?

– Bądź tu w poniedziałek o szóstej rano na tai-chi, sesję afirmacji i pełną odprawę dotyczącą twojego pierwszego zadania.

– Eee... zadania?

– Tak. Będziesz pełniła obowiązki asystentki i oczekuję, że codziennie będziesz do mojej dyspozycji. Wieczorami pracujesz tylko wtedy, gdy jesteś absolutnie nieodzowna. Zdajesz sobie sprawę, że w twojej pracy znajdzie się też element badań praktycznych?

Nie wiedziałam. Więc, rzecz jasna, przytaknęłam.

– Czy możesz mi powiedzieć, Zaro, jakie dokładnie to będą badania?

– To nic trudnego, moja droga. W tym roku mam zamiar napisać pionierską książkę na temat związków kobiet i mężczyzn. Dookoła jest mnóstwo zagubionych gwiazdeczek, a moim zadaniem jest wezwać je na niebiańską wędrówkę, by znalazły swoją drugą połowę.

Ajajaj, była jak natchniona piosenkarka z dodatkowym pakietem sił nadprzyrodzonych.

– Wierzę, że opracowałam nowy sposób interpretacji znaków Zodiaku przy wykorzystaniu starożytnej filozofii chińskiej, psychologii, kamieni runicznych, matematyki, układów planet oraz instynktu i intuicji, z którymi przyszłam na świat. Zamierzam użyć tych metod, by na nowo zdefiniować obecne techniki wyszukiwania partnerów. Zapomnij o szybkich randkach, o randkowych stronach internetowych – zamierzam opisać przełomową, nowatorską, rewolucyjną metodę zabiegania o względy partnera w oparciu o jego znak Zodiaku.

Wydawało mi się, że to pewnie nie najlepszy moment, by uświadomić jej, że lada chwila wiodące wydawnictwo powieści typu harlequin zadzwoni, domagając się zwrotu swojej własności: sformułowania „zabiegać o względy partnera".

Książka mająca wskazywać odpowiednich mężczyzn w zależności od ich znaku Zodiaku? To śmieszne. Płytkie. Uwłaczające. Czy współczesna kobieta nie jest aby nieco bardziej złożona? Nie mamy aby zasad, inteligencji emocjonalnej oraz zmysłu pozwalającego nam znaleźć partnera podobnie do nas myślącego, głęboko kompatybilnego i posiadającego cudownie wyrzeźbiony brzuch?

Nagle zdałam sobie sprawę, dlaczego wciąż jestem singielką.

– Co więc dokładnie miałabym robić?

Przeczucie mówiło mi o niekończących się, otumaniających godzinach spędzonych w bibliotekach na zbieraniu informacji o wszelakich przymiotach i cechach astrologicznych. Następnie musiałabym dostarczać obszerne raporty boskiej pannie Delcie, aby mogła scalić w jedno potęgę gruntownych badań naukowych, przenikliwego umysłu i promieni księżyca.

– To proste, Leni. Muszę dopracować i przetestować moje teorie, a ponadto zawrzeć w książce odniesienia do przypadków z życia wziętych. Tak więc przez następnych kilka miesięcy będziesz musiała umówić się na randki z dwunastoma mężczyznami, każdym spod innego znaku Zodiaku.

– Cooo?

Moja rumiana i czysta aura błyskawicznie spaliła bezpieczniki. Nie ma mowy! Zapomnij! Nie zamierzam robić z siebie lafiryndy dla jakiejś komicznej, niedorobionej książczyny, pisanej przez telewizyjną boginkę o głowie przypominającej zapomniany kosz z kwiatami.

– Oczywiście otrzymasz dodatkowe wynagrodzenie za pracę wieczorami, a za ukończenie każdego z dwunastu badań przewiduję dodatek. A zatem, mogę rozumieć, że bierzesz tę pracę?

Byłam oburzona, byłam poniżona. Ale byłam również bez forsy, rozpaczliwie chciałam wyrwać się ze świata sanitariatów, a nade wszystko odzyskać czucie w nogach. Wobec czego...

– Hmm – mruknęłam.

2
Konfiguracje planet

– No więc?

Na ich twarzach malowały się ogromne znaki zapytania.

– Dostałam tę pracę! – wykrzyknęłam radośnie i przystąpiłam do zbiorowego uścisku, który prawie pozrzucał ich ze stołków barowych. Od dwóch godzin czekali w tej drogiej, pretensjonalnej winiarni tuż za rogiem, w pobliżu biura Zary, i zaczynali mieć już kłopoty z takimi drobnostkami, jak równowaga czy spionizowana postawa.

– Mówiłam ci, że jest zdesperowana! – odrzekła uszczęśliwiona Trish.

Moja przyjaciółka taka właśnie jest – kocham ją i uwielbiam, ale bez wątpienia ukończyła Szkołę Przyjaźni im. Józefa Stalina. Jest brutalna, bezmyślna, egocentryczna i ma skłonności do dyktatorskich zachowań. Jednak w odróżnieniu od towarzysza Stalina jest także zabawna, uprzejma i w głębi duszy, pod warstwą braku towarzyskiego wyczucia, dba o potrzeby swoich przyjaciół. Znamy się od pierwszego dnia w college'u w Londynie, kiedy wpadłam na nią na korytarzu przed wydziałem gastronomicznym. Przyciskała do piersi australijski torcik bezowy o smaku toffi (tak, plamy po pewnym czasie udało się usunąć). Co dziwne, mimo jej brutalnego stylu bycia nie zdarzyło nam się pokłócić, zapewne dlatego, iż podświadomie zdaję sobie sprawę, że jeśli nadepnę jej na odcisk, z całą pewnością ona okaleczy mnie, gdy będę spała.

Pierwsza rzecz, która mnie w niej zadziwiła (zaraz po torciku bezowym) to to, jak bardzo była inna od stadka moich przyjaciół z sennych przedmieść Norfolk, gdzie dorastałam. W mojej grupie niczym się niewyróżniających, normalnych i przeciętnych kumpli nikt nie nosił granatowego irokeza oraz martensów do sukienek w kwiatki. Wyglądała jak owoc miłości gwiazdy punk rocka Sida Viciousa i projektantki Laury Ashley. Było to przyczyną sporej konsternacji, kiedy po raz pierwszy spotkał ją Grey, jej przyszły mąż. Tak, powiedzmy to raz na zawsze: on jest strażakiem. Proszę, tylko bez żartów o wielkich sikawkach, zjazdach po metalowym słupie czy rozniecaniu ognia. Te płytkie aluzje mają się nijak do roli, jaką w naszym społeczeństwie odgrywają ci dzielni mężczyźni. Choć z drugiej strony, Grey jest kawałem nieźle zbudowanego gorącokrwistego ciacha i z łatwością mógłby wzniecić ogień w majtkach niejednej niewiasty.

Tak czy siak, ich drogi zeszły się po tym, jak został wezwany do jej mieszkania przez sąsiada, który zauważył gęsty dym wydobywający się z jej okna. Kilka jęknięć syreny później wynosił półprzytomną Trish z mieszkania, gdy tymczasem wosk zostawiony przez nią na palniku gazowym po depilacji okolic bikini zamieniał jej kuchnię w zgliszcza. Podobno wada instalacji. Na szczęście nic jej się nie stało, ale kiedy odzyskała przytomność podczas oczekiwania na ambulans, Grey zainteresował się, dlaczego nosi glany do wieczorowej sukienki. Od tamtego czasu są parą, a ona przysięgła, że już nigdy nie włoży niczego w kwiatki, męskich wysokich butów ani skąpej bielizny.

Aktualnie jej dobór odzieży przywodzi na myśl Kate Moss o nieco mniejszych możliwościach finansowych. Modne, różnorodne i sprytne połączenia klasycznych, a czasem i droższych dżinsów, podkoszulków, kamizelek i rozmaitych innych szykownych elementów, które zdecydowanie nie powinny do siebie pasować, ale na Trish, owszem, wyglądają dobrze. Po poznaniu Greya nastąpiło też pożegnanie z irokezem. Nosi teraz asymetrycznego i ostrego jak brzytwa boba w kolorze jaskrawej czerwieni, sięgającego do połowy policzka. Fryzurę tę utrzymuje w nienagannym stanie najlepszy kumpel nas obu, Stuart. To kolejna znajomość z college'u, która przetrwała próbę czasu. Poznałyśmy Stu, kiedy szukał głów do strzyżenia podczas pierwszego tygodnia kursu fryzjerskiego. Trish i ja, borykające się z tym samym problemem krnąbrnych włosów, nadużywania taniego cydru i pustych kont bankowych, zgłosiłyśmy się. I mimo że ostrzygł nas na amerykańskiego żołnierza, przez co wszyscy zobaczyli nas w zupełnie nowym świetle (jeśli to czytasz, Julie McGuiness, dziękuję ci za plakat k.d. lang), od tamtego czasu byliśmy przyjaciółmi.

A, i jeszcze coś, w razie gdyby ktoś wierzył w te całe stereotypy. Stu nie jest nawet odrobinę gejem. Jednakowoż...

– To fantastycznie, Leni. Jestem z ciebie naprawdę dumny. Ale dość tych uścisków, skarbie, bo ten mój wirus może się roznosić drogą kropelkową, więc lepiej uważać.

...jest hipochondrykiem. Chociaż może powinnam powiedzieć: nowo milenijnym cyberchondrykiem. Wystarczy jedno kichnięcie, a on siada do komputera i sprawdza swoje objawy na portalach medycznych, za moment ogłasza epidemię i zanim wejdzie do pokoju, ostrzega o swoim wejściu wszystkich tam obecnych, potrząsając dzwoneczkiem. Z drugiej jednak strony, chociaż strony internetowe podają zawsze najbardziej zatrważające diagnozy, wszyscy jesteśmy szczęśliwi, że Stu wyrzucił do kosza swój staromodny słownik terminów medycznych. W czasach, kiedy nie mógł się od niego oderwać, zdarzało mu się utknąć na jednej literze i trwać w przerażeniu. W mojej pamięci na wieki wyrył się tydzień w 2002 roku, kiedy to Stu zauważył u siebie symptomy czyrakowatości, częstomoczu i ciąży.

Wciąż żywimy nadzieję, że spotka kiedyś odpowiednią kobietę i zyskane w ten sposób poczucie bezpieczeństwa wyzwoli go z objęć chorobliwej obsesji. Jak dotychczas jednak, wszystkie próby wyswatania go z przedstawicielką służb medycznych brały w łeb. Największym osiągnięciem była trzecia randka z pielęgniarką specjalizującą się w geriatrii, ale rzuciła go podczas oglądania w jego towarzystwie *Ostrego dyżuru,* kiedy poprosił ją, by możliwie wyczerpująco, nie szczędząc paskudnych szczegółów, opisała mu badanie gruczołu krokowego. Doprawdy szkoda, bo oprócz swojego natręctwa jest kawałem fantastycznego, wysokiego macho, godnego kobiecych westchnień. Ma krótko ostrzyżone czarne włosy, przeszywające spojrzenie zielonych oczu i mięśnie brzucha tak sprężyste, że dałoby się na nich grać jak na bębnach bongo. Na to ostatnie rzeczony, by się, rzecz jasna, nie zgodził, w obawie przed złamaniem żeber, odmą opłucnową i krwawieniami do otrzewnej.

Och, i poza tym całkiem nieźle mu się wiedzie. Dzięki swojemu hipermodnemu salonowi jest szybującą w górę gwiazdą (uwaga na zawroty głowy i chorobę wysokościową) fryzjerskiego świątka (gnidy, zanokcica, toksyczne wyziewy środków do pielęgnacji włosów). Czesze matrony z Chelsea, przedwcześnie dojrzałe nastolatki, kilka pomniejszych gwiazdek telewizji, i robi metamorfozy fryzur dla jednego z tygodników. Trish przysięgła, że ściągnie go do *Cudownego poranka TV*, tam jednak bardzo często kręci się materiały w egzotycznych zakątkach, więc Stu musiałby najpierw przezwyciężyć strach przed lataniem. Przeraża go nie tylko wizja spadającej z nieba wielkiej stalowej rury z nim w środku, ma też fobię na punkcie zarazków, ponieważ dowiedział się, że lotnicze systemy wentylacji w zasadzie obracają w kółko to samo powietrze, roznosząc między pasażerami ich bakterie.

Wskoczyłam na stołek barowy obok nich, jednak dostatecznie daleko, by uniknąć uśmiercenia przez wyjątkowo zakaźny wirus Ebola prosto od Stu, zanim wypiję kieliszek wina i zjem paczkę orzeszków.

Zdałam im pełny raport, a oni przeżyli po kolei: zdumienie, zachwyt, dumę i... przerażenie.

– Masz CO zrobić? – Trish niemal udało się opluć mnie winem.

– Nie ma mowy – orzekł Stu niczym stanowczy rodzic, zabraniający picia przed osiemnastką, odwiedzania dyskotek i jakichkolwiek zbliżeń, w których mógłby uczestniczyć rejon bioder.

– Dobrze, tato, ale pod warunkiem, że zwiększysz mi w tym tygodniu kieszonkowe.

– Leni, mówię poważnie, to może być niebezpieczne. Dwunastu mężczyzn? Zdajesz sobie sprawę, że statystycznie rzecz biorąc, co najmniej dwóch z nich będzie nosicielami chorób wenerycznych? Nie wspominając o sporej szansie na to, że któryś z nich będzie miał kryminalną przeszłość.

Jak na macho, Stu dosyć często histeryzuje (uwaga na: zaburzenia lękowe, wzrost ciśnienia, zmarszczki).

Teraz patrzył na mnie, a wyraz jego twarzy oscylował między zgrozą a niedowierzaniem. Była też domieszka troski, która tylko pogarszała moje samopoczucie. Zazgrzytałam zębami. Miał oczywiście rację i w gruncie rzeczy zdawałam sobie z tego sprawę. Przyjęcie tej pracy to wariactwo. Randki? Dwanaście randek nie wchodzi w rachubę. Jestem kobietą, która tygodniami nie może zdecydować się na nowy proszek do prania, by na koniec i tak zatęsknić za tym starym. Jednak z drugiej strony... Mój umysł zwrócił się ku stercie książek leżących przy łóżku. Czy nie powinnam, mimo obaw, spróbować? Dlaczego nie wejść w rolę i wreszcie stać się tym, kim chcę? Dlaczego nie zrobić tych kilku przełomowych kroków. Wrrr! Czy nie powinnam przestać czytać tych cholernych poradników i zacząć wprowadzać w życie to, co zalecają?

To moment, by nareszcie zacząć żyć, i to tak, jak mi się podoba. Jestem do tego zdolna. Naprawdę. Czułam strach i była to chwila, by z nim wygrać.

Postanowiłam poudawać trochę brawurę.

– Stu, wcale nie zamierzam z nimi wszystkimi sypiać, mam się z nimi tylko spotkać. Wiesz, kolacja, kręgle, muzeum i takie tam. Poza tym myślisz, że mogę trafić gorzej? Zastanów się nad moim szczęściem do facetów. Ben? Żonaty. Donny? Mistrz olimpijski w byciu bezgranicznie nudnym. Gary? Wolał moją pedikiurzystkę. Goliath? Próbował migdalić się z Trish na moich urodzinach.

– Ostrzegałam cię przed facetem o imieniu Goliath. Gwarantowany kompleks niższości – wtrąciła Trish.

– Dziękuję, pani psycholog – ucięłam.

– Nie ma mowy. To zdecydowanie zbyt ryzykowne, a poza tym wcale ci się to nie spodoba. To po prostu do ciebie nie pasuje, Leni. – Stu walił butelką budweisera w blat baru.

Miał całe mnóstwo denerwującej, cholernie irytującej racji. Moje emocje wahały się między byciem nieustraszoną a realistką. Nie ulegało wątpliwości, że kiedy Bóg rozdawał ambicję i pociąg do przygody, ja odmówiłam, mówiąc: „Nie, dziękuję, wystarczy mi prostota i przewidywalność."

Wrzuciłam na ząb kilka orzeszków, by rozładować napięcie. Weź tę pracę. Nie bierz jej. Weź ją. Jednak nie. I jeszcze raz, od początku... grrr!

– Och, do ciężkiej cholery, Stu, przestań dramatyzować – syknęła Trish. – Da sobie radę. Może nawet spotka kogoś, kto wyróżni się spośród jej grona nieudaczników i popaprańców.

Psia kość. Nie wiedziałam, czy dziękować Trish za zachętę, być urażoną jej spostrzeżeniem, czy też oburzoną faktem, że wcale nie przejmuje się tym, iż mogę trafić na szaleńca zdolnego mnie zamordować.

Jednak to, co powiedziała, nie było dla mnie niczym nowym. Mam dwadzieścia siedem lat i nie zdarzyło mi się jeszcze być w związku, który pozwoliłby mi choćby ukradkiem nucić pod nosem marsza Mendelssohna czy przeglądać katalogi sukien ślubnych. Moim najdłuższym dystansem były dwa lata spędzone z facetem, w którym byłam zakochana (do dziś jedynym): Benem (szloch! – przepraszam, ale wciąż nie mogę o nim myśleć bez pociągania nosem i czerwonych oczu), cudownym nieznajomym, którego poznałam w pociągu kilka lat po skończeniu college'u. Jeśli chodzi o plebiscyt na najbardziej nieprawdopodobne zestawienie dwojga ludzi, to mieliśmy zapewnione wysokie miejsce. Ja: zdystansowana, zasadniczo miękka osoba z zapałem do przygody niewykraczającym poza spróbowanie nowego muffina w Starbucksie. On: zawodowy żołnierz piechoty morskiej, prawie dwa metry ociekającego testosteronem samca, który, mimo że był skuteczną maszyną do zabijania, był też najsłodszą i najbardziej troskliwą osobą, jaką znałam. Niestety, pod koniec tych dwóch lat okazało się, że ma żonę i dziecko w koszarach w Felixstowe, a jego „tajne manewry" toczyły się z dala od linii frontu. Potyczki z talibami musiały stanowić dla niego relaks po stresującym podwójnym życiu z żoną i przyjaciółką, które nie miały o sobie nawzajem bladego pojęcia, nim... nie, nie chcę nawet o tym myśleć. Sięgnęłam po orzeszki i przewinęłam w myślach taśmę do strasznego efektu końcowego, na którego obraz składało się głównie leżenie na podłodze w łazience i szlochanie w zasłonę prysznicową połączone z życzeniem wiecznego potępienia dla całego męskiego rodu. Od tamtego koszmaru płynęłam z prądem, natrafiając od czasu do czasu na jednoznacznie nieodpowiednich osobników, z którymi byłam tylko po to, by oderwać się choć na chwilę od przewlekłego singielstwa.

Patrząc wstecz, dochodzę do wniosku, że powinnam była spakować plecak i leczyć złamane serce na trekkingu w Nepalu, odnajdując duchowe oświecenie. Albo wybrać się w rejon Wielkiej Rafy Koralowej, by oglądać cuda natury i przeżyć przelotne przygody seksualne z długowłosymi australijskimi surferami. Co robiłam zamiast tego? Przez lata trzymałam się tej samej pracy, prowadziłam nieciekawe życie erotyczne i nadal mieszkałam w tej samej okolicy na pograniczu Slough i Windsoru od lat w tej samej kawalerce. Właściwie było to bardziej Slough, chociaż jeśli ryzykownie wychyliłabym się z okna mojej sypialni z lornetką w ręku, mogłabym prawie zobaczyć zamek Windsor. Nie żebym to robiła. No dobrze, jeden jedyny raz, owszem, a moja sąsiadka, pani Naismith, przytrzymywała mnie za kostki, żebym nie runęła na pewną śmierć.

Odetchnęłam długo i głęboko niczym nieustraszona superheroina i przywołałam na twarz siłę i zdecydowanie. Nie ma mowy, bym wspominała bez żalu, że wypuściłam z rąk taką okazję (przynajmniej z jednej ręki, bo druga zajęta była wrzucaniem do ust wysokobiałkowej, solonej, chrupiącej frajdy).

Co poprzysięgłam w Nowy Rok? Stworzyć zupełnie nową mnie. A biorąc pod uwagę moje dotychczasowe jednostajne, śmiertelnie nudne życie i zdecydowanie niesatysfakcjonującą historię przeżyć miłosnych, byłam coraz bardziej pewna, że to, czego potrzebuję, to odrobina nieprzewidywalności, która zmieni moje życie.

A Zara Delta z całą pewnością stanowi tę odrobinę.

Cudowny Poranek TV!

– A więc, Zaro, masz ponoć ekscytujący nowy projekt na ten rok i potrzebna ci nasza pomoc – zagaiła Goldie Gilmartin, ukochana przez naród prezenterka.

Będąc nieco po czterdziestce, z fryzurą na chłopaka, o kasztanowych włosach i ciele, któremu nieobcy był salon fitness, Goldie bardziej niż trochę przywodziła na myśl Lizę Minelli. Brytyjscy telewidzowie ją uwielbiali, a jej wyrazisty styl, połączony z umiejętnością współczucia bez egzaltacji, nadawał jej niemal rangę skarbu narodowego.

– To prawda, Goldie, mam, i jest to najprawdopodobniej najważniejsza rzecz, jaką się zajmowałam. Nie chcę na razie zdradzać zbyt wiele, ale powiedzmy, że może to być odpowiedź dla wszystkich samotnych dziewczyn poszukujących Tego Jedynego.

Goldie uśmiechnęła się znacząco, zwracając się do kamery:

– Może zatem i dla mnie jest szansa.

Wolny stan Goldie był od dawien dawna przedmiotem zainteresowania magazynów plotkarskich. Nie zdawali sobie jednak sprawy (my, owszem, dzięki kuluarowym informacjom Trish), że Goldie od lat trwa w zgoła niekonwencjonalnym i nasyconym przygodą związku z niebotycznie wysokim striptizerem o ciele Adonisa, mającym prawie dwadzieścia lat mniej niż ona.

– Goldie, pierwszy wydrukowany egzemplarz mojej książki będzie dla ciebie, skarbie! – obiecała Zara, zanim przemówiła do kamery: – To, czego teraz potrzebuję, to wolnych mężczyzn. Drogie panie, może wasz brat, syn lub nawet ojciec jada obiady samotnie? A może jesteś singlem, któremu znudziły się bezowocne randki? Wszyscy gasnący bez miłości panowie, napiszcie do mnie parę słów, opowiedzcie coś o sobie, załączcie zdjęcie, a może uda wam się zakwalifikować do fantastycznego nowego projektu, a my pokryjemy wszystkie koszty nocy waszych marzeń. Biura matrymonialne żądają tysięcy funtów, my zaś, być może, znajdziemy wam idealną partnerkę za darmo. Intrygujące? O wszystkim opowiem w mojej nowej książce, która ukaże się pod koniec tego roku, lecz mogę wam obiecać: jeśli zostaniecie wybrani, czeka was przygoda, i może spotkacie waszą drugą połowę.

– Fantastycznie, Zaro, dziękujemy za te informacje – wtrąciła Goldie, zamykając ten blok programu. – A zatem, panowie, piszcie, a jeśli coś przyciągnie moją uwagę, może sama umówię się z którymś z was?

3
Wypatrywanie gwiazd

– Cześć, Leni. Zarze potrzebny jest jej plan dnia, trzeba odebrać nowe kryształy od Swarovsky'ego z Bond Street i zorganizuj, proszę, ekipę, sprzątającą, która zrobi jej chatę na błysk. Zeszłej nocy Zara zaprosiła parę osób i impreza trochę się rozkręciła. O, i mamy dla ciebie coś z tego całego poszukiwania kawalerów. Szczegóły są na twoim biurku.

– Jasne, Conn, nie ma sprawy.

Conn uśmiechnął się szeroko, mijając mnie na schodach. Poczekałam, aż zniknie mi z oczu.

– Bagietka z kurczakiem! – krzyknęłam w stronę Millie, bladoskórej recepcjonistki, która pod anemiczną cerą, włosami koloru węgla i ogólnym ponurym wyglądem była urocza i zabawna – chociaż martwiłam się, że jeśli wkrótce nie zobaczy słońca, jej przyszłość stanie pod znakiem osteoporozy.

– Błąd. Z serem na ciemnym pieczywie, bez majonezu – rzuciła z ciężkim akcentem z Glasgow.

Głowa Conna znienacka pojawiła się na szczycie schodów.

– Przepraszam, Millie, zapomniałem o... mogłabyś zamówić mi lunch? Kanapka z serem będzie dobra.

Brwi Milli zatańczyły specjalnie dla mnie taniec zwycięstwa.

– Oczywiście. Chleb jasny czy ciemny?

– Ciemny. I bez majonezu.

– Dla mnie w takim razie słodkie bułeczki – rzuciłam z żalem.

Jak jej się to udaje? Pracuję w firmie Delta od dwóch tygodni i jak dotychczas Millie każdego dnia ogrywa mnie w zgadywaniu kanapek na lunch. Nie miałam zamiaru łatwo oddać pola. Może powinnam zacząć robić notatki i zbadać, czy każdy z osobna ma określone preferencje zależne od dnia, tygodnia lub fazy księżyca? To ostatnie wcale nie żart – w tym miejscu to niechybnie najlepsze wytłumaczenie.

Nasza ewidentnie głupia zabawa zaczęła się mojego pierwszego dnia w pracy, kiedy w okolicach recepcji zostałam przedstawiona synowi i jednocześnie menedżerowi Zary. Są tylko dwa odpowiednio wyraziste, wyczerpujące temat i jednocześnie cenzuralne słowa, którymi można go opisać: stuprocentowe ciacho.

Mam nieco ponad metr siedemdziesiąt wzrostu i nawet gdybym założyła najbardziej holujące mnie w górę buty na obcasie (kupione na eBayu, niewiarygodnie niepraktyczny zakup dokonany z myślą o bożonarodzeniowej imprezie hydraulików, noszenie dozwolone tylko w pobliżu powierzchni gwarantujących miękkie lądowanie i obecności obstawy medycznej) Conn byłby o głowę wyższy ode mnie. Szerokość jego ramion równa jest w przybliżeniu szerokości typowego chodnika, ma twarz przypominającą nieopalonego Marlona Brando, a jego oczy, podobne do kamieni szlachetnych, błyszczą jaśniej niż wszystkie te cholerne gwiazdki w recepcji. Jednak najbardziej fascynujące są włosy – ciemne i długie, nie całkiem w stylu Led Zeppelin, bardziej w guście sięgającej ramion fryzury Jona Bon Joviego w czasie, kiedy nieco się zestarzał i uznał, że na odżywki konieczne do konserwacji charakterystycznej peleryny heavymetalowca wydaje fortunę.

Według Zary Conn urodził się, gdy miała szesnaście lat, teraz miał dwadzieścia dziewięć, jednak mimo tego, że był niewiele starszy ode mnie, dzięki dystyngowanej pewności siebie sprawiał wrażenie osoby nad wiek dojrzałej. Cecha ta czyniła go wymarzonym menedżerem Zary. Tak, zgadza się, tego wszystkiego dowiedziałam się podczas tych pięciu krótkich rozmów, które z nim przeprowadziłam, odkąd dostałam tę pracę dwa tygodnie temu. No i, dobra, przyznaję, kilka razy zupełnie przypadkowo usłyszałam, jak rozmawia przez telefon, a to dzięki niedoskonałej sieci, która pozwala podsłuchać rozmowę każdego. Należy powiedzieć, że było to wścibskie naruszenie prywatności, ale jaki sens się przyznawać, skoro Zara, będąc specjalistką w swoim fachu, i tak wie, co wszyscy myślą?

Po plecach przebiegł mi dreszcz, więc zaczęłam powtarzać w myślach moją psychiczną mantrę: myśl o czymś przyjemnym, myśl o czymś przyjemnym... Większość ludzi zastanawia się od czasu do czasu, czy ich zwierzchnicy zaglądają przypadkiem do szuflad ich biurek. Niektórzy martwią się tym, że pracodawcy instalują na ich komputerach oprogramowanie zdolne podglądać ich pocztę. A ja? Cała drżę na myśl o tym, że Zara zajrzy do mojego umysłu dokładnie wtedy, gdy jakiś niesforny neuron podrzuci mi myśl w stylu: Hej, ty, w tym wieśniackim kaftanie, dzieci kwiaty już dawno gryzą piach.

Wspięłam się po schodach do biura Zary i otworzyłam drzwi z umiarkowanym drżeniem serca. Problem w tym, że nigdy nie wiadomo, co się tam zobaczy. W zeszłym tygodniu puszczała przez okno latawiec, przekonana, że trajektoria jego lotu da jej odpowiedź na pytanie, czy powinna rezerwować lot do Mongolii na transcendentalną pielgrzymkę w czasie Bożego Narodzenia. Wczoraj zastałam ją w samym środku dyskusji z kozą. Tak jest, z kozą. Nadal się zastanawiam, czy Towarzystwo Opieki Nad Zwierzętami nie miałoby nic przeciwko dorosłej kobiecie indagującej zwierzę, które dostarcza jej co rano ulubionego napoju. W porównaniu z tym Archie Botham i jego spłuczka wydawała się kojąco pospolita.

Na szczęście tego ranka w zasięgu wzroku nie było przedstawicieli trzody, była tylko Zara, ubrana w jaskraworóżowy top bez ramiączek, który na wysokości talii przeistaczał się w zwiewną spódnicę do ziemi. Całości dopełniała przepaska na czole. Zara podeszła, jak zawsze, by mnie pozdrowić. Przyłożyła dłonie do moich i zamknęła oczy.

– Niechaj kosmos obdarzy nas owocnym dniem pokoju, rozwoju i harmonii.

Wyrecytowałam to razem z nią, usiłując z całych sił nie wyglądać jak kretynka i być wdzięczną za to, że dzień zaczął się nie najgorzej. Zdążyłam zdać sobie sprawę, że kiedy Zara jest poruszona lub wściekła na kwestie rangi kosmicznej, ignoruje mnie, kiedy jednak humor jest w porządku, skwapliwie przeprowadza naszą małą poranną afirmację. Był to jeden z całego szeregu dziwacznych rytuałów, które zaczynałam powoli traktować jak coś normalnego. Moja sytuacja byłaby kiepska, gdyby Zara dowiedziała się, że nie skontrolowałam swojej aury pod kątem astralnego mroku od wtorku zeszłego tygodnia. I jestem przekonana, że byłaby mało uradowana książką, którą trzymałam dyskretnie w plecaku: *Przetrzymać szalonego szefa – jak zadbać o równe traktowanie w pracy.* I to działało. Dawało mi też przekonanie, że Zara ma nierówno pod sufitem. Nagle przyszła mi do głowy przerażająca myśl: A może wyczuje, że mam tę książkę? Czy wie, że o tym myślę?

Przeszłam na tryb profesjonalnej asystentki. Pomyślałam o czymś przyjemnym. Na przykład: podoba mi się praca tutaj. Czas pracy jest w porządku, robię ciekawe rzeczy, i mimo faktu, iż Zara potrafi zmienić się z uosobienia spokoju w zapamiętałą egoistkę w czasie krótszym niż potrzebuję na przeczytanie swojego horoskopu, dotychczas udawało mi się uniknąć jej gniewu. Następna przyjemna rzecz: niezła pensja, a codziennie dzieje się coś interesującego. Kolejna fajna sprawa: Conn. Ej, tak mi się tylko wymsknęło. Ale, cóż, przyznaję, że praca w pobliżu faceta o aparycji modela wywoływała we mnie odrobinę...

W mojej głowie zahuczały dzwony alarmowe, a głos jak z piekielnej otchłani przemówił: „Zaniechaj seksualnych fantazji o facecie, którego kosmiczna matka stoi tuż przed tobą!". Na mojej górnej wardze pojawiły się kropelki potu, błyskawicznie wyłączyłam film porno rozgrywający się w mojej wyobraźni, i znowu stałam się wzorową sekretarką.

– Twój plan dnia jest już w twoim komputerze i blackberry, zaktualizowałam go wczoraj, zanim wyszłam z pracy. Masz dzisiaj dzień w biurze i trzy sesje jasnowidzenia: pierwsza z panią Callow z Brigend, standardowa stawka sześćset funtów za godzinę. Druga ze zwycięzcą konkursu z *Cudowny Poranek TV!* To gratis, więc powiedziałam im, że masz tylko pół godziny, tak jak chciałaś. Trzecia to Sher DeMilo. Wykopali ją właśnie z serialu *EastEnders* i histeryzowała przez telefon. Ile jej zawołać?

Zara zamknęła oczy i milczała przez chwilę, po czym oznajmiła:

– Tysiąc funtów. Zgarniemy więcej niż na otwarciu supermarketu.

Czy wspomniałam, że udało mi się odkryć dość niespodziewaną i, szczerze mówiąc, nieco niepokojącą cechę Zary? Choć troszczyła się o swój wizerunek osoby niepospolicie uduchowionej, była być może boginią zesłaną z niebios, być może żyła w zgodzie z regułami karmicznej sprawiedliwości, jednak jeśli chodziło o jej rachunek bankowy, była do bólu rzeczowa, niczym wytrawny księgowy.

– Conn prosił mnie, żebym odebrała twoje nowe kryształy i zorganizowała sprzątanie, więc zrobię to podczas twojej pierwszej sesji. Czy jest coś jeszcze, co mam zrobić? – spytałam.

– Tak, dowiedz się, proszę, jaki strój obowiązuje na rozdaniu nagród TV Times i poproś panią Choprę, żeby przyszła i zajęła się moim kostiumem.

Zanotowałam to. Wbrew temu, co pisze prasa, Zara bynajmniej nie zdobywa swoich strojów na targach staroci i nie przywozi ich z wypraw do Trzeciego Świata. W rzeczywistości szyje je dla niej pani Chopra, urocza drobna hinduska prowadząca zakład krawiecki w dużym mieszkaniu z tarasem w Hounslow.

Podeszłam do mojego biurka i krzesła, pardon, mojej poduszki i pniaka, w rogu. Po raz nie wiadomo który uderzając kością ogonową w podłogę, przypomniałam sama sobie, żeby kupić spodenki kolarskie z poduszką na pośladkach. Nie, żebym spodziewała się, iż ten element garderoby będzie mi kiedykolwiek potrzebny w pracy zawodowej.

Moje oczy błyskawicznie powędrowały do czerwonego folderu leżącego pośrodku blatu. A w zasadzie pomiędzy słojami. Tak czy siak, nie był to czas na rozważania semantyczne, ponieważ mój mózg tętnił w jednostajnym rytmie: „ta dum, ta dum, ta dum". Moje dłonie zaczęły drżeć, w gardle utworzyła się zwarta masa uniemożliwiająca przełykanie śliny. Bębny bijące „ta dum" przyspieszały. Zdecydowałam, że do wyposażenia biura trzeba w najbliższym czasie dołączyć defibrylator.

Przez dwa tygodnie negowałam to, zapewniałam sama siebie, że Zara na pewno zmieni zdanie, wymyśli nowy plan lub chociaż rozjedzie ją autobus, zanim będę musiała wziąć udział w tym niedorzecznym przedsięwzięciu. Teraz jednak rzeczywistość stała przede mną czarno na białym. Leżało przede mną zgłoszenie pierwszego z kandydatów, wybranego z całego wora korespondencji, jaką Zara otrzymała po obwieszczeniu w telewizji, że poszukuje facetów będących na tropie Tej Jedynej.

W tej chwili z całą pewnością przemawiał przeze mnie duch Panny Nie Zgadzam Się.

Nowa fala paniki wzięła początek w moich palcach u stóp i zatrzymała się w okolicy mniej więcej obolałej kości ogonowej. Dlaczego w ogóle przyszło mi do głowy, że mogę to zrobić? Dlaczego? To nie jest moja rola we wszechświecie. Na co dzień, to do kompetencji Trish należy bycie „nieulękłą, oburzającą i brutalną (w słowach) aż do bólu", Stu odgrywa rolę „uroczego, roztropnego, zabawnego i na fali". Moją działką jest bycie „bezpieczną, wiarygodną, o upodobaniu do powszedniości".

Wyjęłam kartkę A4 z dołączonym zdjęciem. Nagłówek informował: „Harry Henshaw". Mój żołądek drgnął, kiedy spojrzałam na zdjęcie, i zdałam sobie sprawę, że Harry zdecydowanie nie jest w moim typie. Nie, żebym miała jakiś konkretny „typ" (inny niż osobnik niegodny zaufania i o skłonnościach do kompulsywnego kłamania), ale Harry miał aparycję członka boysbandu… dziesięć lat po ich ostatnim hicie na trzydziestym drugim miejscu listy przebojów i rozpadzie kapeli, celem robienia karier solowych.

Błyskawicznie przejrzałam jego życiorys. Panika majczyła już na wysokości pasa. Harry, okazało się, ma dwadzieścia lat, pracuje w wytwórni paneli prefabrykowanych, lubi czytanie i sport, a w wolnym czasie spotyka się z przyjaciółmi. Panika walczyła o prymat ze wściekle walącym sercem. Cały ten projekt jest przerażający, ale bardziej przerażające, jest to, że staje się rzeczywistością.

Harry. Leni i Harry. Harry i Leni. Nie-e. To nie brzmi dobrze. Nie mogę tego zrobić. Nie mogę. Dodające mi wątpliwego uroku kropelki potu pojawiły się na dłoniach, by dotrzymać towarzystwa zaczynającym się nudnościom. Zastanawiałam się, czy jest jakiś sposób, by wrócić do poprzedniej pracy...

– O, znalazłaś – zauważyła Zara, wyrastając tuż obok mnie. – Pomyśleliśmy, że w porządku z niego koleś. Jest Lwem.

Chciałam dodać: „Który prawdopodobnie spóźnia się na spotkanie ze swoim kuratorem sądowym", ale nie dodałam.

– A więc, jak mówiłam wcześniej, opracowałam nową metodę czytania w gwiazdach, która zrewolucjonizuje znaczenia, jakie współczesna astrologia, dość stereotypowo, przypisuje znakom zodiaku. Nie zamierzam wobec tego dawać ci przed spotkaniem żadnych wskazówek ani podpowiedzi o jego astrologicznym charakterze. Chcę, żebyś poszła na nie bez żadnych oczekiwań, nic o nim nie wiedząc.

Ja jednak coś niecoś o nim wiedziałam. Po pierwsze: skoro Harry znalazł czas, by wysłać zgłoszenie do telewizji śniadaniowej, to najprawdopodobniej nie musi oganiać się kijem od wielbicielek. Po drugie: zanim się z nim spotkam, zabije mnie strach.

– Musisz też pozwolić mu przejąć inicjatywę: wybór miejsca, gdzie się spotkacie, dokąd pójdziecie i co zrobicie.

I tak runął mój plan wypicia szybkiego drinka w barze i nawiania przez okno w toalecie.

Zara podsunęła mi kartkę formatu A4.

– Mamy też kilka wytycznych, do których powinnaś się stosować. Jak sama rozumiesz, reprezentujesz markę Delta, dlatego oczekujemy, że będziesz zachowywała się w sposób, który nie postawi nas w złym świetle.

Z trudem powstrzymałam się od przewrócenia oczami. Te słowa mówiła niewiasta, która postanowiła zobrazować swoją kobiecość, malując wielkie płótno wiszące w holu za pomocą sutków. W zeszłym tygodniu doprowadziła swojego klienta do łez, mówiąc mu, że zaginiony chihuahua poszedł do nowego pana w niebiesiech. A od sław brała trzy razy więcej niż od innych ludzi. I ta sama osoba martwi się, że moje zachowanie może zepsuć jej reputację? Kurde, dziwnie na mnie patrzy. Szybko, coś przyjemnego. Myśl o czymś przyjemnym. Jasna, pieprzona cholera. To wszystko jest dla mnie wystarczająco trudne bez cholernego zamartwiania się, czy Zara, aby nie czyta mi w myślach!

Nie mogę tego zrobić, nie mogę iść na tę randkę. Dokładnie w tej chwili chciałam włożyć głowę miedzy kolana i czekać, aż zagrożenie minie. Poczułam też gwałtowną potrzebę napisania osobistego i dającego natchnienie poradnika pod tytułem: *Poczuj strach, trzęś się, a potem becz.*

– A zatem, Leni, czy jesteś gotowa na to wyzwanie? Rozmawialiśmy o tym z Connem i zdaliśmy sobie sprawę, że to dość nietypowe zadanie, wobec czego uznaliśmy, iż dodatek wysokości dwustu funtów za wieczór powinien być w porządku. Ponadto pokryjemy wszystkie twoje wydatki, wliczając w to transport tam i z powrotem.

Uch, jej przekonanie, że może mnie kupić, jest naprawdę wkurzające. Mam zasady! Wyznaję wartości! Lecz mam też pożyczkę studencką do spłacenia oraz całkiem spory debet na koncie, co w sumie daje kilka tysięcy funtów. Zaradzić temu może te kilka dwustufuntowych dodatków.

Trzeba się decydować. Mam dwie możliwości: chrzanić to albo podjąć wyzwanie. Chrzanić to. Podjąć wyzwanie. Chrzanić to. Chrzanić to… Szum moich zmartwień i trosk wzrósł do dramatycznego crescendo, aż nagle uciszył je donośny ryk Trish żądającej, żebym wzięła się w garść. Muszę to zrobić. Nie mogę zrezygnować po dwóch tygodniach. Z czym zostanę? Z miejscem w kolejce po zasiłek? Spłukana i załamana tym, że strach przed dwunastoma zupełnie nieszkodliwymi spotkaniami (z potencjalnymi mordercami) pozbawił mnie najciekawszej i najbardziej lukratywnej pracy, jaką kiedykolwiek miałam? Głęboki wdech. Głęboki wdech. I po raz dwieście czterdziesty trzeci powtórzyć w duchu: „Potrafię to zrobić".

– Jasne, nie ma problemu, jestem zdecydowana się tego podjąć – zapewniłam Zarę, podkreślając wypowiedź zamaszystym gestem. Potrafię to zrobić (po raz dwieście czterdzieści czwarty).

– Zapewnimy też twojemu partnerowi sto funtów na wydatki, chociaż jeśli zechce, może wydać więcej z własnej kieszeni. Możesz wypłacić te pieniądze z naszego konta na drobne wydatki i wysłać mu je kurierem przed spotkaniem razem z oświadczeniem o zachowaniu wszystkiego w tajemnicy, podobnym do tego, które podpisałaś przed rozpoczęciem pracy tutaj. To nam oszczędzi różnych administracyjnych bzdur związanych z waszym spotkaniem.

Bosko. A więc płacą facetom za spotkanie ze mną oraz żądają, by zachowywali to w tajemnicy. Zupełnie jakbym na co dzień nie miała doła, pół tony semteksu przykleiło się do mojego ego i dramatycznie eksplodowało.

Zara pobiegła na pierwszą sesję, a ja pochyliłam się nad pniakiem z listą niczym wyrok śmierci czekający na wykonanie.

Zawierała dziesięć punktów, grubym drukiem, bezlitośnie czarno na białym:

1. *Po każdym spotkaniu musi powstać wyczerpujący raport (według wzoru).*
2. *By zagwarantować, że spotkanie jest możliwie najbardziej spontaniczne, kandydat nie może znać podpowiedzi, być uprzednio przygotowywany ani manipulowany.*
3. *Każde spotkanie musi trwać kilka godzin, jego przebieg ma zależeć wyłącznie od kandydata.*
4. *Szczegóły niniejszego projektu ani informacje dotyczące kandydatów nie mogą być ujawniane nikomu spoza Delta Inc.*
5. *Kontakt fizyczny z kandydatami nie powinien być inicjowany.*
6. *Jakakolwiek próba kontaktu fizycznego powinna zostać odrzucona, lecz także odnotowana dla celów późniejszej analizy.*
7. *Aby spotkanie przebiegało w możliwie swobodnej atmosferze, należy unikać wypytywania. Jednak w czasie trwania wieczoru powinna zostać zgromadzona najszersza możliwa wiedza dotycząca spotkań romantycznych kandydata w przeszłości. Podobnie uzyskane powinny zostać dane dotyczące rodziny i zatrudnienia kandydata.*
8. *Żadne informacje personalne, szczegóły kontraktu, materiały firmowe ani treści rozmów wewnątrzfirmowych nie powinny być ujawniane kandydatowi.*
9. *Jakikolwiek kontakt po spotkaniu jest stanowczo zabroniony.*
10. *Koniec projektu: 31 maja.*

Sięgnęłam po słuchawkę i wstukałam numer Trish. Odebrała po pierwszym sygnale.

– Oświadczam, że chcę się zabić – wyrzuciłam z siebie, zanim zdołała wypowiedzieć jakikolwiek standardowy zwrot, jak chociażby „halo".

– Skarbie, kocham cię bezgranicznie, ale mam tylko dwadzieścia minut, by zdobyć nie wiadomo skąd sernik karmelowo-malinowy, ponieważ ta zdurniała dupa-nie-kucharz z segmentu kulinarnego znów przylazł nawalony i upuścił pieprzony deser. Chwała pieprzonym niebiosom, że program nie jest na żywo. Więc o co biega?

Czy już wspomniałam, że Trish trenuje przed nadchodzącą olimpiadą? Rywalizuje w bardzo niełatwej dyscyplinie jaką jest „powtarzanie słowa »pieprzyć«". Jak dotychczas konkurencję stanowiły dla niej tylko gwiazdy estrady o szkockich korzeniach i gwiazdki porno.

– To ta cała afera z randkami, oszaleję przez to.

Na drugim końcu linii dało się słyszeć westchnienie.

– Och, do pioruna jasnego, Leni, masz wymarzoną pracę, jesteś samotna, nie masz szczęścia do facetów, a przed sobą coś, co może okazać się idealnym sposobem, by wreszcie kogoś znaleźć.

Innymi słowy: Weź. Się. W Garść.

– Czyżbym była żałosnym tchórzem? – jęknęłam, licząc na słowa pokrzepienia i łagodny masaż mojego poczucia własnej wartości. Zbyt późno zdałam sobie sprawę, że zadzwoniłam do niewłaściwej osoby. Wspieranie ego i poprawianie samopoczucia to rola Stu.

– Dokładnie tak! A teraz weź się do roboty. Muszę lecieć. Mam tu kilka prawdziwych problemów na głowie. Buziaki.

Nic nie przebije słów ukojenia płynących z ust przyjaciela w trudnej chwili.

Rzuciłam jeszcze raz okiem na fotografię Harry'ego i podniosłam słuchawkę. W jakiś sposób moje roztrzęsione palce nie trafiały we właściwe klawisze. Czy powinnam to robić? A może nie? Nie. Zdecydowanie nie. Jaki mam wybór? Wrócić na szarpiącą nerwy ścieżkę rozmów o pracę, jeszcze większego zamieszania, niepewności jutra i tego, czy dostanę pracę, która mi się spodoba.

Ewentualnie iść na zasiłek, zalegać z czynszem i nie mieć nawet pieniędzy na poradnik w stylu *101 sposobów, by zdobyć pierwszy milion*.

Zaczęłam wykonywać głębokie wdechy zgodnie z techniką, której nauczył nas Stu, na wypadek, gdybyśmy miały dostać zawału serca.

Zero... Jeden... Moje drżące palce mocno uderzały w klawisze, gdy wystukiwałam cyfry zapisane na kartce leżącej na pniaku.

W porządku, Harry Henshall, sprzedawco paneli z Milton Keynes, zobaczmy, czy oto ujrzysz niebawem swoją brakującą połowę.

4
Randka z Lwem

– Hej, kotku, piętnaście funciaków za numerek! Co ty na to? – Szczodra, choć niechciana oferta wyszła od grupy facetów w minibusie stojącym na czerwonym świetle, akurat tuż obok mnie, gdy odmrażałam sobie tyłek, stercząc na rogu Piccadilly Circus.

Byłam szczęśliwa, że posłuchałam rady recepcjonistki Millie i zdecydowałam się na strój w „wariancie mniej oficjalnym, na kiepską pogodę". Włożyłam ciemne dżinsy, nieco rozszerzane na dole, wysokie skórzane buty, czarny sweter z golfem i gruby, długi płaszcz z wełny. Mimo że drżałam z zimna przedzierającego się przez podeszwy butów, był to i tak o niebo lepszy wybór niż dżinsy, sandały i bluzka ozdobiona brokatem, które zamierzałam włożyć. Co ja w końcu wiem o ciuchach na randkę? Nie byłam przecież na randce z nieznajomym... cóż... nigdy, a nawet nie mogłam sobie przypomnieć, kiedy ostatnio byłam w centrum Londynu.

Wypady do miasta wieczorami nie były w moim stylu (za dużo ludzi, zbyt bezosobowo, a nocna taksówka do Slough za droga), ale ponieważ Harry jechał aż z Milton Keynes, pomyślałam, że spotkam się z nim tam, gdzie mu wygodnie, a miejsce, w którym teraz sterczałam, było pierwszym, jakie zasugerował. Przestępowałam z nogi na nogę, chcąc rozruszać nieco krew w palcach, a wizja nieuchronnego zapalenia płuc schodziła na drugi plan, zepchnięta przez trwożne myśli przelatujące mi przez głowę: co ja tutaj robię? To nie w moim stylu, nie lubię takich wrażeń, nie kręci mnie adrenalina, nie przepadam za niespodziewanymi zwrotami akcji. Moje życie toczyło się zgodnie z moimi przyzwyczajeniami, nienawidziłam niespodzianek i prędzej dałabym sobie usunąć nerkę bez znieczulenia, niż znalazła się w krępującej sytuacji.

Równolegle do tej obawy toczył się głęboki, bardzo złożony dialog wewnętrzny: „Zostań. Idź stąd. Zostań. Idź stąd. Zostań. Idź stąd". By uciszyć te głosy, przywołałam wspomnienie Archiego Bothama promieniejącego z dumy z powodu swojego wynalazku. Nagle zadzwoniła moja komórka.

– Powiedz mi, że tego nie robisz – błagał Stu.

– Stu, ale ja muszę – tłumaczyłam cierpliwie, nie dając po sobie poznać, że toczę wewnętrzną walkę. – To moja praca.

– To graniczy z prostytucją! Gdzie teraz jesteś?

– Stoję przy Piccadilly i czekam na niego.

– Leni, jest zdecydowanie za zimno. Jeszcze się przeziębisz albo odmrozisz sobie nogi. Tak jak Ralph Fiennes w czasie wyprawy na biegun północny. Skończyło się na tym, że musiał amputować sobie opuszki palców piłą elektryczną w garażu.

Oto cały Stu – hojny hipochondryk, chętnie obdarowujący wszystkich swoim zaburzeniem.

– Przede wszystkim, Stu, Ralph Fiennes to ten koleś z filmów o Harrym Potterze, i z tego, co wiem, nie zdarzyło mu się nigdy wybrać w pojedynkę na turę po Arktyce. Mógł to być Ranulph Fiennes, podróżnik i odkrywca, owszem. Sądzę jednak, że byłby pierwszym, który zaprzeczy, że jego i moje palce mogą podzielić podobny los, szczególnie że mam na rękach jaskraworóżowe rękawiczki ze sztucznego futra.

– Przepraszam, czy Leni to ty?

Oderwałam telefon od ucha i odwróciłam się do nowo przybyłego. Moja pierwsza myśl była taka, że oto stoi przede mną człowiek z fotografii. Tyle że na zdjęciu był o dwadzieścia kilogramów młodszy.

Uśmiechnął się szeroko i podał mi rękę.

– Jestem Harry, miło poznać.

Wyciągnęłam rękę, w której nie trzymałam komórki, biorąc uśmiech Harry'ego i ogólnie pozytywny wygląd za dobrą monetę.

No dobra, nie jest to Orlando Bloom. Nie jest to nawet młodzian w serialowym stylu. Ale ma czyste dżinsy, brązowe timberlandy, czarną wełnianą kurtkę, szalik w paski, i chociaż nie przypomina zanadto postaci ze zdjęcia, instynkt mówi mi, że jest niegroźny. Ponadto ma na tyle dużą nadwagę, że jeśli musiałabym salwować się ucieczką, na sto procent mnie nie dogoni.

– Leni! LENI! LENI!!! – krzyczał coraz bardziej zdenerwowany głos w telefonie. Szybko przyłożyłam aparat do ucha.

– Słuchaj, Stu, Harry właśnie przyszedł, więc muszę kończyć.

– Masz przy sobie gaz pieprzowy, który ci kupiłem? I miej włączoną komórkę. I nie zapomnij powiedzieć, o czym ci mówiłem. A, i pamiętaj, że orzeszki w pubie nie nadają się do jedzenia, są pełne zabójczych bakterii. I...

– Naprawdę muszę już iść, Stu. Pa!

– Leni! LENI! LENI!!!

Nacisnęłam guzik z czerwoną słuchawką i odetchnęłam głęboko, przypominając sobie obietnicę złożoną Stu, wymuszoną na mnie po trzygodzinnym wykładzie w cztery oczy, który wygłosił zeszłej nocy.

– Wybacz, to mój starszy brat, jest bardzo opiekuńczy. Szczerze mówiąc, jest trochę rozchwiany psychicznie po tym, jak odebrali mu tytuł mistrza kickboxingu, kiedy dowiedzieli się, że szuka go policja za nielegalne posiadanie broni.

Z niedowierzaniem słuchałam słów wychodzących z moich ust. Moja twarz się świeciła, a lewo oko wpadło w nerwowy tik, który pojawia się zawsze, gdy kłamię. Wygląda na to, że nie jestem urodzonym łgarzem.

Prawie spodziewałam się, że Harry, słysząc te słowa, zblednie, złapie taksówkę i ucieknie gnany wizją połamanych kończyn. Co trzeba mu jednak przyznać, nie wyglądał na ani trochę poruszonego.

– Przepraszam za spóźnienie – powiedział. – Czekałem na kuriera z pieniędzmi i jakimiś druczkami, które musiałem podpisać przed spotkaniem. Przyjechał dopiero po piątej. A więc... mam podobno zdecydować, co będziemy dziś robili?

– Tak jest – potwierdziłam.

Aha. W ostatnim zdaniu przeprosił za coś, co nie było jego winą, i chciał się upewnić, jaki jest plan wieczoru – czyż nie wskazuje to na lekkie poczucie braku pewności siebie? Chyba mogę skreślić go z listy potencjalnych seryjnych morderców.

– I ma to być coś, co zwykle robię, gdy umawiam się z panienką?

Kiwnęłam głową.

– Zdecydowanie, po prostu bądź sobą – zaświergotałam słodko.

– I są tu ukryte kamery, które będą nas filmować? – zapytał, rozglądając się nerwowo.

– Nie – uspokoiłam go – jestem tylko ja. Ale nie mam pewności, czy za rogiem nie chowa się mój brat.

Jego brwi się uniosły i zlustrował ulicę od prawej do lewej.

– Żartowałam!

Ostrzeżenie dla mnie: powstrzymaj się od przerażających żartów, aż lepiej poznasz jego osobowość.

Tak więc należało brać się do roboty. Wystałam się na chodniku, było mi zimno, byłam głodna, a spotkanie Harry'ego twarzą w twarz zmniejszyło poziom mojego niepokoju z „potencjalnie zabójczego" do znośnego „nienawidzę każdej minuty tego wszystkiego". Rozpaczliwie potrzebowałam jakiegoś chateauneuf Dla Kurażu.

– A zatem, Harry, jaki jest plan? Dokąd idziemy?

Asertywność, zainteresowanie, zachęcający styl bycia – dzięki męczącemu wkuwaniu *Niezawodnych patentów na udaną randkę* przez całe pół zeszłego dnia wiedziałam, że oto prezentuję trzy z dziesięciu kluczowych umiejętności gwarantujących udany wieczór.

– Skoro to ma zależeć ode mnie...

– Tak właśnie ma być – zapewniłam go (numer cztery – utwierdzanie w przekonaniu, że ma rację).

– W takim razie zabiorę cię w miejsce, gdzie będzie absolutnie bombowo!

Bombowo.

I tu się nie pomylił.

5

Ustrzeliwanie gwiazd

Bang!

Wszyscy w pokoju zamarli w śmiertelnej trwodze, gdy zabójca przystanął w trakcie swojej morderczej misji. Przed chwilą na oczach zebranych zastrzelił trójkę nieuzbrojonych ludzi, a wcześniej nie wiedzieć ile osób przeniósł na tamten świat za pomocą granatu, którego detonacją oznajmił swoje przybycie. Teraz, gdy skończyły mu się kule w magazynku, zatrzymał się, by szybko przeładować broń. Jeden desperat chciał wykorzystać tę chwilę, by uciec, był jednak zbyt wolny. Szaleniec przymierzył się i strzelił, wysyłając następnego trupa do kostnicy. Znów zapadła cisza. Czekał. Przyczajony i gotów w każdej chwili podjąć krwawy trud.

– Podasz mi moją colę light, Leni? Nie mogę teraz oderwać wzroku, bo oddziały SAS mogą tu wpaść w każdej sekundzie.

Sięgnęłam po puszkę stojącą tuż obok mojej. Nagle rozległ się gwałtowny pomruk – nie, to nie szturm oddziałów specjalnych, to mój pusty brzuch przypominał, że jest już dwudziesta trzecia i nic jeszcze nie jedliśmy. Twiksa z automatu nie można raczej uznać za kolację.

Czegóż to dowiedziałam się po trzech godzinach znajomości z Harrym? Że istnieje ogromny salon gier na West Endzie i że stanie w butach na obcasach przez wiele godzin powoduje ból nóg, wołający o środki przeciwbólowe i seans w spa. Dokształciłam się w zakresie masowych mordów, walki wręcz, strategii na polu bitwy i symulowanych walk w klatce. I miałam wrażenie, że powód, dla którego Harry jest singlem, powoli staje się jasny.

Z drugiej strony, nie mogłam narzekać na samotność. Przeżywałam ten niepowtarzalny wieczór w towarzystwie około setki nastoletnich chłopców, kilku ochroniarzy i dużej grupy turystów z Japonii.

Niejasno przypominałam sobie podobną randkę, ale wtedy miałam czternaście lat i musiałam być w domu przed sakramentalną dwudziestą drugą, pod karą konfiskaty przez ojca moich płyt Boyzone.

Najwyraźniej ukształtowane w czasach trądziku „ja" Harry'ego czuło się świetnie i zamierzało dorównać przywódcom Trzeciego Świata w dziedzinie usypywania kopców z trupów, jeszcze zanim nasza randka się skończy.

Byłam wściekła na siebie, że nie oprotestowałam planów Harry'ego.

Choć właściwie to nieprawda – byłam wściekła na pieprzoną Zarę Deltę za to, że wylądowałam w tym bigosie.

Dobra strona sytuacji: cały mój niepokój trafił szlag po tym, gdy zdałam sobie sprawę, że Harry nie zamierza mnie oceniać, być przerażającym ani zawlec mnie do jakiejś pełnej świec piwnicy i złożyć w makabrycznej ofierze w trakcie satanistycznego rytuału. Zła strona: zmarnowałam całą noc mojego życia, którą mogłam poświęcić na kształcące zajęcia, oglądać, jak Horatio z *CSI: kryminalnych zagadek Miami* łapie niegodziwców w okularach przeciwsłonecznych na nosie, paskudnie się z nich naigrywając.

Nie miałam dziś okazji usiąść, zjeść kolacji, zaśmiać się, poflirtować, i nie przeprowadziłam też z moim potencjalnym adoratorem szczególnie interesującej konwersacji. Zamiast tego stałam u jego boku, gdy on przez mniej więcej – tu rzut oka na zegarek – sto dziewięćdziesiąt pięć minut upajał się grami komputerowymi. Harry za to przeżywał pełną gamę emocji: był radosny, smutny, ekstatyczny, wściekły, zaciekły, zwycięski oraz krwiożerczy.

– Cholera! – wykrzyknął, rzucając replikę AK-47 naturalnych rozmiarów i biorąc ode mnie colę. – Nierówna walka – szesnastu kolesi z oddziałów specjalnych – nie miałem szans.

Tak, to zdecydowanie nie fair.

– Idziemy na hamburgera? Zostało mi jeszcze dwadzieścia funciaków.

Jak świadczy o mojej sytuacji to, że słowa te zabrzmiały jak najlepsza oferta, jaką otrzymałam w ciągu kilku ostatnich tygodni?

Udaliśmy się do najbliższego przybytku fast foodu, gdzie zostałam ugoszczona podwójnym cheeseburgerem z bekonem.

Harry rzucił na stół tacę z jedzeniem.

– Wiesz, doskonale się dzisiaj bawiłem, naprawdę super się z tobą rozmawia – powiedział człowiek, który podczas zmiatania z powierzchni ziemi kilkunastu tysięcy ludzi zamienił ze mną może dwa słowa.

– Ee, dziękuję.

– I w ogóle super jest to, że rozumiesz, o co chodzi z tymi grami komputerowymi. Większość babek w ogóle tego nie ogarnia. Nie wiedzą, co tracą.

Męczarnie. Śmierć. Krew. Rany. Flaki. Armagedon.

– A o co chodzi z tym całym eksperymentem z randkami?

Wzruszyłam ramionami.

– Nie jestem do końca pewna. Ja tylko pracuję dla Zary i wiem, że pisze jakąś książkę o związkach, a ja pomagam jej w badaniach.

– Więc tak naprawdę to nie jesteś wolna i nie szukasz faceta?

– Niee… to znaczy… jestem wolna...

Moje zmysły nie były dostatecznie otumanione przez trzygodzinny spektakl zniszczenia i śmierci, żeby zapomnieć ostrzec mnie przed zbliżającą się groźną sytuacją. Za pomocą kwiecistej wymówki postanowiłam oddalić jakiekolwiek zaloty.

– …ale tak naprawdę nie szukam faceta. Jestem zajęta pracą. Robię to wszystko tylko po to, by móc dodać element badawczy do mojego CV.

Na korzyść Harry'ego przemawiało to, że wyglądał na zasmuconego. Jak na wymachującego bronią szaleńca, miał jednak rozbudowaną stronę uczuciową.

– Pozwolisz, że zapytam, co skłoniło cię do zgłoszenia się do Zary? – zagaiłam.

– Kumple w pracy. W zeszłym miesiącu założyłem się ze Szczęściarzem i Baryłą, że nie wypną gołych tyłków przed kamerami ochrony na High Street. Miesiąc wcześniej Fleja miał kupić w drogerii dziesięć opakowań tampaksów. Głupole myśleli, że zrobią mnie w lolo, wysyłając mnie tu. Ha, nie mogę się doczekać, kiedy im powiem, jak w dechę się bawiłem!

Zaszeregowanie randki ze mną przed obnażeniem się w miejscu publicznym i hurtowym zakupem środków higieny osobistej to spory zaszczyt.

– Więc potrzebujesz jeszcze moich zdjęć czy coś takiego? – zapytał?

Pokręciłam głową.

– Nie sądzę. Wygląda na to, że wszyscy badani będą w książce anonimowi.

Zmarkotniał.

– Coś nie tak?

Wzruszył ramionami.

– Nie, tylko miałem nadzieję, że będzie to miało jakiś dalszy ciąg. Sto funtów, wieczór na mieście, urocza panna, można by się przyzwyczaić.

Na nieszczęście dla Harry'ego i prosperity Centrum Płatnej Cyfrowej Rozrywki wiedziałam, że jeśli o mnie chodzi, to się to nie zdarzy.

– A co chciałbyś mi o sobie opowiedzieć? – zachęciłam mojego towarzysza, świadoma, że mam zebrać jak najwięcej informacji. – W liście napisałeś, że interesujesz się sportem.

Odłożył wielką podwójną kanapkę i frytki, upił łyk pełnokalorycznej coli i beknął.

– Dart. Gram w drużynie darta w pubie.

I tak oto diabli wzięli nadzieję, że przed spotkaniem ze mną przebiegł czterokrotnie sto metrów przez płotki.

– I nie mam sobie równych w PlayStation. Nikt, absolutnie nikt nie może mnie nawet tknąć w *Grand Theft Auto IV*. Mam nieziemską siłę rażenia.

Wiedziałam, że gdzieś tam istnieje idealna dla niego kobieta. Żywiłam nadzieję, że uda się jej dostać zwolnienie warunkowe i spotkać z Harrym.

– A co z czytaniem?

– No, normalnie... – Żuł głośno, dając mi przy okazji pełny wgląd w proces rozdrabniania pokarmu.

Normalnie? Thrillery? Od czasu do czasu John Grisham? Okazjonalnie Harlan Coben?

– No wiesz, „CKM", „Maxim", „Zoo", „Nuts"... takie tam. Chcesz lody? Został mi jeszcze piątal.

– Śmiało, rozpieszczaj mnie! – odpowiedziałam z uśmiechem. Romantyczny wieczór nie wchodził w rachubę, miłość i pożądanie były wykluczone, ale jeśli po czterogodzinnej głodówce mogłam przynajmniej przywrócić poziom cukru do upewniającego mnie, że nie zemdleję, uznałam, że lody to cenna zdobycz.

Harry podszedł do lady, przez całą drogę licząc pieniądze. Kiedy wrócił, okazało się, że ma dla mnie niespodziankę.

– Wystarczyło mi jeszcze na pączka.

Fortuna uśmiechała się do mnie szerzej z każdą minutą.

– Co ty na to, żebyśmy już sobie stąd poszli? Zaraz będę miał transport.

– Któryś z twoich kumpli?

– Nie, moja mama. Nie chciała, żebym jeździł metrem w nocy, więc powiedziała, że mnie zgarnie po swoich tańcach ludowych. Jest cała w strachu, kiedy nie ma mnie w domu późno w nocy. Kiedyś wezwała policję, ale ja tylko wypiłem za dużo i kumple wrzucili mnie do śmietnika na podwórku.

Na dworze podałam Harry'emu rękę. Po chwili podjechała moja taksówka.

– Dzięki, Harry, to był naprawdę... ee... ciekawy wieczór.

Hej, nie ma potrzeby być niemiłą. Poza tym mój śmiertelny strach przed konfrontacją pełnił ciągły dyżur i sprawiał, że wolałam raczej się trzymać zdecydowanie umiarkowanych zachowań.

– Więc nie mam szans na twój numer telefonu czy coś, nie?

O, niebiosa, niepewnie przestępował z nogi na nogę – dobrze znałam to uczucie.

– Bo jest naprawdę super salon gier w Milton Ke...

Pokręciłam głową.

– Przykro mi, Harry. Praca mi na to nie pozwala. Ale dzięki.

Wskoczyłam do taksówki, ale zanim zdążyła ruszyć, Harry wsadził głowę przez okno.

– Dobra, ale jakby twój brat chciał kiedyś wyskoczyć na piwko, to daj mu mój numer. Chętnie z nim pogadam... wiesz... o tej całej broni i w ogóle.

Pochyliłam się w stronę kierowcy.

– Dorzucę dwadzieścia funtów napiwku, jeśli ruszymy stąd, zanim będę musiała się zdenerwować.

Kiedy auto wystartowało z piskiem opon, moja głowa uderzyła o oparcie.

Odetchnęłam głęboko. Dobrze, bez przesady – oprócz chorobliwej fascynacji przemocą, był całkiem grzeczny. Nie musiałam ani razu użyć gazu pieprzowego.

Jednak – tu jest miejsce na mroczną muzykę i grobowy nastrój – był dopiero numerem jeden na liście, więc mam przed sobą jeszcze jedenaście randek.

Nie zdawałam sobie sprawy, że pewnego dnia będę wspominała Harry'ego jako jednego z bardziej normalnych.

PROJEKT RANDKOWY *WSZYSTKO JEST W GWIAZDACH* – PODSUMOWANIE

Lew	Harry Henshall	niezdrowa fascynacja komputerową przemocą

E-mail
Do: Trish; Stu
Od: Leni Lomond
Odp: Jeśli miałabym napisać charakterystykę gościa z wczoraj, wyglądałaby ona tak...

Płeć: mężczyzna. Wiek: 28 lat (umysłowo: między 13 a 16). Znak zodiaku: Lew. Uroczy, poszukuje pokrewnej duszy z niekończącym się zapasem jednofuntowego bilonu celem spędzania wspólnych ekscytujących nocy opartych na unicestwianiu całych cywilizacji za pomocą wielkich plastikowych atrap broni palnej. Od kandydatki wymagane: być biegłą na PSP, Xbox, PlayStation, Wii oraz Nintendo DS (proszę odnotować, że na tych wszystkich konsolach „nie mam sobie równych w Milton Keynes") musi też pasjonować się bronią masowego rażenia. Harry ma rozwinięte poczucie humoru, lubi zakłady i żarty, dysponuje własnym kontenerem na śmieci. Bardzo towarzyski, ma wielu przyjaciół o gimnazjalnych przezwiskach i nie może się doczekać, by do tej listy dodać dziewczynę zwaną Bimbały. Co za tym idzie, idealna partnerka musi mieć biust pokaźnych rozmiarów. Musi też być utalentowana kulinarnie i umieć przyrządzić szeroki wachlarz specjałów: hamburgery, rybę z frytkami, pączki, pizzę oraz pić aż do utraty zdolności chodzenia, wymiotów – co, rzecz jasna, zostanie nagrane na komórce i zamieszczone na YouTube. Istotne wartości rodzinne: mieszkanie z rodzicami aż do wejścia w wiek średni.
Najbardziej romantyczny gest: chęć podzielenia się kubełkiem z KFC podczas gry na dwoje graczy w Ninja Warrior 3.
Wymarzone wakacje: wesołe miasteczko, Las Vegas, ośrodek szkolenia terrorystów.

6
Ziemia do Zary

– Nie wiem, dlaczego marudzisz, przecież kupił ci pączka – wykształciła Millie, płacząc ze śmiechu. – To oznaka prawdziwego oddania.

– Moja droga, nie szydź – odparłam z udawaną powagą. – Przynajmniej wiem, że jeśli będę chciała wyludnić nieprzyjazny kraik, znam odpowiednią osobę.

I znowu zaniosłyśmy się chichotem pod rozgwieżdżonym niebem recepcji o dziewiątej rano, pewnego lutowego ranka.

Mój nos poruszył się niespokojnie i nagle zdałam sobie sprawę, że nie jesteśmy same. Conn. Lub raczej jego boski, seksowny zapach – bodajże męskie Superciacho.

– I jak tam wczorajszy wieczór, Leni? Dobrze się bawiłaś? – Z tym głębokim, pulsującym głosem mógłby dostać pracę w telewizji, czytając obwieszczenia między *Coronation Street* a *CSI*.

– Lazanie, ziemniak zapiekany – wyszeptała Millie tak, by Conn jej nie usłyszał. Odwróciłam się na pięcie, by zobaczyć, jak wchodzi po schodach wysportowanym krokiem, z łatwością przeskakując po dwa stopnie naraz. Zaczerwieniłam się, gdy w mojej wyobraźni ubrania spadły z niego jak podczas striptizu, a jego prześlicznie wyrzeźbiony nagi tyłek wciąż podążał w górę. Jeśli się teraz odwróci, jest wielce prawdopodobne, że moja kobiecość eksploduje.

Dlaczego tak na mnie działa? Widziałam już przecież przystojnych facetów. Ben, mój piękny, idealnie zbudowany, zakłamany żołnierz piechoty morskiej był typem chłopaka, na którego widok każda kobieta natychmiast przystawała i się gapiła. Stu miał urodę prosto z *Życia na fali*, choć oczywiście słoneczna Kalifornia nie byłaby dla niego, z uwagi na ryzyko raka skóry. Dowiedział się też o okropnym pasożycie, który trapił całą ekipę *Słonecznego patrolu* po kąpieli w oceanie nieopodal Malibu.

Tak czy siak Conn... Nie miałam pojęcia, dlaczego przy nim moje serce bije szybciej, a w mojej skórze otwierają sie pory.

– Ee… nie… w sumie… – zaczęłam wypowiedź, lecz niepotrzebnie, bo Conn zniknął już z pola widzenia. Pamiętaj: staraj się odpowiadać na pytania Conna szybciej niż po tygodniu.

Zastanowiłam się. Jest środa. Pamiętałam dokładnie, jak zeszłej środy zamawiał chleb pita, udka z kurczaka i humus. Wypowiedziałam swoją wróżbę z zadowolonym uśmiechem i w myślach gratulowałam sobie daru obserwacji, gdy zadzwonił telefon.

– Tak, Conn? Jasne. Dobrze, lazanie, pieczony ziemniak. Nie ma sprawy. – Millie odłożyła słuchawkę, chichocząc. – Millie: jeden, dziewczyna Harry'ego: zero.

Grrrrr! Jak ona to robiła?

Pacnęłam ją w czubek głowy plikiem porannej poczty i poszłam na górę do biura, jak zwykle przed drzwiami oddychając głęboko i... przysięgam, nie zmyślam: najpierw uderzyła mnie fala muzyki, dzika kakofonia bębnów. Na środku pokoju stała Zara, topless, jeśli nie liczyć ogromnego, grubo ciosanego naszyjnika z drewna. Miała też na sobie spódnicę koloru terakoty ozdobioną czymś, co wyglądało jak afrykańskie symbole. Obok niej pląsał rosły i urodziwy czarnoskóry mężczyzna, ubrany podobnie jak Zara, z doskonale widocznym każdym mięśniem i natartą oliwką skórą. Muzykę zapewniało dwóch osobników siedzących w rogu i walących w potężne stalowe bębny. Zara i facet zaczęli wirować w jakimś hipnotycznym plemiennym tańcu, doskonale zgrani, co zdradzało duże doświadczenie. Cóż, jakieś ostrzeżenie byłoby mile widziane. Większość osobistych asystentów ryzykuje przyłapanie swoich szefów wcinających nadprogramową kanapkę z tłustym boczkiem lub na przykład podsłuchanie rozmowy telefonicznej szefa z kochanką z zeszłej nocy. Nie był mi znany przypadek kogoś narzekającego, że zastał szefową, wymachującą z rana biustem przy wtórze instrumentów perkusyjnych.

Wzrok Zary nagle powędrował ku mnie, a w jej oczach błysnęła irytacja. Jasna cholera! Rzeczywiście potrafi czytać w moich myślach. Myśl o czymś przyjemnym. Myśl o czymś przyjemnym... Wyjdź. Wyjdź. Wyjdź…

Wskazałam gestem, że będę obok, w jednym z pokoi konsultacyjnych, i szybko się zmyłam. Podniosłam słuchawkę, by połączyć się ze swoją pocztą głosową, i niespodziewanie usłyszałam głos Conna:

– Nie, to żaden problem. Dostarczymy wam gotowy rękopis na początku czerwca, a szybkie przygotowanie i druk są nam na rękę. Oczywiście, rozumiem, my również nie chcemy przegapić sprzedaży w okresie świąt, więc dostosujemy się do waszych terminów.

Książka Zary. Poczułam dreszczyk podniecenia. Mimo ogólnego wariactwa całego tego pomysłu było coś ekscytującego w życiu wśród gwiazd i w świetle jupiterów. Przez całe lata obiecywałam sobie, że pewnego dnia wezmę wolne i poproszę Trish, by pozwoliła mi zobaczyć z bliska studio *Cudownego Poranka TV*, a teraz moim obowiązkiem służbowym jest chodzenie tam co piątek z Zarą. Za pierwszym razem Trish musiała odeskortować mnie do ciemnego kąta, żeby uniknąć kompromitacji, jeśli zgłupiałabym po tym, jak facet, który grał w *Gdzie serce twoje*, zamienił ze mną słówko. Przy drugiej wizycie byłam tak zajęta gapieniem się na Toma Hanksa rozprawiającego o swoim nowym filmie, że wlazłam na stół z cateringiem i zrzuciłam całą lawinę wiktuałów na podłogę w pokoju pełnym ludzi. Minus sytuacji: mnóstwo oczu widziało moją hańbę. Plus: jeśli Trish dotrzymałaby słowa i mnie zamordowała, prokuratura miałaby całkiem sporo świadków.

Słuchałam Conna jeszcze przez chwilę, a następnie delikatnie odłożyłam słuchawkę, starając się zignorować fakt, że włoski na moich plecach stanęły dęba i zaczynałam odczuwać coś dziwnego w brzuchu. Ledwo zdołałam nabrać powietrza, kiedy... znalazł się tuż przede mną. Siedział na brzegu biurka naprzeciwko mnie i, ups, znowu zapomniał o ubraniu.

„Leni" – wyszeptał, po czym pochylił się nade mną, otoczył mnie ramieniem i delikatnie przyciągnął do siebie. Gdy mnie całował, jego język powoli, zmysłowo szukał mojego, zęby delikatnie kąsały moją dolną wargę, czułam, że całe jego ciało nie może się doczekać, by...

Stop! Na wszystkich biurowych wykolejeńców, co się ze mną dzieje? Nie ma jeszcze dziesiątej rano, a już zaliczyłam dwie dosadne fantazje erotyczne z nagim mężczyzną w roli głównej. Najpewniej bardzo potrzebuję seksu, bo moje skumulowane libido wywołuje halucynacje natury płciowej.

Zajęcie. Muszę się czymś zająć. Nacisnęłam przycisk na telefonie, by przejść na wolną linię, wpisałam kod, by ustawić przekierowanie moich rozmów na ten aparat, i połączyłam się z pocztą głosową.

„Masz siedem nowych wiadomości".

Siedem? Nigdy nie zdarzyło mi się mieć ich więcej niż dwie i były to zazwyczaj telefony od mojej matki, kiedy chciała pogawędzić.

Nacisnęłam #.

„Leni, oddzwoń, jeśli możesz. Trochę się o ciebie martwię, bo od wczoraj nie dałaś znaku życia".

Ooo, to takie słodkie, Stu się martwi. Chciałam zatelefonować do niego wczoraj po powrocie do domu, ale moja komórka się wyładowała, a ja zasnęłam, zanim naładowała się na tyle, bym mogła jej używać. Myślałam wcześniej o telefonie stacjonarnym, ale opłata przyłączeniowa wynosi sto czterdzieści pięć funtów i uznałam, że to bez sensu, skoro wieczorami mogę rozmawiać przez komórkę za darmo. À propos komórki... Poszukałam jej w torebce. Cholera. Musiałam zostawić ją w domu podłączoną do ładowarki.

Nacisnęłam „usuń", a potem znowu #.

„Leni, to znowu ja, oddzwoń". – Tym razem wydawał się zaniepokojony.

Usuń, #.

„Leni, hej, ja tu zwariuję. Zadzwoń".

Usuń, #.

„Leni, jeśli nie odezwiesz się w ciągu następnych piętnastu minut, dzwonię po policję".

Usuń, #.

„Nie, jednak nie. Idę prosto do twojego mieszkania. Jeśli leżysz tam martwa, powinien cię znaleźć ktoś ci bliski".

Przewróciłam oczami. Oscara za rolę najbardziej rozhisteryzowanego przyjaciela otrzymuje...

Usuń, #.

„Dobra, wychodzę za dziesięć minut. Gdy tylko skończę z tymi cebulkami".

Usuń, #.

„Leni, ja..."

Nie zdołałam wysłuchać dalszego ciągu wiadomości, bo telefon zadzwonił. Wcisnęłam „odbierz".

– Halo, tu Leni..

– Och, Leni, dzięki Bogu!

– Stu, uspokój się. Wszystko jest w porządku. Właśnie przyszłam do pracy i miałam do ciebie oddzwonić.

– Oddzwonić?!

Nie było to pytanie ani okrzyk, tylko coś w rodzaju wybuchu oburzenia.

– Dzwonię do ciebie od ósmej rano!

Spojrzałam na zegarek: dziesiąta trzydzieści.

– Stu, przed chwilą przyszłam. Pozwolili mi dzisiaj zacząć trochę później przez tę wczorajszą randkę. W każdym razie dzięki za troskę, ale naprawdę nic mi nie jest. Wszystko jest w porzo, naprawdę. Nie dostałeś mojego e-maila?

– E-maila! Byłem zbyt zajęty przygotowywaniem się do identyfikacji twoich zwłok, żeby sprawdzać pocztę!

Cisza. Nie wiedziałam, co odpowiedzieć, prócz: „Czas radosny nastał, nie ma mnie na stole sekcyjnym". Jak mogłam być tak nieroztropna? Mimo że wiedziałam, iż się martwił, pozwoliłam mu wpaść w pełnowymiarową panikę. Czułam nadciągające tsunami wyrzutów sumienia.

– Hej, może wpadnę do ciebie do salonu w porze lunchu i przyniosę twoje ulubione panini i te belgijskie czekoladki, które tak uwielbiasz? Ja stawiam.

Dostałam właśnie pierwszy przelew od Zary i czułam się nadziana.

Po dłuższej chwili ciszy usłyszałam:

– Hmm, nie będzie mnie tam.

– Dlaczego? Gdzie jesteś?

Byłam skołowana. Wydawało mi się, że powiedział, iż jest w salonie… chwilę później powiedział jednak... O, nie...

– Jestem w twoim mieszkaniu... – odpowiedział speszony.

Poczułam ukłucie w sercu. Jakiż on uroczy. Mogę czuć się szczęśliwa, mając tak troskliwego, czułego przyjaciela, nawet jeśli w sytuacjach stresowych zdarza mu się niebezpiecznie zbliżać do histerii. Moje mieszkanie jest jednak zaledwie kwadrans od jego salonu, więc z całą pewnością nie powinien mieć problemu ze zdążeniem na lunch. Chyba że...

– ...i muszę zaczekać na stolarza. Powiedz, nie podobały ci się te drzwi wejściowe, prawda?

Po raz kolejny moje myśli powędrowały do imprezy sylwestrowej, kiedy narzekałam na brak wrażeń i przygód w moim życiu. A kilka tygodni później co? Moja szefowa epatująca golizną z rana wcale nie jest najdziwniejszym zdarzeniem dnia. Zaczynałam dochodzić do wniosku, że wrażenia i przygody są przereklamowane.

W słuchawce rozległ się dziwny skowyt, a tuż po nim wyraźnie słyszalne:

– Cóż się tutaj dzieje, młody człowieku?

Była to niezawodna oznaka, że pani Naismith wkroczyła na wojenną ścieżkę. Już samo wyobrażenie sobie niewysokiej siedemdziesięcioletniej kobiety o włosach tego samego koloru, co jej żylakowate naczynia krwionośne, udzielającej reprymendy Stu, warte było destrukcji drzwi. Słyszałam, jak Stu wyrzuca z siebie usprawiedliwienia, na które ona pozostaje głucha. Odkąd przyjechałam z Nofrolk, pani Naismith roztoczyła nade mną opiekę, łącząc funkcje guwernantki i straży sąsiedzkiej. Pilnowała mi mieszkania (prawie bez przerwy!), wpadała regularnie na pogawędki i często gotowała dla nas dwóch, zostawiając mi obiady przed drzwiami, kiedy nie było mnie w domu. To prawdziwa perła, która, biorąc pod uwagę to, jak beszta Stu, może liczyć się z wyrokiem za groźby karalne.

Rozłączyłam się, zostawiając Stu w obliczu jej furii dokładnie w chwili, gdy do pokoju wszedł Conn, trzymający gruby plik papierów. Próba nieoblania się rumieńcem spaliła na panewce.

– O, tu cię mam!

– Tak, Zara jest… hm… zajęta w pokoju obok, więc pomyślałam, że popracuję przez chwilę tutaj.

Tak mi się przynajmniej wydaje, że to powiedziałam. Niewiele pamiętam, bo w moim brzuchu latały motyle, a w głowie wirował helikopter.

Położył przede mną papiery.

– To są dokumenty do wypełnienia w załączeniu do zeszłonocnej randki. Na pewno się ucieszysz, wiedząc, jaką wagę przykładamy do poznania każdego szczegółu. Będziemy mogli dokonać trafnych porównań i dokładnej analizy.

A może byś tak przeanalizował moją...

– Dobrze się czujesz, Leni? Wyglądasz trochę... blado.

Jak na rozkaz moja twarz znowu zrobiła się szkarłatna.

– Nie… em… jestem… ee…

Nie było oczywiste, kto czuje się bardziej niezręcznie, ale ja stawiałam każde pieniądze na mnie.

– Dobrze, rozumiem – powiedział Conn, kiwając ze zrozumieniem głową, chociaż nie miałam najbledszego pojęcia, co rozumie, z wyjątkiem widocznego jak na dłoni faktu, że jego matka zatrudniła najbardziej niewydarzoną asystentkę w dziejach. Obszedł biurko i ni to usiadł, ni to się nachylił dokładnie w taki sposób, jaki wyobrażałam sobie wcześniej. Gdyby moje ciało było termometrem, rtęć z hukiem wyskoczyłaby mi przez głowę.

– Możesz coś dla mnie zrobić? – zapytał.

Polecenie dla mojego języka: wracać do gęby!

– Czy mogłabyś wysłać kwiaty, myślę, że… hmm… orchidee będą najlepsze, do Annabelli Churchill wraz z liścikiem: *Dziękuję za cudowną noc. Na zawsze Twój, Conn.*

Drżące ruchy mojego ołówka piszącego w notesie wskazywały na to, że posługuje się nim osoba znacznie posunięta w latach.

– I mogłabyś podobne bukiety wysłać do Courtney Caven i Penelope Smith? Tu masz ich adresy.

Jego aromat Superciacha nasycał całe otoczenie i sprawiał, że słabłam.

– Oczywiście. A jakie notki mam do nich dołączyć?

Co za dżentelmen, uroczy rycerz.

– Take same.

I padalec.

Kiedy ja narażałam młode życie (ta histeria, to zasługa szalejących hormonów) on umawiał się jednocześnie z trzema, słownie: trzema różnymi kobietami.

Skup się, Leni, skup się. Jesteś w pracy, a nie w dziale porad „Cosmopolitana", a przez ostatnich kilka minut dostałaś kilka nowych zadań. Zadzwoniłam do kwiaciarni, zorganizowałam kwiaty, a następnie otworzyłam amazon.co.uk i zamówiłam *Jak sprawić, by cię zauważył – poradnik samotnej dziewczyny chcącej wyjść z tłumu.*

Następny w kolejce był plik papierów, które Conn zostawił na moim biurku. Po trzech godzinach, sześciu kawach i całkowitej utracie chęci do życia, udało mi się wypełnić dwudziestoczterostronnicowy formularz opisujący każdą minutę i najmniejszy nawet szczegół wieczoru z Harrym. Poszłabym do domu się zdrzemnąć, gdyby tylko nie urzędował tam teraz stolarz.

Zamiast tego zadzwoniłam do Trish.

– Co powiesz na lunch?

– Nie mogę. Robię nadgodziny przy *Szurniętych damach.*

Ten program był jednym z moich ulubionych – spotkanie pięciu sławnych kobiet, omawiających gorące wydarzenia dnia i plotkujących o innych sławach pod przewodnictwem Kim Black, aktorki i piosenkarki po pięćdziesiątce, z każdym rokiem coraz bardziej wygadanej i pyskatej.

– A poza tym tutaj jest poważny problem i nie przegapiłabym go nawet dla ciebie. Kim ma nowe cycki i producent dostaje amoku, bo trzeba wymienić wszystkie jej ciuchy. Raz już prawie okładali się pięściami, a teraz ona drze się w swojej garderobie, że jeśli jej prawnik nie pojawi się za pół godziny, to ona nie wyjdzie na wizję. A poza tym poprosiła mnie, żebym przyniosła jej od scenografa kij do poganiania bydła, więc nie wygląda to dobrze. Boże, jak ja kocham telewizję. Zadzwoń do Stu, na bank chętnie wyskoczy z tobą na lunch.

Trish, niczym nowoczesna rakieta typu Scud, niezawodnie trafiała w czułe punkty mojego ego. Szybko odłożyłam słuchawkę, bo za moimi plecami otworzyły się drzwi.

– Skończone? – zapytał Conn z uśmiechem. „Bum. Bum. Bum". Moje serce znów przejmowało kontrolę nad głową i możliwościami motorycznymi.

– Hhhhghh. – A także strunami głosowymi.

– Super. Zabiorę w takim razie te papiery.

– Hhhhghh.

– Dzięki, Leni. Zaczynamy szukać numeru drugiego.

Chciałam się odezwać, ale uznałam, że to, co powiem, jest do przewidzenia, i zrezygnowałam.

– A, Leni, i pamiętasz, że to wszystko jest ściśle tajne i że podpisałaś zobowiązanie, że nie wyjawisz tego nikomu spoza firmy?

Pamiętałam. I nigdy, przenigdy nie złamałam zasad poufności w moim zakładzie pracy, zdradzając niejawne informacje osobom z zewnątrz.

Nigdy. Naprawdę.

A przynajmniej nigdy w godzinach pracy.

Cudowny Poranek TV!

Goldie Gilmartin kończyła wywiad z Jeremym Sinclairem, członkiem parlamentu reprezentującym Kornwalię i Devon, raczej obłym i krągłolicym osobnikiem o aparycji morświna, przepraszającym za pośrednictwem telewizji swoją żonę po tym, jak niedzielny brukowiec przyłapał go na wciąganiu kokainy z intymnej części ciała jego dwudziestojednoletniej przyjaciółki.

– Pozwól mi tylko powiedzieć jeszcze raz, Goldie – rzekł morświn strudzony, choć podniosłym tonem – że szczerze przepraszam moją partię, wyborców, matkę i tych wszystkich, którzy ufali mi przez te wszystkie lata. Lecz przede wszystkim chciałbym przeprosić moją żonę, którą bardzo kocham i która przysięgła trwać przy mnie w doli i niedoli.

Goldie podała mu rękę.

– Życzę ci wszystkiego dobrego, Jeremy – powiedziała szczerze. – I wszystkiego dobrego dla twojej uroczej żony Leticii.

Jeremy z powagą skinął głową. Ta część programu kończyła się ujęciem twarzy Goldie mówiącej do kamery z niezaprzeczalnie przewrotnym błyskiem w oku:

– I nie zapominajcie, że druga połowa tego zamieszania, Araminta Delouche, będzie w naszym programie już jutro, by przedstawić swoją wersję wydarzeń. Ale najpierw...

Kamera wycofała się, lecz tym razem nieco przedwcześnie i telewidzowie mieli szansę ujrzeć Zarę czekającą poza planem, by zająć miejsce Jeremy'ego. Nie mogła jednak tego zrobić, ponieważ Jeremy trwał w fotelu jak skamieniały ze grozą malującą się na twarzy, zdumiony tym, że jego młody kociak zdołał wywalczyć sobie jego kosztem wystąpienie w czołowym programie telewizji śniadaniowej.

Niepowtarzalny widok tego, jak pracownik telewizji zwleka go z fotela, miał dać narodowi przed telewizorami pożywkę dla plotek na cały dzień.

Zara tradycyjnie zaprezentowała pakiet swoich wróżb na cały tydzień, przepowiadając, zależnie od znaku zodiaku: szczęście w miłości, radość, silne wrażenia, mrok i zgrzytanie zębów.

– Dziękujemy, Zaro. A szczególnie dziękujemy za ostrzeżenie przed wypadkiem nas, Byków. Na ten weekend na pewno zostaję w domu – powiedziała Goldie z firmowym uśmiechem. – A teraz chciałaś powiedzieć nam parę słów o książce, którą piszesz.

– Zgadza się, Goldie. Tak jak mówiłam wcześniej, moja książka jest dla wszystkich samotnych kobiet. Pod koniec roku czeka was nie lada gratka, ponieważ pracuję nad książką-niespodzianką, która zrewolucjonizuje to, w jaki sposób łączymy się w pary. Przygotujcie się więc, dziewczyny! – dodała z zagadkowym uśmiechem. – Jednak teraz potrzebuję mężczyzn...

– Jak my wszystkie, Zaro, jak my wszystkie – zażartowała Goldie.

– Chcę, żeby samotni panowie pisali do mnie, opowiedzieli mi o sobie wszystko i wzięli udział w tym rewolucyjnym przedsięwzięciu. Możecie, rzecz jasna, zajrzeć też na moją stronę www.wszystkojestwgwiazdach.net, gdzie znajdziecie pełną ofertę produktów marki Delta. W tym tygodniu potrzebujemy Skorpionów. Tak jak mówiłam, opłacimy wszelkie koszty podczas, być może, nocy waszego życia. Więc, drogie mamy, siostry, ciotki i babunie zmobilizujcie swoich kawalerów i piszcie... nie zapomnijcie tylko o dacie urodzenia i zdjęciu.

Kiedy Zara zrobiła pauzę, Goldie pospiesznie zakończyła tę część programu:

– I na tyle mamy dziś czasu. Zostańcie z nami by obejrzeć *Szurnięte damy*, które dziś dyskutować będą o męskiej pigułce antykoncepcyjnej w programie zatytułowanym *Czy naprawdę powierzyłabyś swoje plany rodzicielskie gatunkowi, który nie potrafi zapamiętać, kiedy wynosi się śmiecie?*

7
Randka ze Skorpionem

– Kto chce usłyszeć najlepszą plotkę od czasu, kiedy opowiedziałam wam o dwóch dziennikarzach śledczych, którzy zostali złapani w narkotykowej melinie w Edgeware z trzema tajskimi chłopcami, wyprawiając nieprawdopodobne rzeczy ze studyjnym mikrofonem? – Trish bawiła się słomką od koktajlu, a jej brwi artykułowały: „nigdy w to nie uwierzycie".

– Zamieniamy się w słuch – powiedział Stu, uśmiechając się szeroko.

– Spokojnie, współczesna medycyna leczy takie przypadki. – Trish zręcznie uniknęła rzuconej w jej kierunku podkładki pod piwo. – Zgadnijcie, którą ikonę zdrowego trybu życia udało mi się dziś podsłuchać w męskiej toalecie naszego studia, jak wciągała do noska biały proszek? Podpowiem wam tylko, że jeśli jego lepsza połowa się o tym dowie, w związku nastąpi bez wątpienia skumulowane nadużycie siły przez policję.

– Nieeemooożliwee – sapnęliśmy oboje.

Musiał to być Dirk Bentley, legendarny ośmioboista, aktualnie mąż ukochanej przez media komisarz Policji Miejskiej w Londynie, Karen Cutler.

Przetrawienie tego faktu zajęło nam kilka minut, dlatego oczywiste pytanie wyłoniło się z opóźnieniem:

– Trish, co ty robiłaś w męskiej toalecie?

– Grey wpadł dzisiaj po pracy. Jak Boga kocham, jego grafik to istny koszmar. Próbowaliście kiedyś prowadzić normalne życie erotyczne, mając kolidujące grafiki?

Stu i ja wydaliśmy z siebie zdegustowane „Ueeeeeee!".

– Uprawiałaś seks ze swoim ślubnym w toalecie w pracy? – jęknął Stu.

– W moim biurze jest ogromne okno, zbulwersowałabym całą ekipę – odparła Trish z kamienną twarzą, po czym zwróciła się do mnie: – A tak w ogóle, kiedy spotykasz się ze swoją następną ofiarą? – zapytała, wkładając do ust wykałaczką wisienkę koktajlową.

– Przestań! – przerwał jej Stu. – Trish, popatrz na tego niechluja za barem – wskazał palcem tłustowłosego barmana, wyglądającego na fana grunge'u, który przyrządził nam drinki.

– No i? – spytała Trish niewzruszona.

– To on nadział na wykałaczkę tę wisienkę, którą ssiesz jak odkurzacz przemysłowy. Mogło ci się udać przeżyć wyprawianie świństw bez ubrania w toalecie dziś rano – wyobrażenie czego i tak pewnie skazi mnie na całe życie – ale jeśli połkniesz tę ociekającą bakteriami wiśnię, rychły nieżyt żołądka masz gwarantowany.

Trish przewróciła oczami.

– Stu, jesteś damskim fryzjerem. Nie powinieneś przypadkiem być lokalnym miłośnikiem sprośnych, soczystych i skandalizujących plotek?

– A ty jesteś kobietą i czy nie powinnaś być opiekuńcza, uczuciowa i pełna współczucia?

– Racja, trafiona-zatopiona. – Trish, śmiejąc się, wyrzuciła resztę owocowej zawartości koktajlu do popielniczki.

– Dobrze, dzieci, już wystarczy. – Mój niepokój i obawa manifestowały się jako ostra drażliwość. – Spotykam się z nim o dwudziestej.

Powiedziałam mu, żeby przyszedł tutaj, więc miejcie oczy szeroko otwarte. Nazywa się Matt Warden, ma sto siedemdziesiąt pięć centymetrów wzrostu, trzydzieści lat, smukły, o brązowych potarganych włosach i brązowych oczach. Na zdjęciu wyglądał trochę jak Paolo Nutini*. Jego hobby to chodzenie na koncerty, słuchanie muzyki i gra w kapeli. Ma też niezaprzeczalny zaszczyt być Panem Skorpionem.

To powiedziawszy, wzięłam kieliszek wina i opróżniłam go jednym haustem. Moje nerwy i poczucie własnej wartości zapewne wrócą kiedyś do formy, gorzej z wątrobą. Gwałtownie odstawiłam kieliszek na stół i włożyłam dłonie pod uda, by ukryć ich drżenie. Kolejnego wykładu bym nie zniosła, nie chciałam też nakręcać lęków Stu.

Jak na komendę, Stu nieświadomie zaczął masować lewą stronę swojego wdzięcznie krągłego mięśnia piersiowego. Jedną z zalet bycia obłąkanym na punkcie swojego zdrowia jest to, że wyrabia się sto pięćdziesiąt procent normy zalecanych ćwiczeń i sumiennie stosuje do zaleceń dietetyka.

– Wciąż nie wierzę, że to robisz. Przysięgam, że będziesz miała na sumieniu mój atak serca wywołany stresem.

– Czy kiedy kopniesz w kalendarz, będę mogła przejąć twój zbiór płyt i torbę Prady? – spytała Trish.

Stu ją zignorował.

– Alarm, alarm, potencjalny współrandkowicz wchodzi do budynku – szepnął.

Odwróciłam się, by zobaczyć faceta, którego zdjęcie studiowałam dziś po południu. Na szczęście znowu posłuchałam rady Millie i włożyłam luźne dżinsy i sportowe buty, ponieważ Matt również ubrany był nieformalnie.

Opisałam mu, jak wyglądam, przez telefon, a ponieważ byłam jedyną znajdującą się w pobliżu rudowłosą, średnio wysoką kobietą w koszulce z Rolling Stonesami, od razu mnie zauważył. Zeskoczyłam ze stołka i uśmiechnęłam się, kiedy do mnie podchodził (co wydaje się szalenie luźne i beztroskie... gdyby nie fakt, że moje nogi się ugięły i tylko refleks Trish uratował mnie przed poważną kompromitacją).

---

* Paolo Nutini – szkocki piosenkarz i autor tekstów, młody i przystojny.

– Leni? Tak właśnie myślałem. Jestem Matt. – Uśmiechnął się, ukazując pełen zestaw błyszczących idealnych zębów.

Stu zakaszlał, więc szybko ich sobie przedstawiłam, po czym zabrałam stamtąd Matta, zanim miał szansę zmienić zdanie i zanim Stu zdołał zasabotować naszą randkę. Wcześniej zapewniał bowiem, że da Panu Skorpionowi wizytówkę z numerem telefonu do Narodowego Centrum Trądu wraz z poradą, aby dzwonił, jeśli w ciągu pięciu do sześciu dni po spotkaniu ze mną dostanie podejrzanej wysypki.

Wiatr wiał tak mocno, że zapierało dech w piersiach – uroczy dodatek do drżenia rąk, suchości w ustach i mdłości, czyli objawów, do których powoli się przyzwyczajałam. Potrafię to zrobić. Naprawdę. Przecież to nie może być trudne. Matt przynajmniej nieźle wygląda i, jak dotychczas, nie zdradza zainteresowania komputerową przemocą.

Postanowiłam działać, zanim obezwładnią mnie nerwy, zamarznę lub zacznę bredzić.

– Więc co robimy?

– Słuchaj, jeśli nie masz nic przeciwko... – Troskliwy, rozważny, otwarty. – Moja kapela gra dziś zupełnie nieoczekiwanie koncert. – Niedostępny.

– Jasne, nie ma sprawy, możemy spotkać się innym razem, jasne, oczywiście, nie ma sprawy – wybełkotałam.

Zaśmiał się, po czym niespodziewanie przyłożył mi palec do ust. Bezczelny gest, którego jednak, o dziwo, nie miałam najmniejszej ochoty oprotestować.

– Myślałem... wiesz... jeśli ci to nie przeszkadza, że mogłabyś pójść ze mną. To tylko godzina grania, a potem moglibyśmy wrzucić coś na ząb. Znam naprawdę fajną włoską knajpę niedaleko klubu, w którym gramy. Nic wyjątkowego, ale robią świetne lazanie.

Dobra, zostałam więc przekwalifikowana z „dziewczyny do wynajęcia" na piszczącą fankę.

Bajecznie!

Czekałam na tę chwilę od 1995 roku, kiedy w magazynie dla nastolatek znalazłam artykuł zatytułowany *101 sposobów, by spotkać twoją ulubioną kapelę*. Wypróbowałam je wszystkie i nie udało mi się uzyskać o wiele więcej niż zdjęcie bębniarza Blur z autografem oraz policyjny zakaz zbliżania się do zespołu, który umieścił swój hit na szesnastym miejscu listy przebojów, a potem rozpadł się z uwagi na „różnice artystyczne". W głębi duszy zawsze chciałam być jedną z tych superdziewczyn, które chodzą z muzykami. Wiecie, stać z boku sceny, grzejąc się w świetle reflektorów, sycić się atmosferą koncertów, podróżować z miasta do miasta autobusem grupy, żyć w hedonistycznym dekadenckim świecie i dawać upust wszelakim żądzom. Tak więc głęboko ukryta we mnie fanka rocka zaczęła zamiatać ostro grzywą, nie mogąc doczekać się wieczoru z kapelą, i bez znaczenia było to, że nigdy o nich nie słyszałam, a gdy przybyliśmy na miejsce, klub okazał się malutki i było w nim może pięćdziesiąt osób. Kiedy weszliśmy do środka i wszyscy zaczęli się gapić, nagły wyrzut adrenaliny trupio odbarwił moje policzki (co na szczęście było mało widoczne w skąpo oświetlonym wnętrzu).

Nirvana huczała w głośnikach, kiedy Matt przyniósł kilka piw z baru i przedstawił mnie reszcie kapeli zebranej przy wielkim wzmacniaczu z boku sceny. Zdecydowanie wyznawali ten sam styl ubierania się co on: luzackie podkoszulki, znoszone dżinsy i fryzura prosto-z-łóżka. Powód, dla którego na widowni przeważały kobiety był jasny.

Ale czad! Miss Zahukania i Obaw z roku 2009 jest teraz autentyczną, rasową fanką, kręcącą się przy prawdziwej kapeli. Co za jazda!

Zdałam sobie sprawę, że mój wewnętrzny dialog brzmi jak żywcem wyjęty z lat sześćdziesiątych, ale co tam. Byłam przekonana, że ta noc będzie niezapomniana.

Nie myliłam się...

8
Szansa na sukces

– Ostatnią piosenkę chciałbym zadedykować komuś wyjątkowemu. Dedykuję ją Leni…

Tłum oszalał, ale było to chyba związane bardziej z tym, że Matt zerwał z siebie podkoszulek, niż z tym, że zadedykował piosenkę nikomu nieznanej osobniczce płci żeńskiej.

Patrząc zupełnie obiektywnie, mogę z całą stanowczością stwierdzić, że Black Spikes są absolutnie genialni. I okazuje się, że nie myliłam się tak bardzo, mówiąc, że Matt jest podobny do Paolo Nutiniego. Obaj mają ten sam hipnotyczny chropawy głos, chociaż muzyka Matta bliższa jest Red Hot Chili Peppers. Kiedy wplatał między rockowe i soulowe kawałki wzruszające ballady, zastanawiałam się, czy wciąż na topie jest rzucanie majtek na scenę (podejrzewam, że takie dzikie zachowanie spowodowało, iż mimo wyglądu wzbudzającego pożądanie i wspaniałego głosu, Stu nigdy nie wybrał kariery muzycznej – krążyłby w maseczce chirurgicznej i szorował scenę środkami dezynfekującymi).

Przy wtórze burzliwych oklasków Matt ostatni raz pomachał widowni i zeskoczył ze sceny. Nigdy nie widziałam kogoś bardziej podekscytowanego i pełnego energii. Nagle zdałam sobie sprawę, że właśnie dlatego ubrałam się w ten cały plan zmian w życiu. Do cholery ze zmartwieniami i wahaniami! Właśnie to miałam na myśli, podejmując postanowienie noworoczne, że zmienię swoje życie. Właśnie tu i teraz znalazłam to, czego mi tak długo brakowało – podniecenie, euforia i śmiech do utraty tchu. Wreszcie to znalazłam!

– I co o tym powiesz ?

Trzeba zachować spokój.

– O Boże, byłeś genialny i nigdy dotąd nie widziałam nikogo takiego jak ty, i powinieneś dostać kontrakt na nagranie płyty i byłeś naprawdę cholernie, cholernie genialny.

Zachowywałam spokój w sposób histeryczny i radosny.

Wziął mnie za rękę.

– Dobra, chodźmy stąd. Wezmę tylko szybki prysznic w garderobie i będę gotowy.

Złapał mnie za ramię, popchnął w kierunku czarnych drzwi i wyprowadził z tego szaleństwa.

– Siadaj, to zajmie mi tylko dwie minuty.

Teraz to stwierdzenie może brzmieć zupełnie niewinnie, ale kiedy odpiął guzik dżinsów, a potem zaczął powoli rozsuwać zamek, uświadomiłam sobie, że nie wiem, co zamierza robić w ciągu najbliższych stu dwudziestu sekund i czego będę świadkiem albo uczestnikiem. Moją euforię co jakiś czas przyćmiewały fale lęku i wątpliwości. Tylko bez paniki. Tylko bez paniki. Czy jest tu gdzieś alarm przeciwpożarowy, który mogłabym włączyć, kiedy do mojej wewnętrznej fanki dotrze, że nie dojdzie tu do niczego oprócz wymiany zdań?

Byliśmy w kwadratowym pomieszczeniu, mniej więcej dziesięć stóp na dziesięć, z wieszakami na ubrania na każdej ścianie i stosem toreb i plecaków na podłodze. W jednym z rogów był prysznic z poszarpaną różową zasłoną, mającą zapewnić użytkownikowi intymność. Rumieniec wstydu oblewał mnie od stóp do głów, a zza dekoltu mojego podkoszulka zaczęły wydobywać się kłęby pary.

A on rozpinał i rozpinał zamek... Gdzie, do cholery jasnej, jest ten alarm przeciwpożarowy?

Nagle Matt się opamiętał i roześmiał, kiedy spojrzał w dół i zauważył, że jest prawie rozebrany.

– O cholera, przepraszam! Ja tylko... chciałem... pewnie myślisz, że zwariowałem...

Doskonale zbudowany, niesamowicie uroczy wariat o anielskim głosie, który wymiękł na mój widok.

Wzruszyłam ramionami z nadzieją, że robię wrażenie zblazowanej, opanowanej i na luzie. Niestety, para kłębiąca się wokół mojej czerwonej twarzy mówiła co innego.

– Dobra, zamknij oczy, a ja ci powiem, kiedy masz je otworzyć. Chyba że wolisz poczekać na zewnątrz... ale w pubie jest ścisk, a na korytarzu nie ma na czym usiąść.

– Nie, nie, tak... hm, w porządku. Luz.

Ups, czy ja naprawdę powiedziałam „luz"? Czyżbym naoglądała się za dużo kryminałów z lat siedemdziesiątych?

Zamknęłam oczy i słyszałam, jak kolejne ciuchy lecą na podłogę, a prysznic zaczyna szumieć. A on cały czas gadał, opowiadając mi historię zespołu i że mają nadzieję, że w tym roku zauważy ich ktoś z wytwórni A&R i jak komponują muzykę i...

Wyciszyłam go. Różnica między mężczyznami a kobietami numer dwa tysiące: on bierze prysznic, myśląc tylko o tym, czy użyć szamponu kokosowego, albo czy szybko przelecieć włosy żelem pod prysznic, gdy w tym czasie ja siedzę tuż obok, myśląc, że jest najcudowniejszym facetem, jakiego spotkałam, i tak, oczywiście bardzo mi się podoba i czy znowu się ze mną umówi, i co ja wtedy powiem, i co zrobię z następnymi dziesięcioma randkami, ponieważ on na pewno nie będzie chciał, żebym na nie szła i może mogłabym przegadać to z Zarą, ponieważ ona na pewno mnie zrozumie. Oczywiście odwdzięczę jej się darmowymi biletami na jego występy, kiedy zespół będzie już sławny, a ja zostanę prawdziwą kobietą rockmana z całym tym rockowym stylem życia. Zamieszkamy w tradycyjnej wielkiej rezydencji w Sussex obleganej przez fanów, a sztab ludzi będzie organizował nam życie i przygotowywał coroczne przenosiny do nadmorskiego zamku w Saint Tropez. Będę nosiła skórzane spodnie, nawet jeżeli wyjdą z mody. Nie będę się zastanawiała, co inni o mnie pomyślą, bo rockersi mają to gdzieś. Forsa będzie płynęła, a życie nigdy, przenigdy nie będzie nudne, ponieważ zawsze będą wokół nas inni rockersi wyprawiający różne wariactwa, jak na przykład orgie na obrotowych łóżkach i wymiotowanie do basenu. Będziemy udzielali wywiadów różnym topowym pismom, w których on będzie mówił, że nasz związek to poważna sprawa, bo poznaliśmy się, kiedy on jeszcze niczego nie miał, a mną nie będą targały żadne wątpliwości, ponieważ będę otulona ciepłym kocykiem miłości, oddania i radosnych emocji. I zawsze będą z nami przyjaciele, ponieważ zatrudnię Stu jako naszego doradcę medycznego i stylistę, a Trish zostanie naszą kucharką. No, ale będę musiała sprawdzać, czy nie dosypała arszeniku do jedzenia, kiedy dotrze do mnie, że zazdrości mi pieniędzy, sławy i prywatnego samolotu, tak że zaistnieje ryzyko, iż nie będzie mogła oprzeć się pokusie zatrucia moich karbowanych frytek.

– Dobra, możesz już otworzyć oczy.

Nagle zawahałam się z obawy, że będzie to jedna z tych przerażających chwil katastrofalnego rozminięcia się z oczekiwaniami. Czy zobaczę go zupełnie nagiego z wyprężonymi muskułami i z mikrofonem uniesionym w oczekiwaniu?

– Leni, naprawdę już możesz otworzyć oczy.

Nabrałam powietrza i ostrożnie uchyliłam powiekę, tylko na milimetr. Ups. Ubrany.

– No to chodźmy. Głodna?

Dziwne, ale jakoś straciłam apetyt.

– Umieram z głodu! – Czytałam gdzieś, że mężczyźni lubią towarzystwo kobiet, które podchodzą do jedzenia z entuzjazmem.

Mój głód, dotąd uśpiony przez podniecenie i pociąg fizyczny, teraz obudził się na myśl o lazanii, która była tak, jak obiecywano wspaniała. Zjedliśmy na spółkę wielką miskę tiramisu i piliśmy właśnie czwarty albo piąty kieliszek wina, kiedy dotarło do mnie, że to najlepszy wieczór, jaki spędziłam od lat. Nieważne, że jestem tu w ramach pracy, nieważne, że poznałam go cztery godziny temu. Teraz wreszcie zrozumiałam, co oznacza porozumienie dusz. Między Mattem i mną po prostu zaiskrzyło i wszystkie wyświechtane stereotypy pasowały – wydawało mi się, jakbym go znała od lat, dobraliśmy się w korcu maku, nadawaliśmy na tych samych falach, byłam uskrzydlona...

O Boże, zaczynam pleść bzdury jak w piosenkach Westlife – czas przestać pić.

– Muszę skoczyć do toalety.

Właśnie wtedy zdałam sobie sprawę, że trzymamy się za ręce. Jak to się stało?

Woda. Zimna. Na twarz. Natychmiast.

W łazience patrzyłam przez chwilę w lustro. Uspokój się, Leni. Uspokój się. On jest piękny, uroczy, jest najcudowniejszym facetem, jakiego spotkałaś od lat... Czy coś przegapiłam? No jasne, gra w kapeli! Moje doświadczenie i oceny, jeśli chodzi o przedstawicieli płci przeciwnej w przeszłości były niezbyt ścisłe, ale teraz jest inaczej. Mam gdzieś pochlebstwa magazynów muzycznych i basen pełen wymiotów w Surrey – nawet jeżeli nigdy nie zajdzie dalej niż obskurne kluby na Camden, naprawdę, naprawdę bardzo chciałabym się z nim znowu spotkać i absolutnie, stanowczo, kategorycznie wiem, że on czuje to samo.

Poprawiłam włosy, nałożyłam dyskretną warstwę różowego błyszczyku Juicy Tubes, uśmiechnęłam się głupkowato do swoich myśli sprzed paru sekund i wyszłam z toalety. I pomyśleć, że tak bardzo denerwowałam się dzisiejszym wieczorem, a tak cudownie wszystko się potoczyło.

Kiedy weszłam do prawie pustej już sali, Matt siedział do mnie plecami, więc mogłam swobodnie komentować sobie w duszy: ależ światło cudownie pada na jego włosy... ten niebieski kolor pięknie na nim wygląda... zamówił następną butelkę wina, więc chyba też dobrze się bawi.

Byłam tuż koło niego, kiedy uświadomiłam sobie trzy rzeczy:

Rozmawia przez telefon.

Nie słyszy, że się zbliżam.

Nie rozmawia z nikim z redakcji pisma muzycznego.

Mimo dzielących nas paru kroków dokładnie słyszałam każde słowo.

– Kochanie, nie będę tu już długo, obiecuję. Nie, ona wcale nie zwala z nóg, wygląda normalnie. Całkiem zwyczajnie. Nie to, co ty, kochanie. Posłuchaj, mówiłem ci, że robię to dla kapeli. Chodzi o kontakty, dziecinko, a ten kontakt może nam umożliwić występ w porannym programie telewizyjnym. Potrzebujemy trochę reklamy, a wtedy koncerny muzyczne będą się o nas biły. Kochanie, wiesz, że nie zrobiłbym tego. Obiecuję. Dlaczego miałbym pieprzyć kogoś innego, co? To jest tylko nawiązywanie kontaktów, kochanie, wykorzystywanie nadarzającej się okazji.

Cieszyłam się, że mam torebkę przy sobie, bo zbieranie wszystkich rzeczy popsułoby cały efekt. W dodatku mógłby wtedy zobaczyć, jaka jestem zdenerwowana, a to byłaby największa tragedia.

Po prostu podeszłam i przysięgam, że to był niewytłumaczalny odruch, który sprawił, że moja lewa ręka gwałtownie się podniosła i strąciła całą butelkę shirazu na jego kolana.

Podskoczył jak oparzony, upuścił telefon i wrzasnął: „O kurwa!".

Zareagowałam automatycznie, tak jak powinno się reagować w sytuacjach, które wymagają ostrego języka. Gdy szłam do drzwi przez myśl przeleciała mi mantra: Co powiedziałaby Trish, co powiedziałaby Trish? A kiedy podmuch lodowatego powietrza owiał mi twarz, nagle mnie olśniło.

Odwróciłam się i zobaczyłam, że rzeźbione rysy Matta wykrzywia wściekła furia.

– Wiesz, Matt, twoja kapela jest w porzo, ale gdybym miała być całkiem szczera, to nie jest to nic szczególnego.

A potem ryczałam przez całą drogę do domu, wkurzona, że jestem taką głupią pindą. Jeżeli tak ma wyglądać zmiana, jeżeli tak mają wyglądać przygody i ciekawe doświadczenia, to ja już wolę swoje stare życie.

PROJEKT RANDKOWY *WSZYSTKO JEST W GWIAZDACH* – PODSUMOWANIE

Lew	Harry Henshall	niezdrowa fascynacja komputerową przemocą
Skorpion	Matt Warden	lider zespołu, kłamliwy dupek

E-mail
Do: Trish; Stu
Od: Leni Lomond
Odp: Jeżeli wczorajszą randkę przedstawić w formie ogłoszenia towarzyskiego, to ogłoszenie wyglądałoby tak...

Mężczyzna, lat 30, Skorpion, kiepski naśladowca gwiazd rocka, dziko kręcąc biodrami, mógłby wskoczyć w majtki nawet zakonnicy,

utalentowany, doskonale wyglądający, ambitny i nie powstrzyma się przed niczym, żeby osiągnąć cel. Posiadacz skórzanych spodni. Gotowy poświęcić godność, moralność i spermę w imię sukcesu. Bardzo towarzyski, ma dużą grupę przyjaciół, zadowolony, jeżeli będzie mógł ich wykolegować albo sprzedać, żeby tylko dostać się na szczyt. Chciałby poznać wpływową, dobrze ustosunkowaną, wolną od uprzedzeń kobietę pracującą w znanej firmie fonograficznej, która miałaby ochotę dzielić się nim z jego podniecającą dziewczyną. Albo Simona Cowella*. Obrotowe łóżko i posiadłość w Surrey jako bonus.
Kandydatki powinny zgłaszać się osobiście do obskurnego lokalnego pubu, sobota wieczorem, godzina 20, bilety 5 funtów.

„Daily Globe", dział kobiecy 20 lutego

Wywiad z Zarą Deltą przeprowadzony przez Camillę Beaufort-Dodds

Pierwszą rzeczą, która uderza przy spotkaniu z Zarą Deltą, to jej wewnętrzny blask, choć zupełnie inny, niż można by sobie wyobrażać. Prędko odkryłam, że jest on wywołany przez dwie małe zielone żaróweczki zasilane baterią, które umieściła wewnątrz policzków, żeby, jak nas poinformowała, wykorzystać moc energii światła, co jest praktyką, jak uważa, uspakajającą jej umysł i odnawiającą siły życiowe. Nie mówiła, czy wie coś na temat potencjalnego zagrożenia zdrowia spowodowanego umieszczeniem na dziąsłach dwóch bateryjek.

Jak zwykle jest profesjonalna w każdym calu. Wydaje mi się, że dopasowała kolor świecących policzków do koloru sukienki, którą włożyła – wymyślny zielony kaftan, ozdobiony, jak mnie poinformowała, starożytnymi symbolami Masajów. Odzienie to podarował jej wódz plemienia w małej wiosce, gdy ostatnio była w Afryce.

---

* Simon Cowell – angielski łowca talentów i producent telewizyjny; był jurorem w *X-Factor* i *Mam talent*.

Na szczęście przed naszą rozmową Zara wyjęła żaróweczki z ust. Muszę jednak przyznać, że trochę się przestraszyłam, kiedy nagle gwałtownie zacisnęła powieki i zaczęła przemawiać teatralnym głosem. „Ostatnio poniosłaś stratę", poinformowała mnie cicho. Chodzi o... chodzi o zwierzę... bardzo bliskie ukochane zwierzę".

Muszę potwierdzić, iż rzeczywiście parę tygodni temu straciliśmy Krakersa, konia, na którym cwałowałam od dziecka. Pani Delta pocieszyła mnie zapewnieniem, że znajduje się on teraz w lepszym miejscu, gdzie może swobodnie galopować, nie odczuwając trudów starości.

– Taka wnikliwość i zrozumienie dla spraw innych ludzi musi być z pewnością przygniatającym emocjonalnym obciążeniem? – zapytałam.

Zara przytaknęła znużona i osunęła się wyczerpana na kanapę.

– Czasami jest ciężko – przyznała – ale to jest też wielki dar i czuję się uprzywilejowana, iż zostałam nim obdarzona. I myślę, że jest moim obowiązkiem wykorzystać go, by ułatwiać życie innym.

Przerwała na chwilę, żeby z glinianego kubka napić się naparu z mieszanki oczyszczających ziół i korzeni sporządzonego według recepty, jak mi powiedziała, którą odkryła wiele lat temu, żyjąc wśród Indian w Andach.

– Dlatego postanowiłam napisać moją ostatnią książkę – przewodnik dla par, który zrewolucjonizuje sposób, w jaki młode kobiety szukają idealnego partnera. Dzisiejsze kobiety są bardziej zapracowane niż kiedykolwiek. Walczą o karierę, prowadzą szalone życie towarzyskie, ćwiczą z osobistymi trenerami i mają rozliczne obowiązki rodzinne, co sprawia, że zostaje im mało czasu na sprawę, która naprawdę ma znaczenie: znalezieniu miłości. I właśnie w tym mogę pomóc. Dam im niezawodny plan, dzięki któremu rozpoznają swoje potrzeby, i pokażę, jak spełnić marzenia. Ta książka, całkiem dosłownie, zmienia życie.

Niestety nasza rozmowa została przerwana przez asystenta Zary, który poinformował ją, że pewna bardzo znana osoba pilnie potrzebuje jej rady. Wstając, zainstalowała swój wewnętrzny blask i mocno mnie uściskała.

– Bardzo przepraszam, że muszę panią opuścić, ale to jedna z konsekwencji mojego daru – muszę iść tam, gdzie mnie potrzebują.

Jeżeli jesteś jedną z kobiet potrzebujących pomocy Zary Delty, jej książka będzie w grudniu dostępna we wszystkich dobrych księgarniach.

9
Randka z Baranem

– Może ta będzie lepsza – powiedziała Millie, kiedy przekazałam jej wszystkie szczegóły mojej następnej wyprawy do Centrum Randkowego Piekła.

– Mówisz tak, bo naprawdę tak uważasz, czy raczej chcesz podtrzymać mnie na duchu, dając mi moralne wsparcie i fałszywą nadzieję?

– Zdecydowanie chcę dać ci moralne wsparcie i fałszywą nadzieję – odpowiedziała, chichocząc. – No i jak to działa?

– Nie działa – odpowiedziałam szczerze.

Dwa tygodnie po katastrofie ze Skorpionem były istną karuzelą emocji, które w końcu uspokoiły się parę dni temu, kiedy Trish posadziła mnie naprzeciwko siebie, odsunęła na bok dziesięć brudnopisów listu z moją rezygnacją, wyrzuciła mój nowy egzemplarz *Jak z zamkniętymi oczami rozpoznać głąba*, po czym wygłosiła surową reprymendę:

– Posłuchaj, nie możesz się teraz z tego wypisać. Masz rację, spotkałaś wstrętnego dupka, ale co z tego? Przynajmniej zapłacili ci za to spotkanie. Przedtem regularnie spotykałaś wstrętnych dupków na własny rachunek. Gdyby nie chodziło o te randki, chciałabyś nadal pracować dla Zary?

Niechętnie skinęłam głową.

– To jest po prostu codzienny totalny odlot w kosmos – ciągnęła – ale przynajmniej nie musisz zajmować się banalną rzeczywistością, taką, jak na przykład instalacje kanalizacyjne. I lepiej nie myśl o niczym innym – będziesz miała więcej wywiadów, nowe środowisko, ciągłe zamieszanie, ale żadnych pornograficznych fantazji na temat pociągającego potomka szefowej. A jeśli chodzi o twoje życie osobiste – chcesz chodzić na randki, spotykać nowych facetów i, cytując wielkiego Freddiego Mercury'ego, „znaleźć sobie kogoś do kochania"?

Znowu skinęłam głową.

– I czy przysięgasz uroczyście, tu, w tym pokoju, że to będzie rok, w którym porzucisz wygodne kapcie i postawisz sobie nowe cele?

Odgarnęłam włosy zasłaniające mi oczy i przez chwilę myślałam o tym, czy inni też mają tak zażartych przyjaciół, którzy regularnie wyciskają z nich siódme poty. Trish dramatycznie minęła się z powołaniem. Powinna pracować w miejscu, w którym mogłaby jak najlepiej wykorzystać swoje umiejętności – na przykład jako wojskowy śledczy. Albo jako najlepsza w swojej kategorii dominująca partnerka w związku sado-maso.

– No to już przestań. Jeden to ciul na tym świecie? Wiesz, z iloma ciulami się spotykałam, zanim natrafiłam na Greya? Z całymi tabunami.

Wiedziałam, że chciała poprawić mi samopoczucie metodami zaczerpniętymi wprost z poradnika pod tytułem *Przyjaźń sadomasochistyczna*. Ale ja nie byłam przekonana. Tak, rzeczywiście jej Grey to kochany chłopak, miły, słodki i zabawny (spuśćmy zasłonę na jego upodobanie do uprawiania seksu w miejscach publicznych) i naprawdę chciałabym spotkać kogoś takiego jak on, ale spójrzmy prawdzie w oczy: jakie są szanse na spotkanie kogoś w stylu słodziaka Greya, który zgłosi się do *Cudownego Poranka TV!*, i padającego do moich stóp? Marne. Tylko raz spotkałam faceta, którego kochałam tak jak Trish kocha Greya no i… co…

– Ciągle za nim tęsknię, Trish. A kiedy przydarzają mi się takie gówna jak teraz, tęsknię za nim jeszcze bardziej.

Trish na chwilę złagodniała. Lepiej niż ktokolwiek inny wiedziała, jak strasznie cierpiałam, dowiedziawszy się, że Ben jest żonaty. Pocieszała mnie tygodniami, a ja zużywałam tony chusteczek higienicznych w największym możliwym rozmiarze.

– Posłuchaj, już po wszystkim. Minęło. Więc pozbieraj się i, do cholery, zabierz do roboty. I mówię to, bo cię kocham.

Zastanawiałam się nad jej szlachetną radą. Miała rację. Pomińmy złamane serce. Przeżyłam dwa złe doświadczenia na randkowym froncie, ale przynajmniej mi za nie zapłacono. Dostałam też niezłą lekcję (trzymaj się z daleka od typów opóźnionych w rozwoju i ze skłonnościami do gier komputerowych, oraz wokalistów, bo to dewianci i egoistyczne kutasy).

Głos Millie przywrócił mnie do rzeczywistości, kiedy rzekła słodko:

– Dzień dobry, Conn. Zara jest na górze i pyta, czy mógłbyś wpaść do niej jak najszybciej.

– Dziękuję, Millie. Cześć, Leni. Gotowa na kolejny wspaniały wieczór?

– Jasne. Nie mogę się doczekać – odpowiedziałam.

– Świetnie. Czytałem twój raport z ostatniej randki. Coś mi się wydaje, że przeżyłaś ciężkie chwile. Bardzo ci współczuję.

– Nie, nie, to nic takiego. Nic, z czym nie mogłabym sobie poradzić – zapewniłam go, machnąwszy ręką.

Millie skrzyżowała ręce na piersiach i przyglądała mi się z rozbawieniem i niedowierzaniem, co trwało do czasu, aż Conn zaczął lizać mnie po twarzy, pchnął mnie na ścianę, posiadł mnie z dziką pasją (dwa razy), sprawił, że poruszyła się ziemia (tylko raz), a potem wszedł na schody, a jego nagie, pięknie rzeźbione pośladki naprężały się przy każdym kroku.

No dobra, może tylko uśmiechnął się do mnie prowokująco, a potem poszedł do swojego biura.

– Nic się nie stało? Zupełnie nic? – sondowała Millie z trudem hamowanym rozbawieniem, widząc moje zakłopotanie.

– O Boże, nie zaczynaj z tym. Przed chwilą miałam do czynienia z bezlitosnym szydercą.

– Myślę, że Leni chce zrobić wrażenie na pewnym wysokim, przystojnym brunecie.

– Wcale nie chcę! – zaprzeczyłam oburzona. – To są sprawy czysto zawodowe. Chciałam tylko, żeby uważał, że jestem dobra w pracy, to wszystko.

Zabrałam poranną pocztę, zrobiłam parę kroków w stronę schodów, kiedy zdałam sobie sprawę...

– Conn nie powiedział, co chce na lunch.

– Och, myślę, że dzisiaj dokądś pójdzie.

Mam cię! Wiedziałam wcześniej, że dzisiaj Zara rezyduje w ekskluzywnym dziennym spa i że Conn zamierza pracować w biurze przez cały dzień aż do spotkania z matką o dziewiętnastej i wyjścia razem z nią na bal charytatywny. Zara podarowała na loterię godzinę darmowych konsultacji i w zamian za to została zaproszona na kolację z udziałem mnóstwa gwiazd, a przygotowaną przez Jamiego Olivera i grupę podkuchennych ze stołówki w Southend.

– O nie, przepraszam, ale nie masz racji – spierałam się podekscytowana do granic możliwości tym, że pierwszy raz mam przewagę. – Wiem, że za chwilę zadzwonią do ciebie z prośbą...

Zgadza się, dzisiaj czwartek. Co on jadł w zeszły czwartek? Skup się. Skup się. Skup się.

– Zupa jarzynowa z chrupiącą bagietką z pełnoziarnistej mąki – wyrecytowałam teatralnie z odrobiną samozadowolenia.

Samozadowolenie zaczęło mnie opuszczać, kiedy będąc w połowie schodów, spotkałam schodzącego Conna.

– Zmiana planów, Leni. Muszę się dzisiaj wieczorem spotkać z event menegerami, ponieważ chcą, żeby Zara wygłosiła odczyt i muszę wszystko zorganizować. Nie będzie mnie do końca dnia, ale będę pod komórką.

Oficjalnie można stwierdzić: Nie mam zielonego pojęcia o mężczyznach. ZIELONEGO.

– I czy mogłabyś wysłać szampana tym czterem paniom? – spytał, podając mi kartkę wyrwaną z notesu z nabazgranymi czerwonym długopisem danymi kontaktowymi. – I zorganizuj dzisiaj sprzątanie domu, basenu i altany. Dzięki, Leni.

Kiedy wychodził taki oficjalnie uprzejmy, rzucał w moją stronę spojrzenia emanujące niekontrolowanym pożądaniem. No, to sobie też tylko wyobraziłam.

Z trudem pokonałam resztę schodów, wlokąc się jak na ścięcie. A dziesięć godzin później czekałam na Daniela Jonesa, lat 25, księgowego z Teddington, i marzyłam, żeby kat wreszcie skrócił moje męki.

Jeżeli to z Connem to był pikuś, to dlaczego teraz serce wali mi jak szalone? Nie mówiąc o plamach potu, które, jak podejrzewam, pojawiły się w newralgicznych miejscach. To piekło. Piekło. Chcę uciec. Chcę być u siebie w domu, leżeć na kanapie, chrupać kruche ciasteczka HobNobs i oglądać stare odcinki *Seksu w wielkim mieście* na cały regulator, tak żeby zagłuszały Barry'ego Manilowa, którego puszcza wieczorami pani Naismith zza ściany.

Ponieważ dzisiejsze spotkanie było niedaleko, policjantom z wydziału zabójstw łatwiej będzie wytropić mój notes z adresami i znaleźć namiary na moją najbliższą rodzinę. Kiedy zadzwoniłam do Daniela, żeby się z nim umówić i potwierdzić, że przebieg randki zależy od niego, wspomniałam, że mieszkam na granicy Slough i Windsoru i wtedy on natychmiast zaproponował, żebyśmy spotkali się na przystanku autobusowym w Slough. Najpierw pomyślałam, że to cudownie, że nie chce, żebym podróżowała, ale szybko zdałam sobie sprawę, że nie zanosi się na wieczór w luksusowej pięciogwiazdkowej restauracji.

– Leni?

Jego głos był ciepły (coś pomiędzy głosem najbliższego przyjaciela a głosem prezentera programu *Blue Peter*) z bardzo wyraźną nutą obawy. To przynajmniej mamy wspólne.

– No więc... eee... co byś chciała robić? – wyjąkał ze strachem po tym, jak zakłopotani się sobie przedstawiliśmy.

To mnie zaskoczyło.

– To... eee... zależy od ciebie – przypomniałam mu, próbując rozpaczliwie ukryć opanowującą mnie nerwową irytację. Przede mną piętrzyło się sporo problemów. Co z prowadzeniem rozmowy, z notowaniem w pamięci? Jak nie dostać totalnego ataku paniki, nie podejmując żadnych decyzji co do logistyki dzisiejszego wieczoru?

Po dręczącej, nabrzmiałej wahaniem przerwie wreszcie pojął.

– No, dobrze... eee... chodźmy najpierw na drinka.

O Jezu, co miał na myśli, mówiąc „najpierw"? Może moje przypuszczenia były pochopne i niewłaściwe? Może zarezerwował stolik w jakiejś miłej restauracji? Może zaplanował wieczór eleganckich przyjemności kulinarnych?

– A potem zdecydujesz, czy chcesz iść do Hindusa, Chińczyka, a może na pizzę...

Zapomnij o wieczorze w eleganckiej restauracji.

Po chwili kręcenia się w miejscu zaczęliśmy maszerować po smaganym wiatrem Londynie, ściślej po deptaku w Slough. Zupełnie jak tajny agent (Misja Nie-wiary-godna) rzuciłam kilka ukradkowych spojrzeń w jego stronę i zanotowałam w pamięci parę szczegółów: kasztanowe nastroszone włosy (zupełnie jak Jake Gyllenhaal z wyżelowanymi włosami), bojówki khaki (nowe, starannie wyprasowane) i jasnobrązowy kaszmirowy sweter w serek – dość atrakcyjny, ale w umiarkowany sposób. Można powiedzieć, że się postarał. Była w tym jakaś myśl, nie wyciągnął brudnych ciuchów spod sterty pudełek po pizzy.

– To jest... eee... trochę dziwne – zauważył trafnie, dostrzegając, iż żadne z nas nie jest pewne, jak zacząć rozmowę, biorąc pod uwagę, że to randka w ciemno zaaranżowana przez wariatkę z telewizji.

Przytaknęłam w nadziei, że dotrzemy wreszcie do jakiegoś odpowiedniego miejsca, zanim zaczną boleć mnie nogi. Niech szlag trawi te cholerne obcasy. Zignorowałam radę Millie (wygodne buty, obcisłe dżinsy) i włożyłam eleganckie spodnie i niebotyczne, przyprawiające o zawrót głowy obcasy, hit na eBayu.

Ale wróćmy do radosnej i poprawiającej atmosferę pełnej napięcia ciszy.

– Nie jest ci zimno?

– Nie w porządku, dzięki.

Cisza.

– Co myślisz o tym? – rzucił, wskazując pozornie przyzwoicie wyglądającą winiarnię z paroma naćpanymi parami widocznymi przez duże, podobne do wystawowych okna.

Pokręciłam głową. Może i wyglądało to ładnie, ale dzięki poufnej informacji Trish (uzyskanej od pracującego w agencji pracy tymczasowej kelnera, który uzupełniał studenckie stypendium, pracując w kantynie studia telewizyjnego i wcielając się w rolę nagiego kamerdynera na podmiejskich party, na których goście zamieniali się żonami) wiedziałam, że to główne miejsce spotkań swingersów, doggersów i innych dewiantów. Możecie uważać mnie za staroświecką, ale perspektywa czworokąta ze starym nauczycielem historii i jego żoną nimfomanką w średnim wieku nie wydawała mi się najlepszym pomysłem na spędzenie najbliższych paru godzin.

Pokręciłam głową.

– A co myślisz o tym? – spytałam, wskazując mały cichy pub po drugiej stronie ulicy. – Byłam tu parę razy i było całkiem nieźle.

Nie wiem z jakiego powodu, ale chyba przez odciski, zaczęłam nagle kuleć.

Gdy tylko weszliśmy, Daniel zaczął energicznie rozprawiać:

– Wspaniały wybór, kapitalnie, super opcja...

Był to mały pub z podkładkami pod kufle na stołach, w telewizorze stojącym w kącie szedł mecz snookera – miałam wątpliwości, czy kiedykolwiek ten pub był dla kogoś super opcją. W każdym razie doceniałam poparcie i entuzjazm Daniela. Wpłynęło to na atmosferę reszty wieczoru, który z naznaczonego paraliżującym lękiem stał się prawie znośny.

– Mam nadzieję, że nie masz mi za złe, że niczego nie zaplanowałem. Chciałem poczekać i zobaczyć, na co ty miałabyś ochotę.

Słodki. Skłonny do kompromisów. Wykręcający się od odpowiedzialności.

– Czego chciałabyś się napić? – kontynuował.

– Białe wino, proszę. Wytrawne, jeżeli mają.

– Rany, ja też to piję. Ale dziwne.

Rzeczywiście.

– Mam nadzieję, że nie będziesz miał nic przeciwko temu, żeby zamówić orzeszki. Od lunchu nic nie jadłam.

– No coś ty, nie mam nic przeciwko, też mam na nie ochotę.

I znowu Pan Słodziutki i Kompromisowy.

Patrzyłam, jak przeciska się między siedzącymi przy stolikach sześćdziesięcioletnimi graczami w bingo i trzema starszymi panami studiującymi w gazecie strony o wyścigach konnych i nie mogłam się nadziwić, co on tutaj robi. Wydaje się bardzo zadbany, ujmujący i przyjacielski, ale przy tym nieśmiały i zażenowany. Czy ktoś taki jak on naprawdę ma trudności ze spotkaniem kogoś w normalnym świecie? Czy może ma jakąś głęboko ukrytą skazę osobowości, o której nie mam pojęcia? Dobry Boże, proszę Cię, żeby to nie chodziło o poćwiartowane ludzkie szczątki przechowywane w zamrażarce.

Kiedy wrócił z winem, zaczęliśmy rozmawiać o znanej nam obojgu książce Zary, projekcie randkowym i *Cudownym PorankuTV!*, po czym Daniel skierował rozmowę na bardziej osobiste tory i poprosił:

– No więc, Leni, opowiedz mi coś o sobie.

Minus dziesięć punktów w skali randkowej za najbardziej stereotypowe pytanie.

– Co chciałbyś wiedzieć? – spytałam śmiało, przygotowując w myślach fikcyjny życiorys na wypadek, gdyby miał zamiar ukraść moją tożsamość i sprzedać ją wschodnioeuropejskim handlarzom żywym towarem. Uwaga dla mnie: mieć pod kontrolą irracjonalne myśli.

– Jaki rodzaj muzyki lubisz najbardziej?

Szybko stwierdziłam, że ten temat nie może mieć żadnego związku z Biurem Imigracyjnym ani z nikim, kto zajmuje się sprawami paszportowymi.

– Uważam, że Amy Winehouse jest super

– No jasne! *Back to Black* to klasyka.

Jeszcze jedna wspólna rzecz!

– Lubię też nagrania Nickelback, Killersów, Razorlight, Snow Patrol...

Zaczęłam się obawiać, że to jego ciągłe potakiwanie zakończy się katastrofą. Możecie nazwać mnie jasnowidzem, ale zaczęłam dostrzegać w tym wszystkim jakąś prawidłowość.

Obydwoje piliśmy białe wino, oboje jedliśmy orzeszki Nobby, charakteryzowaliśmy się identyczną mową ciała i on zgadzał się z każdym słowem, które wypowiadałam.

Postanowiłam skonfrontować to z moją tworzoną na bieżąco teorią.

– Myślę, że Pete Doherty to jednak przygłup.

– No pewnie! Całkowicie się z tobą zgadzam.

– A w wannie uwielbiam słuchać muzyki klasycznej

– O tak! To takie relaksujące – przytaknął.

Musiałam się powstrzymać przed wyskoczeniem z deklaracją, że podoba mi się Howard z Take That! z obawy, że znowu się ze mną zgodzi i będę musiała od nowa próbować określić jego osobowość.

Później zgodził się ze mną, że najładniejszy kolor to niebieski, najlepszy samochód to Ferrari, a wymarzone wakacje to tydzień na wyspie Necker Richarda Bransona z całą obsadą *Chirurgów*, z U2, P. Diddy i Mary J. Blige.

Zaczęłam czuć się nieswojo. Wydawało mi się, że Daniel jest moim dwujajowym bliźniakiem, od którego zostałam oddzielona zaraz po urodzeniu, albo najobrzydliwszym lizusem, jakiego kiedykolwiek spotkałam. W tej chwili skłaniałam się ku temu drugiemu. Miałam wrażenie, że gdybym powiedziała, iż moim najulubieńszym hobby jest zbieranie komórek naskórka moszny niedźwiedzia polarnego, już wieczorem miałby przygotowane waciki i próbówki.

Zauważyłam, że jego szklanka jest pusta i podjęłam desperacką próbę przerwania tego ciągu pytań, odpowiedzi i potakiwań.

– Teraz ja przyniosę ci coś do picia. Jeszcze raz białe wino? – spytałam.

Zerwał się z krzesła, jakby mu się zapaliło pod tyłkiem, i wyrzucił z siebie paniczne:

– Siedź na swoim miejscu!

Trzech starszych panów w rogu podniosło głowy znad gazet.

– Ja przyniosę! – wykrzyknął zaaferowany i popędził do baru, by wrócić ze świeżą dostawą.

Zaczęłam być naprawdę wkurzona, bo siła jego reakcji zbiła mnie zupełnie z tropu. Czytałam kiedyś o facetach tego typu – zwykle w sprawozdaniach z procesów sądowych przeciwko stalkerom. Kiedy na przykład babka odsuwa zasłonę w oknie, widzi przyklejoną do szyby gębę faceta, którego spotkała wcześniej w Tesco przy stoisku z rybami.

– Danielu, jesteś, eee…

– Powoli, Leni, proszę pomyśl, jak mi to powiedzieć delikatnie.

– Wydaje mi się, że jesteś uroczym facetem, więc czy mogę cię zapytać, dlaczego zgłosiłeś się na randkę?

Czy to wariat, czy tylko jest samotny? Znowu zaczęło walić mi serce. Kim on jest: wariatem czy po prostu kimś samotnym?

Przez kilka bardzo długich minut nie powiedział ani słowa. Wreszcie wzruszył ramionami i się odezwał:

– Zara Delta powiedziała, że mogłaby znaleźć dla mnie idealną bratnią duszę i dojrzałem do tego, to mogłoby być fajne. Ale jakoś… nie wygląda, żeby tak miało być.

Ukradkiem chwyciłam torebkę i zdjęłam buty na niebotycznych obcasach na wypadek, gdybym musiała uciekać.

– Szczerze mówiąc, to naprawdę nie mam pojęcia, gdzie popełniam błąd.

– Naprawdę nie masz? – zaryzykowałam pytanie z wahaniem charakterystycznym dla kogoś, kto desperacko próbuje uniknąć poważnej rozmowy.

Znowu wzruszył ramionami.

– Zielonego. Wszystkie kobiety, z którymi się spotykałem, mówiły to samo: że jestem za miły. I najwidoczniej to jest złe.

Aha, sprawa zaczyna się wyjaśniać. On nie jest wariatem, jest po prostu bardzo samotny (dobra, może tylko trochę). Jest odrobinę niepewny siebie i ma wielką ochotę sprawiać innym przyjemność.

W jakiś sposób to do mnie przemawiało. Już miałam mu to powiedzieć, ale puściły w nim jakieś emocjonalne tamy i ruszyła powódź.

– Nawet nie wiesz, jakie to trudne. Wszystkie nowe sytuacje zawsze wydają mi się krępujące, więc jestem trochę za bardzo przerażony.

– Nie, no nie mów tak…

Upił solidny łyk wina i kontynuował:

– Nie śmiej się, ale kupiłem nawet książkę, bo myślałem, że to mi pomoże. Jeden z tych poradników...

Cholera jasna, miałam rację. Chciałam natychmiast dzwonić do matki i spytać, dlaczego oddała mojego brata bliźniaka. O Boże Święty, jak ja tego mogłam nie zauważyć? Te pytania, język ciała, ta technika przytakiwania, żeby osiągnąć absolutną zgodność – to przecież wypisz wymaluj *Podręcznik randkowy* (przejaskrawiona, przerażająca wersja).

Pierdoły. Czy to... Czy tak miała wyglądać randka ze mną?!

– Danielu, czy mogę być z tobą szczera? Za bardzo się starasz.

Uwaga wszyscy wielbiciele słowników, oto nowa definicja ironii: Leni Lomond dająca rady dotyczące udanych związków.

– Zapomnij o podręcznikach i po prostu bądź sobą. O, i przestań zgadzać się ze wszystkim, co ktoś mówi. Dziewczyny lubią facetów, którzy mają swoje zdanie.

– Ale ja nienawidzę się nie zgadzać.

O kurwa, jakbym patrzyła w lustro.

– Ale wiesz, czasem dzięki temu byłbyś bardziej interesujący.

Postanowiłam nie wyjawiać, że z powodu tego spotkania cierpnie mi skóra na karku i drętwieją palce u nóg, więc żeby przywrócić rozmowie bardziej powierzchowny charakter, zanim zaczniemy wymieniać się opisami naszych romantycznych porażek, walnęłam ręką w stół, sprawiając, że trzej starsi panowie po raz drugi zaczęli się nam przyglądać z nieskrywaną irytacją.

– Dobra, Danielu, przez resztę wieczoru masz mówić to, co naprawdę chcesz. Wyrażaj swoje zdanie i nie bój się być szczery, dobra?

Ostrożnie przytaknął.

– A teraz umieram z głodu. Chodźmy coś zjeść.

– Na co miałabyś ochotę?

Miałam wielką ochotę na kormę z kurczaka.

– Hindus? – spytałam z nadzieją.

– Idealnie! Dokładnie o tym samym myślałem.

– Super! To...

Już wstawałam z krzesła, gdy nagle do mnie dotarło.

– Danielu, mówisz tak, bo naprawdę tak myślisz, czy dlatego, że nie chcesz się sprzeciwić?

Paraliż.

– Nie, naprawdę tak uważam! Absolutnie! Uwielbiam hind...

Nagle opuścił go entuzjazm.

– Masz rację, kłamałem. Dostaję wysypki od szafranu w curry w ciągu dwudziestu czterech godzin. Może zgodzisz się, żebyśmy poszli na pizzę?

Nawet chichotaliśmy w podobnie głupawy sposób.

Pożegnaliśmy się z naszym pubem i dumnie ruszyliśmy w poszukiwaniu podniecających rozkoszy cienkiego ciasta i szynki parmeńskiej.

Napięcie opadło, bariery zniknęły, nadeszła pora, żeby poznać prawdziwego Daniela.

Skąd ja mogłam wiedzieć, że wkrótce nieźle przez niego wpadnę

10
Wschód Zimnego Księżyca

– Przepraszam, gdzie mogę znaleźć Leni Lomond?

W głosie pytającego słychać było wzburzenie i strach...

– Drugi boks po lewej – odpowiedział jakiś mężczyzna.

Nagle zasłona się odsunęła i moim oczom ukazali się Stu i Trish. Spojrzeli na mnie i opadły im szczęki. Musiałam wyglądać fatalnie. Na szczęście prześwietlenie wykazało, że mój nos nie jest złamany, ale otrzymał potężny cios i już zaczynały mi wychodzić siniaki pod oczami. Wyglądałam, jakby moja gorąca randka składała się z dziesięciu rund z Rickim Hattonem.

Prawą rękę miałam w gipsie łącznie z nadgarstkiem, który połamał się jak gałązka, kiedy przygniótł go mój ciężar i ciężar całej trójki członków drużyny bingo ze Slough.

Te cholerne obcasy. Kiedy wychodziliśmy z pubu, Daniel rycersko i z galanterią rzucił się, żeby otworzyć mi drzwi. Zrobił to jednak tak gwałtownie, że straciłam równowagę na moich niebotycznych obcasach i runęłam jak długa na podłogę, jakby ustrzelił mnie snajper. Na nieszczęście trzy grube panie wybrały właśnie ten moment, śpiesząc do wyjścia, żeby znaleźć miejsca siedzące na gali bingo o osiemnastej, efektem czego była ogromna sterta ludzkich ciał.

Trish pierwsza doszła do siebie.

– Muszę powiedzieć, że widywałam cię w lepszej formie.

Przewróciłam oczami i skrzywiłam się z bólu.

Stu rzucił na łóżko torbę, znowu przyprawiając mnie o grymas bólu. Unikał kontaktu wzrokowego, ale mogę powiedzieć, że to dlatego, iż było mu bardzo niewygodnie, ponieważ miał twarz zasłoniętą szalikiem. Nie byłam pewna, czy przyjechał, żeby mnie stąd zabrać, czy dokonać napadu z bronią w ręku.

– Nie martw się, kochanie. Przyniosłem ci wszystko, co będzie ci potrzebne – oświadczył, co zabrzmiało jak nnnnmmmoppkoooooobne z powodu ograniczającego swobodę wypowiedzi dodatkowego wyposażenia na twarzy.

Super! Już nie mogłam się doczekać, kiedy pozbędę się podartych brudnych ubrań i włożę coś czystego i wygodnego. Czy raczej poproszę kogoś, żeby pomógł mi przy użyciu swoich obydwu górnych kończyn włożyć coś czystego i wygodnego. Jednak nagle z rozpaczą odkryłam, że „wszystko, co mi będzie potrzebne" to nie są dżinsy i ciepły, dopasowany sweter.

Stu otworzył torbę, wyjął z niej gumowe rękawice i szybko je założył, potem wydobył wielką butlę środka antybakteryjnego, średnich rozmiarów gąbkę i pudełko chusteczek dezynfekujących. Natychmiast zabrał się do szorowania łóżka, a potem stolika stojącego obok.

Trish nie zwracała na niego uwagi.

– No to gdzie jest bohater randki numer trzy? Poszedł szukać prawnika, który będzie go bronił w sądzie?

Nie mogłam powstrzymać się od śmiechu, mimo... auć!

– Nie bądź złośliwa, to nie była jego wina. On jest naprawdę bardzo miły i czuje się teraz okropnie. Poszedł do szpitalnego barku, żeby mi przynieść coś do jedzenia.

– Nie będziesz jadła niczego ze szpitalnego barku! Proszę bardzo! – Stu sięgnął do torby i wyjął dwa banany, bułkę z pełnoziarnistej mąki i butelkę soku truskawkowego. – Pełne ziarno, potas, witaminy. Nigdy nie jest za wcześnie, żeby rozpocząć proces gojenia.

W tej chwili zasłona znowu się odsunęła i wszedł niepewny Daniel, kurczowo ściskając puszkę coli, zapakowaną w przezroczystą folię bułkę i ciastko.

– Wiesz, że ona wniesie do sądu skargę o napaść – powiedziała Trish, która, jak Daniel mógł przypuszczać, mogła przyjść tu wprost z posterunku Scotland Yardu.

Kiedy Daniel otworzył szeroko oczy i jąkając się, dowodził, że jest niewinny. Postanowiłam interweniować.

– Nie słuchaj jej, ona jest niedobra. I żartowała. Danielu, to są moi przyjaciele, Trish i Stu.

Trish uśmiechnęła się i uścisnęła mu rękę, Stu pomachał tylko butelką z płynem dezynfekującym, co było rodzajem obsesyjno-kompulsywnego pozdrowienia. Tylko dzięki wrodzonej dyskrecji Daniel nie spytał, dlaczego Stu jest ubrany jak oswojony Dick Turpin.

Uśmiechnęłam się do Daniela i pokazałam na zegarek.

– Danielu, jest już pierwsza. Naprawdę nie pogniewam się, jeżeli pójdziesz. Czekam tylko na doktora, który mnie wypisze ze szpitala, i wtedy Trish i Stu zabiorą mnie do domu.

– Jesteś pewna?

– Najzupełniej.

Wyciągnął rękę i wtedy zdał sobie sprawę, że moja ręka jest aż do ramienia unieruchomiona. Na ten widok wzruszył tylko bezradnie ramionami.

– Dobrze, przepraszam. Jeszcze raz. Naprawdę bardzo przepraszam. I dzięki za rady, które mi dałaś, przed… eee… akrobatycznymi wyczynami.

Przebłyski poczucia humoru – może zrobił jednak jakieś postępy?

– Nie martw się, to był mój błąd, nie twój. I dzięki. Pomijając wizytę na pogotowiu – naprawdę było bardzo przyjemnie.

– Ja też tak uważam! I nie mówię tego tylko dlatego, żeby się z tobą zgodzić. – Uśmiechnął się.

Hurra, zdecydowany postęp.

Zabrał swoją kurtkę z krzesła i cierpliwie czekał, aż Stu szybko przeleci ją z góry na dół dezynfekującą ściereczką.

– Leni, ponieważ miło spędziliśmy... eee... razem czas, czy byłaby szansa... eee... żebym mógł zadzwonić i żebyśmy się znowu spotkali?

Czas, żeby wprowadzić w życie moje nauki. Daniel jest uroczy, ale reguły narzucone przez Zarę zabraniają jakichkolwiek kontaktów postrandkowych. Muszę zaakceptować prawdę: w każdym ze związków jest miejsce na tylko jedną osobę taką jak ja. Jeżeli mają być dwie, to deficyty asertywności i energii byłyby tak potężne, że groziłoby to katastrofą.

– Dzięki, Danielu, to bardzo miło z twojej strony... Ale... eee... nie.

PROJEKT RANDKOWY *WSZYSTKO JEST W GWIAZDACH* – PODSUMOWANIE

Lew	Harry Henshall	niezdrowa fascynacja komputerową przemocą
Skorpion	Matt Warden	lider zespołu, kłamliwy dupek
Baran	Daniel Jones	bez szans na karierę jako trener asertywności

E-mail
Do: Trish; Stu
Od: Leni Lomond
Odp: Gdyby wczorajszą randkę opisać w formie ogłoszenia towarzyskiego, to wyglądałoby ono mniej więcej tak...

ZŁAMANA RĘKA. STRASZNY BÓL PODCZAS PISANIA
PRZYJMOWANIE OGŁOSZEŃ TOWARZYSKICH CHWILOWO WSTRZYMANE

11

Trafiona przez gwiazdę

Wyobrażając sobie różne miejsca, w których mogłoby się to w końcu wydarzyć, nigdy, przenigdy nie wymyśliłabym, że może to być magazyn ze środkami czystości. Musi to mieć coś wspólnego z zapachem pasty do podłogi.

Myślę, że powinnam podziękować Danielowi – gdyby nie próbował być taki rycerski, nie przewróciłabym się i nie złamałabym ręki, nie wsadziliby mnie w niewygodny gips i nie waliłabym nim we wszystko dookoła.

Była dopiero dziesiąta rano, a ja już zrzuciłam wielką stertę poczty, akwarium na złote rybki, w którym były starożytne medytacyjne kulki Majów (dziewięćdziesiąt dziewięć pensów za sztukę na eBayu – made in Taiwan), i duży kubek gorącego cappuccino z Coffe Bean po drugiej stronie ulicy. Na szczęście udało mi się w porę uskoczyć i uniknąć poparzenia, ale musiałam natychmiast wyczyścić wielką brązową plamę, która powstała na moim biuście, więc jak oszalała zaczęłam szukać papierowego ręcznika w magazynie ze środkami czystości.

Chodźże, chodźże, gdzie jesteś, chodźże, cholero jedna, kto, do diabła, zajmuje się tym miejscem? To było retoryczne pytanie, ponieważ w pomieszczeniu byłam tylko ja.

– Leni, wszystko w porządku?

Już nie byłam sama. Może to efekt działania środków przeciwbólowych, a może wynik stresu randkowego. A może dlatego, że wydałam dwa siedemdziesiąt pięć na rozlaną kawę, ale wielka zawstydzająca łza potoczyła się po moim policzku i wylądowała w wiadrze z mopem.

– Hej, nie płacz. Co się dzieje?

Jego głos był miły i pełen niepokoju, więc kilkanaście tuzinów kolejnych łez czuło się w obowiązku podążyć za swoją poprzedniczką.

Nawet nie poczułam tego pierwszego dotyku, dopiero kiedy byłam wtulona w jego ramiona zdałam sobie sprawę, co się dzieje:

Conn Delta, ciacho, pociesza mnie w niezbyt miłym miejscu, jakim jest magazyn ze środkami czystości – możliwe, że to akurat dobre miejsce, ponieważ Conn będzie potrzebował jakiegoś odplamiacza, żeby usunąć z marynarki od Armaniego ślady moich smarków.

Staliśmy tak, aż moje łkanie w końcu ucichło i przez kolejne parę sekund zastanawiałam się, jak wyjść z tej sytuacji i nie umrzeć ze wstydu.

Bum, bum, bum. Przytulona do piersi Conna słyszałam równomierne bicie jego serca. Trwałam w tej pozycji jeszcze parę chwil.

No, bo dokąd tu się spieszyć?

Wymamrotał coś nad moją głową. Miałam złe przeczucie, że to może mieć coś wspólnego z propozycją zmiany pracy.

– Co? – wyszeptałam.

– Ładnie pachniesz.

Ooo.

Odsunęłam twarz od jego klaty i spojrzałam mu w oczy.

– Myślę, że może to być zapach kostek toaletowych Summer Breeze.

Na jego twarzy pojawił się uśmiech. Na twarzy, która się zbliżała, zbliżała i, o kurwa, była coraz bliżej aż... zaczął mnie całować. Rany, głęboki, ostry, namiętny pocałunek z łaskotaniem migdałków, z efektami dźwiękowymi ciężkiego dyszenia i stłumionych okrzyków zdziwienia (moich).

Uff! Co się dzieje? Nie całowałam się tak spontanicznie w magazynie od... no tak... nigdy nie całowałam się w magazynie. Jestem kobietą, która zastanawia się przez dwadzieścia minut, czy zjeść na podwieczorek snikersa, czy kitkata.

– O, Leni... – Conn wydał jęk rozkoszy, nie przerywając ssania moich warg.

Zanurzył palce głęboko w moich włosach i przytulał mnie coraz mocniej.

To szaleństwo! Muszę to przerwać, wiedziałam, że to ja powinnam to zakończyć! Muszę się sprężyć i zachować zdrowy rozsądek.

I zrobię to! Ale chwilę potem zerwałam mu krawat, szarpnięciem rozpięłam koszulę (jeden guzik o mało nie wybił mi oka) i wylizałam dokładnie jego pierś.

– Leni. O Boże, Leni... Tak bardzo cię pragnę.

Odkrywałam radość grzebania, kiedy wsunęłam dłoń (tę na końcu zdrowej ręki) w jego spodnie, pewnie dlatego, żeby mu pokazać, iż odwzajemniam jego uczucia. Potem trochę poszaleliśmy. Oswobodził ręce z moich włosów i wsunął je pod mój czarny sweter, podsuwając do góry cienki biustonosz i uwalniając cycki. Pochylił się i przyssał do mojej prawej brodawki, drażniąc językiem jej koniec, a równocześnie pośpiesznie zadarł mi spódnicę i...

– OOOOoooo!

Cholera! Pod wpływem adrenaliny i przepełnionej pożądaniem zwierzęcej namiętności, gdy chciałam chwycić go za włosy coś mi się pomyliło i walnęłam go w tył głowy ręką zakutą w gips.

Jak okrutne, jak potwornie okrutne by to było, gdybym pierwszy raz w swoim życiu spowodowała wstrząs mózgu u innej ludzkiej istoty.

Palec wędrujący po moich rajtkach uspokoił mnie, że ON już gdzieś tam może być, ale chyba jeszcze się nie pojawił.

Palec błądził coraz wyżej i wyżej, próbując znaleźć drogę, zmuszony dotrzeć aż do talii, do ostatniej granicy powabu i namiętności, jaką były rajtki 50 DEN. Rajtki! Niech to cholerny szlag! Dlaczego nie włożyłam dzisiaj do pracy seksownych pończoch samonośnych? Czy chociaż zwykłych pończoch? Albo nawet dżinsów i malutkich jedwabnych stringów? No nie! Wstrętne, grube rajciochy z tak grubą i mocną gumą, że mogłaby obronić moje intymne części ciała przed inwazją wrogiej armii.

Ciaaaaaaaaaaaach!

To już przeszłość. Rajtki w strzępach wylądowały na podłodze, majtki tuż za nimi (na szczęście czarne, przezroczyste, nieprzypominające w niczym majtek babuni). Przebierając palcami nóg, ciągnąc i szarpiąc stopami, udało mi się zsunąć jego spodnie do kostek, i... czekaj, aż dobrze chwycę – o mój Boże, wreszcie zdołałam uwolnić jego potężny członek.

– Odwróć się – wydyszał.

– Co?

– Odwróć się!

Poruszył się w tył i wprzód. W ułamku sekundy stałam tyłem do niego, a on napierał na mnie, otaczając mnie od tyłu ramionami, jedną rękę trzymając na mojej prawej piersi, a drugą pomagając sobie wejść we mnie.

– Jesteś. Cholernie. Cudowna. Leni, schyl się, dziecinko. Chwyć go.

– Eee, co?

Kiedy się schylałam, żeby utrzymać równowagę, natrafiłam na coś. Była to wielka rolka papierowych ręczników na najniższej półce. Doskonale, wreszcie je znalazłam.

Rolka się odsunęła, lewą ręką chwyciłam się półki, a prawa wciąż młóciła powietrze, szukając jakiegoś oparcia, gdy dokładnie w tym samym momencie poczułam, że jego potężny kutas wszedł we mnie.

W przód, w tył. W przód, w tył. Och, co za cholerna prawdziwa rozkosz pieprzyć się w magazynie ze środkami czystości, trzymając się kurczowo półki i odkurzacza firmy Dyson. Już zawsze będę sprzątała, uśmiechając się od ucha do ucha.

W przód, w tył.

– O Boże, Leni…

– Conn.

– Leni.

– Conn.

– Leni.

– Conn.

– Leni? Leni wszystko w porządku?

Czekaj, to brzmiało jak…

Nieeeeeeeeeeeeeeeeeeeee!

Czułam, jak moje źrenice się rozszerzają, przystosowując się do dziennego światła i skupiają na mężczyźnie, który z całą pewnością nie stał za mną w magazynie.

Nieeeeeeeeeeeeeeeeee! Siedziałam za biurkiem, a naprzeciwko mnie tkwił Conn.

– Czy ty spałaś? – spytał zakłopotany i rozbawiony zarazem.

– Nie! Ja tylko... eee... tylko... śniłam na jawie. Przepraszam, Conn, naprawdę nie mam pojęcia. Jestem trochę senna. Myślę, że to z powodu leków, które mi dali w szpitalu, wiesz, na ból.

Tłumacząc się, podniosłam demonstracyjnie rękę w gipsie. I znowu potrąciłam kubek z cappuccino, który poszybował przez cały pokój.

– Cholera! O cholera! Jestem naprawdę...

Zerwałam się i ruszyłam w stronę magazynu ze środkami czystości.

– Ręcznik! Przyniosę zaraz papierowy ręcznik.

– Czy wiesz, gdzie one są, czy chcesz, żebym przyszedł i ci pokazał? – spytał ciepło i przyjacielsko.

– Nie, nie, wszystko w porządku! – wymamrotałam, obawiając się, że z powodu gorąca bijącego z mojej twarzy globalne ocieplenie może wzrosnąć do zastraszających rozmiarów.

– Byłam, eee... już przedtem w tym magazynie.

12
Randka z Koziorożcem

Stwierdziłam, że według rachunku prawdopodobieństwa wreszcie zaliczę udaną randkę. Może stanie się to jeszcze w tym tysiącleciu. Miałam dobre przeczucia na temat pana Koziorożca, od kiedy Zara pozwoliła mi przejrzeć listę kandydatów i wybrać jednego z nich – decyzja ta, jak mi się wydaje, była wynikiem nieobecności Conna (miał przez trzy dni z rzędu spotkania w centrum miasta), właściwego dla Zary braku zainteresowania czymkolwiek, co nie dotyczy bezpośrednio jej, a także odrobiny poczucia winy wobec pracownika, który złamał rękę.

– Więc kogo mam szukać? – spytałam, kiedy wskazała wielki, czarny, plastikowy worek, który Millie właśnie wniosła do biura. Kartka formatu A4 z napisanym czarnym pisakiem słowem KOZIOROŻEC podpowiedziała mi, że to system segregowania naszej niebiańskiej poczty przychodzącej.

– Jakie są kryteria selekcji kandydatów? – chciałam wiedzieć, doskonale zdając sobie sprawę, że ponieważ to wysoko wyspecjalizowane i dociekliwe badania, prawdopodobnie przyjętym kandydatom stawiane są wysokie wymagania.

– A jakie tam sobie wymyślisz – odpowiedziała nonszalancko Zara, wzruszając ramionami. – Muszą być tylko w dpowiednim wieku i spod właściwego znaku zodiaku. I to wszystko. Musisz odsiać z tej listy poszukiwaczy rozgłosu, ponieważ przynajmniej połowa tych facetów zapisała się, licząc, że dzięki temu staną się celebrytami. Nie wiem, skąd im to przyszło do głowy.

Postanowiłam nie czynić uwagi, że nadzieję kandydatów na pozycję celebryty może podsycać fakt, że jest to projekt prowadzony przez telewizję i zawierający obietnice „zmiany w życiu", „wzmianki w bestsellerowej książce" i wskazania „nowego przeznaczenia". Trzej kandydaci, z którymi już się spotkałam, z pewnością właśnie w tej chwili telefonują do Urzędu Ochrony Konsumentów.

Zara odłożyła duży wachlarz w hiszpańskim stylu, zdjęła z głowy dzwonki wiatrowe (totalny obciach) i spojrzała na mnie ponurym, podejrzliwym wzrokiem.

– Leni, czy z tobą wszystko w porządku? Czy jest coś, co chciałabyś nam powiedzieć albo o czymś z nami porozmawiać?

O kurrrrrwa! Ona wie, o czym myślałam! Rzucałam cyniczne oszczerstwa, a ona dostrzegała, cholera jasna, każde z nich. I jeżeli wie, że się z niej w duchu naśmiewam, jest też szansa, że wie... Żołądek podszedł mi do gardła. Kurczę, wie, że fantazjowałam o robieniu tego na pieska z jej latoroślą.

– Nnnnie, nic, nic – wyjąkałam, czerwieniąc się.

Wcześniej tego ranka byłam świadkiem, jak groziła, że udusi Mistrza Tybetańskiego Spokoju, kiedy odkryła, że bierze od nie dwa razy więcej kasy, niż to przyjęte, więc wolałam nawet nie myśleć, co zrobi mnie, jeżeli wie, że w godzinach pracy miewam fantazje seksualne z udziałem jej syna.

Zaczęłam powtarzać dobrze znaną mi mantrę: „Pomyśl o czymś miłym. Pomyśl o czymś miłym... Zara jest miła, Zara jest mądra, Zara zdecydowanie nie wygląda jak pepperoni w brązowym kaftanie...".

– Dobrze – powiedziała nagle i natychmiast stała się radosna i promienna. – No to zabieraj się do tego. – Wskazała worek na śmieci pełen listów.

Przez następne trzy godziny przeglądałam i odsiewałam, uspakajając samą siebie, że Zara nie może czytać w moich myślach i wobec tego nie ma obawy, że czyha za moimi plecami ze stryczkiem. Ale i tak starałam się stawać zawsze przodem do niej, tak na wszelki wypadek.

Wreszcie stanęłam przed koszmarnie trudnym wyborem pomiędzy Chadem, lat 28, modelem, który dołączył zdjęcia bez koszulki, z których wynikało, że jego brzuch mógłby służyć za kratkę do grilla, i Craigiem, lat 31, terapeutą związków, zdjęcie twarzy nieostre.

Nie da się zaprzeczyć, że najpierw instynktownie wybrałam Chada – poza tym, czy kiedykolwiek będę miała okazję iść na randkę z facetem, który reklamuje na zdjęciach majtki z lycry w katalogu Intersportu i jeszcze dostać za to forsę? Ale w końcu dokonałam innego wyboru, uważając, że moje poczucie własnej wartości i tak jest już wystarczająco skopane i to bez spędzania całej nocy z kimś, kto jest dużo ładniejszy ode mnie, ma bardziej płaski brzuch i którego wszystkie dziewczyny najchętniej wyobrażają sobie nago.

I tu pojawiło się pytanie: jeżeli ci dwaj faceci są spod tego samego znaku zodiaku, z pewnością jest im przeznaczony taki sam los, więc czy podchodząc logicznie do naszej teorii, rezultat obydwu randek nie powinien być podobny?

Próbowałam poruszyć z Zarą kłopotliwy temat tych samych znaków/różnych losów, ale spławiła mnie w dwie minuty, plotąc coś o tym, że konwencjonalna astrologia jest zbyt ogólna i właśnie dlatego jej metody są skuteczniejsze. Po czym usiadła po turecku, zamknęła oczy, zaintonowała monotonną hinduską pieśń i wpadła w głęboki medytacyjny trans, podczas którego cofała się do swoich poprzednich żywotów, w tym do tego, w którym była dzikim wikingiem, wielkim przywódcą swojego ludu i pogromcą mórz. Paradoksalnie, kiedy któregoś razu spytałam ją, czy na spotkanie biznesowe w Irlandii chciałaby popłynąć promem, wzdrygnęła się, zasłaniając się chroniczną chorobą morską.

W każdym razie wygrał Craig, a ja pomyślałam, że nawet jeżeli się nie zaprzyjaźnimy, to przynajmniej będę mogła skorzystać z jego profesjonalnej wiedzy i uzyskać parę wskazówek na temat udanych związków z płcią przeciwną. Albo też nie dowiem się niczego.

Umówiliśmy się zaraz po pracy w pubie w Notting Hill. Idąc za radą Millie, zmieniłam image z biurowego na wieczorowy, mimo że nie bardzo wiedziałam, o co chodzi. Podpicowałam trochę biurowe ciuchy (czarne spodnie z krepy, szary sweterek polo), upinając włosy, zakładając efektowne wiszące kolczyki i niskie obcasiki. A także naciągnęłam na gips, który ciągle tkwił na mojej ręce, czarną zmysłową skarpetę bez stopy – niezbędną, bo miałam się spotkać z kimś nieznanym, ponieważ nie chciałam, żeby wyciągnął jakieś wnioski na podstawie hasła, które Trish napisała pisakiem na moim gipsie, głoszącego, że „feministki wolą na jeźdźca".

Przyszłam pierwsza, dzięki czemu mogłam zająć dogodne miejsce, możliwie najdalej od źródeł światła. Sińce pod oczami już zniknęły, ale ciągle musiałam tuszować korektorem nieciekawe żółte ślady, które pozostały. O osiemnastej trzydzieści moje nerwy zaczęły odmawiać posłuszeństwa, a twarz zrobiła się czerwona. Modliłam się do bogów *Randki w ciemno*, żeby ta nie była trudna i uciążliwa, ponieważ tak naprawdę potrzebuję wytchnienia. Uczestniczę w tym wariactwie od czterech miesięcy, to jest czwarta randka, a ja jestem tylko minimalnie bardziej pewna siebie niż na pierwszej randce. W dodatku jestem zestresowana, pocę się i grozi mi, że puder w kremie za chwilę zacznie spływać lawiną z mojej twarzy, a moje żółte oblicze może sugerować, że cierpię na marskość wątroby. Następna randka? Spotkanie lokalnej grupy AA.

O dziewiętnastej, pół godziny po umówionym czasie, otaczały mnie grupy nieznajomych, eklektyczna mieszanina garniturowców z City z niedbałym szykiem bohemy. Wszyscy gadali i śmiali się, udając, że nie zauważają kobiety z gipsem siedzącej w kącie, która najwyraźniej została wystawiona do wiatru.

Co za upokorzenie. Koziorożec Craig rozmawiał ze mną tylko dziesięć minut i od razu zrezygnował. Dobra, napiszę do niego wkurwiony list, że ma oddać sto funtów, które zostały wysłane do niego kurierem dzisiaj po południu. Kto by pomyślał, że ubocznym zajęciem terapeuty związków może być wyłudzanie?

Postanowiłam wyjść, zanim ulegnę pokusie i pochłonę całą miseczkę orzeszków nerkowca, która stała przede mną na stole. Stu, z powodu tego pochopnego czynu, poddał by mnie sześciotygodniowej kwarantannie i zaaplikowałby oczywiście dużą dawkę antybiotyków.

Nagle miseczka wyleciała w powietrze, a jej miejsce zajęła pękata, sfatygowana, skórzana teczka.

– Cześć, jesteś Leni? To ty, prawda? Na pewno jesteś Leni? Wyglądasz zupełnie tak, jak sobie wyobrażałem.

– Tak, to ja.

– Wspaniale. Zwykle nie mylę się w tych sprawach. Przepraszam za spóźnienie – moja ostatnia konsultacja się przedłużyła, a oczywiście praca ma pierwszeństwo.

Zastanawiałam się, czy wstać i przybierając powściągliwy wyraz twarzy, wysyczeć: „Za późno. Na nikogo nie czekam", i wybiec. Albo może powinnam zasznurować usta, chrząknąć z oburzeniem i dąsać się przez cały wieczór.

Ale oczywiście (tak jak Daniel, mój dawno utracony brat bliźniak) miałam osobowość nieskorą do konfrontacji i pragnęłam wszystkich zadowolić, więc wzruszyłam ramionami, uśmiechnęłam się i skłamałam:

– Naprawdę nie ma problemu. Właściwie nie zauważyłam, że się spóźniłeś.

Nieumyślnie potrącił dwóch gostków wyglądających na maklerów giełdowych, przysuwając krzesło bliżej mnie i waląc się na nie z impetem. Byłam zadowolona, że za bardzo się nie wystroiłam, bo mój mało szpanerski strój znakomicie pasował do jego czekoladowego koloru spodni w paski i podobnej marynarki z – o,

Boże, myślałam, że przeszły już do legendy – jasnobrązowymi łatami na łokciach.

Plusy: czysta biała koszula, ładne ręce z dobrze utrzymanymi paznokciami, brak widocznych tatuaży i długawe czarne włosy ze śladami atrakcyjnej siwizny, w lekkim nieładzie.

Minusy (tak, tak, moje jajniki wzdrygnęły się na ten widok): zarost.

Mówiąc słowami współczesnej filozofki i mistrzyni słowa, Paris Hilton: „Fuuuuuuuj".

I nie był to z pewnością kilkudniowy zarost George'a Michaela, wąsy *Miami Vice* Collina Farrela czy kozia bródka muszkietera. Była to w pełnym tego słowa znaczeniu – podaj mi majtki, gdzie jest moja fajka – broda.

Poczułam, jak włos jeży mi się na karku w jakimś dziwnym kosmatym proteście przeciwko owłosieniu jego twarzy. I wybaczcie, jeżeli wyprzedzam fakty, ale wolałabym żywić się przez miesiąc niezdrowymi orzechami nerkowca, niż pocałować coś takiego.

Wiem, że to nieracjonalne i że jest paru niesamowicie fajnych facetów z brodami – Noel Edmonds, Święty Mikołaj i wszyscy goście z ZZ Top, ale tak jak ludzie z cuchnącym oddechem, śmierdzący potem, czy mający jakieś inne upierdliwości, w ogóle mnie nie interesują. To prawdopodobnie konsekwencja pewnej dekadenckiej nocy, kiedy byłam nastolatką, a chłopcy z naszej bandy przemycili do mojego domu film porno z lat siedemdziesiątych. Rodziców nie było w domu, dwanaścioro nastolatków upakowanych w naszym salonie pobierało lekcje zawiłości seksu oralnego, kiedy facet z wielką brodą penetrował intymne rejony blond piersiastej gospodyni domowej, będących poza zasięgiem gościa bez brody. Może to kwestia przyćmionego oświetlenia, ale Craig Terapeuta niepokojąco przypominał tamtego hydraulika z filmu z nieprawdopodobnie wielkim kutasem. Zadrżałam.

– Czy mogę przynieść ci coś do picia?

Otrząsnęłam się ze wspomnień o zamierzchłych czasach (kosztowało mnie to utratę dwumiesięcznego kieszonkowego i biletu na koncert Blur, ponieważ rodzice niespodziewanie wrócili wcześniej).

– Eee… Jasne. Poproszę kieliszek białego wina. Może być stołowe.

Uśmiechnął się i ruszył w stronę baru. Dobra, czas ocenić sytuację. Niepunktualność nie ma większego znaczenia, wydaje się szczery i jako terapeuta związków może być interesujący. I skupianie się na czymś tak nieistotnym, jak zarost, jest oczywiście powierzchowne i płytkie.

Przyglądając się, jak brnie przez tłum w drodze do baru, gromiłam się za niedojrzałe myśli i zaczęłam poważnie się nad sobą zastanawiać.

Czy nie stać mnie na nic lepszego?

Czy nie potrafię porzucić powierzchowności i docenić w człowieku umysłu i duszy?

Czy nie nadszedł czas, żeby dorosnąć i przestać być małostkową?

A gdybym przekradła się jak agent specjalny do drzwi, może udałoby mi się wydostać na wolność, zanim on wróci?

13
Przestrzeń kosmiczna

Nie udało się.

Trzy godziny później miejska bohema została zastąpiona przez grupę kobiet, które przyszły po aerobiku, i grupę facetów, którzy przyszli na podryw. Przenieśliśmy się do części restauracyjnej lokalu, i podczas gdy ja z zadowoleniem obżerałam się retro koktajlem krewetkowym, Craig wprowadzał mnie w jeden ze swoich terapeutycznych przypadków. Dopóki nie padały żadne nazwiska, mógł swobodnie tam i z powrotem, i ze szczegółami opowiadać historie swoich klientów. Z niekończącą się liczbą szczegółów. Chwila. Nagle dotarło do mnie, że jest apodyktyczny, niedyskretny i egocentryczny, ale szczerze mówiąc, miałam to w nosie, bo przynajmniej dzięki temu nie groziły mi męczące chwile milczenia, takie jak na pierwszej randce. A oprócz tego za godzinę, czy coś koło tego, będę mogła wrócić, wypełnić raport, poprosić o premię, odhaczyć kolejny znak zodiaku i wszystko będzie w porządku... Jeżeli w międzyczasie nie zdechnę z nudów nad moim anachronicznym daniem z owoców morza.

Zastanawiałam się właśnie, czy mu powiedzieć, że ma okruch owsianego ciasteczka w brodzie, gdy nagle zmienił taktykę.

– No i właśnie dlatego zdecydowałem się zapisać, kiedy zobaczyłem Zarę wygłaszającą te swoje bzdury w porannym programie.

Co? Co on powiedział? Ponieważ byłam skupiona na okruszkach, zupełnie się wyłączyłam.

– I właśnie chciałbym się dowiedzieć, jakie są te jej absurdalne techniki, które rzekomo wymyśliła, i czy mają jakąkolwiek wartość?

– Słucham?

W tym momencie zauważyłam zmianę w języku jego ciała: powoli z napuszonego stawał się poirytowany. A może odwrotnie. Dojechałam tylko do połowy *Języka ciała dla początkujących*, kiedy zdałam sobie sprawę, gdzieś koło siedemdziesiątej piątej strony, że skoro moje ciało leży i zaczyna zasypiać, oznacza to, że padam z nudów.

– Chciałbym zrozumieć, jakie bzdety ma zamiar wypisywać. Musisz zrozumieć, Leni, że to profesjonaliści w tej dziedzinie, ja i moi koledzy, pomagamy ludziom ułożyć sobie na nowo życie po nieudanych związkach.

– No dobra, mówiąc wprost, zgłosiłeś się na randkę, bo myślałeś, że dzięki temu zdobędziesz poufne informacje o książce Zary?

– Tak.

– Ale ja nic nie wiem na ten temat.

Craig zaczął się szyderczo śmiać, co usunęło kilka małych organizmów z jego brody.

– Oczywiście, że wiesz.

– Nie wiem.

– Chcesz mi wmówić, że chodzisz na te spotkania, nie mając pojęcia o projekcie, z którym są związane?

– Eee... no.

Popatrzył na mnie, przepełniony smutkiem i rozczarowaniem, jak patrzy się na szczeniaka, który nasiusiał na podłogę. Zaczęłam się obawiać, że skoro nie zamówiliśmy jeszcze głównego dania, Craig zaraz wstanie i wyjdzie.

– To urocze z twojej strony, Leni. Zawsze jesteś taka uczynna? Ale ja tu ględzę przez cały wieczór, pogadajmy przez chwilę o tobie.

– Nie, nie, nic nie szkodzi, wszystko w porządku. Szczerze mówiąc, nie jestem zbyt interesująca – zażartowałam, po czym wbiłam widelec w kolejną krewetkę i wróciłam do roli uważnej słuchaczki.

Milczał przez chwilę, przez długą cudowną chwilę, po czym eksplodował:

– Czy zawsze brak pewności siebie i brak poczucia własnej wartości pokrywałaś, umniejszając własne zasługi?

– Słucham?

Zna mnie dopiero od trzech godzin, prawie się nie odzywam i nagle taki z niego doktor Freud?

– Eee... nie. Tak naprawdę jestem gruboskórna i trudno mnie urazić.

Przeżuwał owsiane ciastka i przyglądał mi się w skupieniu.

– Oboje wiemy, że to nieprawda, no nie? Powiedz mi, jakie miałaś relacje z ojcem?

Boże, ratuj! To, czego chciałam najbardziej, to skończyć jak najszybciej coq au vin i roladę śmietankową i zdążyć do domu na *Friday Night with Jonathan Ross*, a tymczasem niespodziewanie poczułam się główną podejrzaną w *Zabójczych umysłach*.

Zlekceważyłam to pytanie, bo jedyna odpowiedź, jaka przyszła mi do głowy to: „Spieprzaj ciulu".

– Mam dobre relacje z ojcem. To bardzo miły człowiek.

– Uhm – mruknął doktor Freud. – A dalej? Mężatka? Stały związek partnerski?

Dobra, teraz zaczyna być naprawdę wkurzający. Mogłam to jeszcze jakoś znieść, kiedy słuchałam, skupiając się na jedzeniu, ale teraz okradł mnie z tego, zadając pytania, które zmuszały mnie do aktywnego uczestniczenia w spotkaniu. No dobra, skoro tak, to może przynajmniej skorzystam z darmowej profesjonalnej porady.

– Jeden poważny związek, trwający dwa lata, miał na imię Ben – wyznałam, nie mogąc uwierzyć, że po tak długim czasie każda myśl o Benie powoduje niemal fizyczny ból w dołku. – Ale on był żonaty.

– Aaa, pociąg do niedostępnego to często jedna z oznak niskiego poczucia własnej wartości – orzekł Freud, trochę za bardzo zadowolony z siebie.

– Nie, bo nie wiedziałam, że on jest żonaty – zaprotestowałam.

– Przestań, oczywiście, że wiedziałaś, to się zawsze wie. Nie miałaś wątpliwości, kiedy nie mógł się z tobą spotkać albo kiedy bronił się przed zobowiązaniami?

Ups. Myśli, że zna odpowiedzi na wszystkie pytania, a ja zaczynam tracić apetyt.

– Był w wojsku. W marynarce. Myślałam, że jestem lojalna i oddana, czekając na niego i tolerując to, że nie ma czasu. Byłam idiotką.

Straciłam apetyt. I ku śmiertelnemu przerażeniu i skrajnemu zażenowaniu zdałam sobie sprawę, że zbiera mi się na płacz.

– Opowiedz mi o waszym związku.

No wspaniale! Jak on śmie włazić z buciorami w moje życie? Wstałam, rzuciłam serwetkę na stół i ruszyłam do drzwi.

Albo przynajmniej taki miałam zamiar. Ale jakoś tak wyszło, że...

– No, spotkaliśmy się w pociągu. Jechałam do Portsmouth na konferencję na temat instalacji kanalizacyjnych, a on wracał do koszar po urlopie. Zwykle nie rozmawiam z nikim w publicznych środkach transportu – za dużo jest dziwaków, czubków i poza tym to nie w moim stylu...

Mój zamiar, żeby wykorzystać dziecinny żart w celu poprawienia atmosfery i odwrócenia jego uwagi od epizodu z mojego życia, który zostawił trwałą bliznę w mym sercu, został zignorowany, więc poddałam się i sprzedałam mu najbardziej szarpiące za serce szczegóły mojej historii.

Znienacka moja opowieść zaczęła przypominać historię rodem z kroniki kryminalnej w „Daily Mail". Siedziałam w pustawym wagonie, rozmyślając, jakie to niesprawiedliwe, że całe kierownictwo jedzie pierwszą klasą, kiedy do przedziału wszedł wyglądający absolutnie typowo gość: czapka bejsbolówka, zapinana na zamek bluza z kapturem nałożonym na czapkę, dresowe spodnie i nieodłączna guma do żucia w ustach.

Przechodził właśnie koło mojego fotela, kiedy nagle poczułam, że coś ostrego wbija mi się w bok, a zaraz potem owionął mnie jego śmierdzący oddech, kiedy się schylił i wyszeptał mi do ucha:

– Dawaj torebkę, zanim cię potnę.

Zamarłam. Czy on naprawdę powiedział...

– Dawaj zaraz tę pieprzoną torebkę! – wysyczał.

Zaczęłam rozpaczliwie rozglądać się po wagonie, ale wszyscy pasażerowie zachowywali się po brytyjsku, za wszelką cenę unikając kontaktu wzrokowego, więc nikt nie zauważył, w jakiej znalazłam się sytuacji. A poza tym nie sądziłam, żeby dwie starsze panie, które przez całe czterdzieści pięć mil dyskutowały na temat artretyzmu mogłyby być biegłe w rozbrajaniu chuliganów.

Nacisk na mój bok zwiększał się i popchnął mnie do działania. Jedną ręką próbowałam po omacku znaleźć torebkę, kiedy zupełnie niespodziewanie napastnik odsunął się nieco i zaczął walić głową w stolik między siedzeniami. Dopiero po paru chwilach zorientowałam się, że ta akcja była spowodowana przez ogromną rozczapierzoną łapę trzymającą faceta za kark. Wydarzenia, które nastąpiły potem, były tak dramatyczne, że nawet starsze panie przestały paplać o swoich dolegliwościach. Jedna z nich sięgnęła do torebki i po sekundzie dało się słyszeć w wagonie dźwięk, który mógłby prawdopodobnie towarzyszyć wybuchowi nuklearnemu.

Wjechaliśmy na stację i pociąg stał tam przez godzinę, aż policja aresztowała młodocianego bandziora, przeszukała pociąg i przesłuchała wszystkich uczestników incydentu. Wszystkie te kryminalistyczne czynności mogły zostać wykonane dopiero po tym, jak długie ramię sprawiedliwości przez dwadzieścia minut próbowało wyłączyć osobisty alarm Ethelii Pancridge. W końcu policjanci zrezygnowali z prób fachowego rozwiązania problemu i wyrzucili alarm przez okno, skazując go tym samym na rozjechanie przez nadjeżdżający z przeciwnej strony 5.45 do King's Cross.

Kiedy tylko całe zamieszanie się uspokoiło, zorientowałam się, że interweniująca ręka należała do kapitana Benjamina Mathersa z drugiego korpusu Królewskiej Marynarki Wojennej. Ben był żołnierzem jak z kreskówki, albo jak z dziecięcych rysunków przedstawiających sceny wojenne: sześć stóp wzrostu, prawie tak samo szeroki w barach, zwężający się ku dołowi, poprzez wytrenowany brzuch aż do wąskich bioder. Jasnobrązowe włosy były ostrzyżone na jeża, skóra ogorzała na mahoń, a równy rząd białych zębów błyszczał ponad ostro zarysowanym kanciastym podbródkiem. Jeżeli miałabym wybrać osobnika pod względem fizycznym idealnie nadającego się do obrony kraju przed najazdem wrogich wojsk, terrorystów i młodocianych kanalii szukających łupu, to byłby z pewnością on. Gdybym miała wybrać osobnika płci męskiej najbardziej idealnego pod względem fizycznym do współpracy nad zwiększeniem przyrostu naturalnego, owszem, to też byłby on. Olśniewający. Piękny. I tak jak miłość od pierwszego wejrzenia jest nadużywanym banałem i z reguły nie ma nic wspólnego z rzeczywistością, tak muszę powiedzieć, że mój związek z Benem był od tej reguły wyjątkiem.

– Istotnie, myślę, że jest bardziej prawdopodobne, iż połączenie traumy spowodowanej incydentem i długu wdzięczności z powodu udzielonej pomocy zamanifestowało się potężnym pociągiem fizycznym – przerwał moją opowieść Craig, Naprawdę Wkurzający Terapeuta.

Nagle zaczęłam się zastanawiać, czy dostanę karę pozbawienia wolności, gdy uda mi się przezwyciężyć awersję do konfrontacji i zmusić pieprzniczkę, żeby szybko i wielokrotnie spotkała się z tyłem jego głowy.

Odetchnęłam głęboko i przeszłam do następnego rozdziału mojej historii. Opowiedziałam, jak po wyjściu z pociągu wymieniliśmy adresy i inne dane kontaktowe, a potem rozpoczęliśmy korespondencję, która z miesiąca na miesiąc stawała się coraz bardziej przyjacielska i intymna. Czasami udawało mu się nawet zatelefonować z placówki w Afganistanie i właśnie podczas jednej z takich rozmów, późnym wieczorem w czwartek, zadzwonił dzwonek do drzwi. Uzbrojona w duże i potencjalnie niebezpieczne narzędzie kuchenne z wahaniem otworzyłam drzwi i zobaczyłam go z telefonem komórkowym przyciśniętym do ucha. Miał wszystkie cechy, których brakowało mnie: był silny, odważny spontaniczny i śmiały. No i był też żonaty.

– Powtarzam jeszcze raz: nie sądzisz, że w jakimś stopniu przez cały czas wiedziałaś, że ma żonę? – wyskoczył mój nowy guru od relacji męsko-damskich, ten, którego miałam ochotę zatłuc na śmierć pieprzniczką.

Nie, no wymiękam! Oczywiście, że do jasnej cholery, nie wiedziałam. Odkryłam to po jakichś dwóch latach, kiedy chcąc mu zrobić niespodziankę, zjawiłam się u bram koszar w dniu jego powrotu z Bliskiego Wschodu, dokładnie w chwili, gdy trzymając za rękę około pięcioletnią dziewczynkę, wychodził z lotniska razem z wysoką biuściastą blondynką. A najgorsze w tym wszystkim było to, że mnie zauważył. W jego oczach pojawił się błysk szoku i osłupienia. Kiedy szli na parking, spojrzał na mnie niewidzącym wzrokiem, wskoczył do dżipa i odjechał, zostawiając żałosną, smutną kretynkę – czyli mnie.

Przerwałam, kiedy poczułam w piersi miażdżący ból, łzy płynące po policzkach i smarki ściekające do resztek koktajlu z krewetek. Kelner kręcił się nieopodal, ale bał się podejść do stolika, widząc mnie w takim stanie.

A Craig? Jego nieznośnie pretensjonalne, profesjonalne zachowanie teraz zostało trochę przyćmione przez malującą się w jego oczach śmiertelną panikę, w jaką wpada zgodnie ze swoimi genetycznymi predyspozycjami większość mężczyzn na widok kobiety ulegającej emocjom w miejscach publicznych.

Ale jak w przypadku katharsis Daniela na poprzedniej randce, tak i tutaj tamy puściły i runęła istna Niagara. No, przynajmniej kapała do mojego talerza.

Kontynuowałam opowieść (tak, nie umiałam zachować umiaru, ale przecież on nawijał przez całą pierwszą część wieczoru), opowiadając

Craigowi, że po tym wszystkim była jeszcze jedna rozmowa. Tylko jedna. Kiedy parę dni później, tuż po północy, zaczął dzwonić telefon, wiedziałam, że to on. Był u mnie Stu, właśnie skończyliśmy oglądać *Pretty Woman*, *Top Gun* i *Mój chłopak się żeni* i przemierzaliśmy meksykańskie wioski pełne doritos i doliny płynące francuskim sikaczem.

– Odbierz – popędzał mnie Stu.

– Nie mogę – wyszeptałam z ustami pełnymi doritos, sparaliżowana strachem.

– Musisz, Leni. Musisz to zakończyć.

A tam! Trzęsąc się, podniosłam słuchawkę i wyszeptałam:

– Halo?

– Leni, przepraszam cię.

– Jesteś żonaty? – Mój głos był cichy, napięte staccato, ponieważ tchawica skurczyła mi się do rozmiarów ołówkowego grafitu.

– Leni, ja...

– Jesteś żonaty? – powtórzyłam.

Na chwilę zapadła cisza, po czym dało się słyszeć głębokie westchnienie i w końcu wykrztusił:

– Tak.

Odłożyłam słuchawkę, a Stu tulił mnie mocno przez kolejne godziny, a potem położył do łóżka, oczywiście uprzednio usunąwszy z mojego pokoju wszystkie potencjalnie niebezpieczne przedmioty. Następnie zbadał moje parametry życiowe, żeby się upewnić, czy nie dostanę w nocy spowodowanego stresem udaru.

Kelner miał dosyć plątania się wokół stolika, więc w końcu zręcznie zebrał talerze po przystawkach.

– I co było potem? – chciał wiedzieć Craig.

– Nic. Tylko jakieś tam fascynacje.

Upiłam duży łyk wina i zdałam sobie sprawę, że po raz pierwszy opowiadam historię Bena komuś innemu poza Trish i Stu.

– Krótkotrwałe związki z miłymi facetami, takimi, którzy nie byli wstanie złamać mi serca. I zanim się odezwiesz, powiem ci tylko, że tak, miałam powód, żeby tak postępować.

Stwierdziłam, że i tak wyszłam na wariatkę, więc postanowiłam pominąć milczeniem fakt, że właśnie wtedy zaczęła się moja obsesja. *Iść do przodu*, *Przezwyciężyć załamanie sercowe* i *Napraw swoją duszę* to były przewodniki, które zajęły cztery półki w mojej biblioteczce.

Craig przez kilka kłopotliwych minut przeżuwał w milczeniu orzeszki, po czym powiedział:

– Czy zastanawiałaś się kiedykolwiek, że to może nie był twój wybór, żeby wchodzić w krótkotrwałe przygody? Może to ci faceci wybierali taki właśnie rodzaj związku?

Dobra, koniec gadania. Kontynuujmy. Tu nastąpił piętnastominutowy, zupełnie nie w moim stylu, wiele mówiący wybuch, z wprawiającymi w najwyższe zakłopotanie płaczem i smarkaniem, ale Craig to terapeuta związków, więc jeżeli ktoś ma być współczujący i pełen zrozumienia, to właśnie on. A oprócz tego sam mnie prosił, żebym mu o tym opowiedziała. Sama z siebie nie wyskoczyłabym z takim pomysłem.

Jednak w tej chwili miałam dość. Chciałam przejść na inne pogodniejsze tematy i nieistotne pogaduszki. Ale... ale musiałam wiedzieć, co on o tym wszystkim myśli.

– Przepraszam, ale nie rozumiem, o czym mówisz.

Westchnął.

– Leni, myślę, że musisz pogodzić z pewnymi prawdami.

Pokiwałam głową, zdając sobie sprawę, że po wysmarkaniu sie w jego serwetkę mogę go trochę porozpieszczać.

– Według mnie to mężczyźni, z którymi się spotykałaś decydowali, że wasze relacje będą miały charakter krótkotrwałej przygody. Wiesz, to jest często konsekwencja spotykania się z kimś, kto jest w istocie notorycznie współuzależniony z inklinacją do egocentryzmu i przesadnych reakcji emocjonalnych. Wykorzystując moją fachową wiedzę, stwierdziłbym, że mimo twojego sprzeciwu, Ben pociągał cię, ponieważ w jakimś stopniu wiedziałaś, że on jest poza twoim zasięgiem.

Co?! Czy on sobie ze mnie żartuje? Dobra, mogłam się trochę zdenerwować. I tak Ben był prawdopodobnie z wyższej półki niż ja, ale chciałabym móc myśleć, że kochał mnie taką, jaką jestem, i że mógł nie zwracać uwagi na fakt, że ani trochę nie przypominam Cameron Diaz.

Ale egocentryczna? To on mnie prosił, żebym opowiedziała o Benie! I to było po trzech i pół godzinie gadania wyłącznie o jego cholernej wewnętrznej doskonałości. Gdyby na moim miejscu siedziała Trish, zaraz by go załatwiła. Ja oczywiście nie miałam na to czasu, bo byłam zapatrzona w siebie i współuzależniona.

Wziął mnie za rękę w obrzydliwie paternalistyczny sposób i zaczął do mnie przemawiać jeszcze bardziej obrzydliwym ojcowskim tonem:

– A więc, Leni, to, co powiedziałem, powiedziałem dlatego, że troszczę się o ciebie i chciałbym, żebyś to zrozumiała. Rozumiesz, Leni?

Nie, nie, NIEEEEEE, ty ohydny, niedouczony, wielki, włochaty skurwysynu.

Ale żeby uniknąć ryzyka konfrontacji, przytaknęłam po raz kolejny w egocentryczny i współuzależniony sposób.

– Myślę, że musisz nad sobą popracować. Potrzebujesz trochę czasu, żeby uświadomić sobie, na czym polegają twoje słabości, i uporać się z nimi, zanim wejdziesz w następny związek.

Albo mogłabym wrócić do planu A i zabić cię pieprzniczką.

– I to jest powód, dla którego nie mogę się więcej z tobą spotykać, Leni. Czuję, że już zaczęłaś się do mnie przywiązywać, nawet przez ten krótki czas, jaki spędziliśmy razem. A wiem, że ty chciałabyś się znowu spotkać. Widzisz we mnie ten sam instynkt opiekuńczy, jaki widziałaś w Benie.

Szczęka mi opadła, kiedy usłyszałam jego wywody, ponieważ w rzeczywistości widziałam w nim nieatrakcyjnego napuszonego kutasa, który ma w brodzie pół kolacji a na łokciach skórzane łaty.

Z teatralną emfazą pocałował mnie w rękę.

– I właśnie dlatego muszę już iść, Leni, ponieważ nie chcę powiększać twojego bólu, pozwalając ci coraz bardziej się do mnie przywiązywać. Bo wiesz, ja nie mam teraz dużo do zaoferowania. Jestem oddany moim klientom i mojemu rozwojowi osobistemu i brakuje mi już emocjonalnej przestrzeni na pomaganie komuś w przezwyciężaniu problemów.

A potem (jak ja żałowałam, że nie mam odpowiedniego pojemnika na zawartość mojego żołądka) próbował złagodzić cios, przyprawiając mnie o mdłości:

– Gdybym miał siłę dawać, to na pewno bym ci dał, Leni. Wybacz.

Puścił moją rękę, wstał, wziął sfatygowaną teczkę i dodał:

– Do widzenia, Leni i powodzenia.

Craig Terapeuta wyszedł, zostawiając jedną czwartą butelki wina i najbardziej powalającą randkę na świecie.

Po paru minutach trwania w bezruchu spowodowanego szokiem, dopiłam wino.

Kelner pojął aluzję i zabrał talerze.

– Czy mogę podać pani coś jeszcze?

– Nie, dziękuję bardzo.

W restauracji był ciągle jeszcze dość duży ruch i nie chciałam zawracać mu głowy, prosząc, żeby zawołał mi taksówkę. Złapię taksówkę, kiedy wyjdę. Jak zwykle. Choć nie jest to postępowanie charakterystyczne dla egocentrycznej i współuzależnionej cholernej baby!

Parę minut potem miły kelner wrócił, niosąc mój płaszcz i...

– Rachunek, proszę pani.

– Ten pan... ten pan, z którym jadłam kolację nie zapłacił? – wykrztusiłam.

– Eee, nie, przykro mi ale nie. Ale wspomniał o rachunku.

– Co w takim razie powiedział?

Biedny, zażenowany kelner zaczerwienił się i wbił wzrok w czubki swoich butów.

– Że powinna pani uznać ten rachunek za jego honorarium.

PROJEKT RANDKOWY *WSZYSTKO JEST W GWIAZDACH* – PODSUMOWANIE

Lew	Harry Henshall	niezdrowa fascynacja komputerową przemocą
Skorpion	Matt Warden	lider zespołu, kłamliwy dupek
Baran	Daniel Jones	bez szans na karierę jako trener asertywności
Koziorożec	Craig Cunningham	terapeuta związków, wzbudza gwałtowną agresję

E-mail
Od: Trish; Stu
Od: Leni Lomond
Odp: Gdyby opis ostatniej randki miał mieć formę ogłoszenia towarzyskiego, to brzmiałby mniej więcej tak...

Czy przez całe życie czekasz na fascynującego, szalonego faceta, który zawróci ci w głowie i sprawi, że poczujesz się jak ktoś najbardziej wyjątkowy na świecie? Jeżeli tak, to powinnaś wiedzieć, że jesteś naiwniaczką i musisz się leczyć. Jeżeli jednak szukasz zadowolonego z siebie, protekcjonalnego, irytującego skurwysyna ze skłonnością do ględzenia psychoterapeutycznym żargonem, to Koziorożec płci męskiej, lat 31, z garderobą z lat sześćdziesiątych, prosi o kontakt. Jestem szczodrze obdarzony licznymi talentami w dziedzinie konwersacji: mam stopień magistra z pieprzenia głupot. Któregoś razu plotłem tak straszliwe bzdury, że moja dziewczyna uznała, iż lepiej skoczyć z wysokiego klifu niż spędzić wieczór ze mną. Chętnie spotkam taką, którą podnieca widok męskiego zarostu pełnego okruchów i szaleje na punkcie ubrań w oldskulowym studenckim stylu. Tak, przyjdź i obczaj moje łaty na łokciach. Wykształcenie, inteligencja i umiejętność wysławiania się niekonieczne, ponieważ mówiąc całkiem szczerze, i tak nie obchodzi mnie, co masz do powiedzenia.
Wiedz, że oprócz niesamowitego fizycznego podobieństwa, w żadnym wypadku nie uczestniczyłem w kręceniu pornosów w latach siedemdziesiątych.

14
Promieniowanie UV

– Posłuchaj, jeżeli jest jakieś pocieszenie w tej sytuacji, to prawdopodobnie on umrze młodo z powodu kulki włosów z brody zatykającej przełyk. Ciągle się coś takiego zdarza.

– Och, kochany, ty naprawdę wiesz, jak rozweselić dziewczynę.

Patrzyłam w lustrze, jak Stu zabawnie przyjmuje wyrazy uznania, kłaniając się głęboko.

– Cały asortyment wszechstronnych i jedynych w swoim rodzaju usług. Badania na cukrzycę, testy ciążowe i badania cyklu owulacyjnego, a wszystko to, zanim zdążysz wysuszyć włosy – dodał z uśmiechem.

Miałam nadzieję, że żartuje, ale biorąc pod uwagę fakt, że jest w posiadaniu większej ilości środków medycznych niż cały NFZ, wolałam nie zgłębiać tego tematu. Stu znowu zajął się strzyżeniem moich włosów.

To ogromna korzyść z posiadania przyjaciela, który jest fryzjerem – pasemka za darmo, najmodniejsze strzyżenie i trochę pielęgnacji, kiedy tylko potrzebujesz. W zamian musi się być szokująco...

– Więc nie przeleciałaś go?

... niedyskretną.

– Nie! – krzyknęłam. – Nie wiem, czy by do tego doszło, bo uciekł, jakby się paliło, w chwili, gdy zaczęłam wycierać nos w rękaw. Niektórych facetów strasznie trudno zadowolić.

Po moim upokarzającym spotkaniu z Craigem, zarośniętym terapeutą, mogłam stracić pięćdziesiąt cztery funty (zażądam wpisania tej kwoty w koszty, co do ostatniego pensa), ale przynajmniej nie straciłam poczucia humoru. Mimo że nadszarpnięte, jednak mnie uratowało.

Teraz, dwa tygodnie później, wpadłam do Stu na strzyżenie i wymodelowanie włosów i plotki. Uwielbiam salon Stu. Całe wieki zastanawiał się, jak go nazwać, konsultował się z milionami grup fokusowych, z przyjaciółmi i z rodziną, badał konkurencję... po czym nazwał salon Stuart Degas Hair. Ups, jak na faceta, który nazywa się Stuart Degas, to zaskakujący pomysł.

Nie była to żadna wymyślna gra słów, ale nazwa na tyle nowatorska, że przyciągnęła pomniejsze celebrytki, różne apetyczne mamuśki i cały wybieg różnych modniś, na tyle bezpretensjonalnych i przyjacielskich, że nie odstraszały klienteli takiej jak studenci i pracownicy okolicznych biur, włączając mnie.

Salon miał dwie kondygnacje, różniące się wystrojem, ale trzy rzeczy były wspólne dla obydwu pięter: lśniąca jak kryształ, błyszcząca, srebrna podłoga, ogromne, bogato zdobione lustra w stalowych ramach, stanowiące główną ozdobę ścian, i masywne, czarne, skórzane fotele z regulowanymi oparciami i opcją wibrowania. Stu twierdził, że to wspaniale wpływa na układ limfatyczny.

Wnętrze na górze było dużą monochromatyczną przestrzenią w stylu hi-tech, albo, jak nazywała je Trish, Królestwem Testosteronu: wielkie plazmy, pokazujące sport, rycząca muzyka rockowa i personel w białych podkoszulkach, znoszonych butach motocyklowych i wytartych dżinsach.

Na dole panowała subtelniejsza atmosfera: cicha muzyka w tle, ogromne sofy obite materiałem we wzór zebry i uroczy zespół modnych do bólu dwudziestoparolatek, ubranych na czarno i przynoszących w regularnych odstępach czasu herbatę i kawę.

Wciąż nie mogę uwierzyć, że Stu sam to wszystko osiągnął, chociaż dokładniej mówiąc, pomógł mu nieoczekiwany przypływ gotówki. Było to akurat wtedy, gdy poznaliśmy się w college'u. Nigdy nic nie mówił na ten temat, a znaliśmy się wtedy na tyle dobrze, bym mogła go wysondować. Trish oczywiście wielokrotnie żądała pełnego wyjaśnienia tej sprawy, ale Stu pozostał tajemniczy. Dziwnym zbiegiem okoliczności w jego rodzinnym mieście został kupiony i nieodebrany los na loterię, na który padła główna wygrana tydzień przed tym, gdy Stu pojechał do domu biedny, a wrócił bogaty.

Pieniądze stanowiły jednak tylko część jego sukcesu: resztę załatwiły wdzięk i talent. Oczywiście jego niesłabnąca energia była też bez wątpienia napędzana przez ponury fakt, iż sam jeden wpływał na obroty i ceny akcji największych firm farmaceutycznych na świecie.

Zadzwoniła moja komórka, więc wcisnęłam zielony telefonik.

– MC Madge, światowej sławy gwiazda rapu/wrzód na dupie chce, żeby pomalować jej garderobę na fioletowo, Goldie udało się jakimś cudem spalić jej grzywkę – myślę, że ma to związek z kryzysem wieku średniego i wykurzonym lolkiem – a Grey mnie straszy, że sprowadzi sobie dziwkę, jeśli nie przyjdę przed ósmą. Kto, do kurwy nędzy, chciałby być na moim miejscu?

– Poczekaj chwilę, Trish, przełączę cię tylko z głośnika.

Stu prawie tarzał się po podłodze ze śmiechu, a wszystkie oczy w salonie skierowane były na mnie.

– Głośnik? Chyba sobie żartujesz?

– Jasne, że żartuję – skłamałam, doprowadzając Stu do kolejnego ataku śmiechu.

– Dzięki, kurwa. Dobra, jesteś ciągle u Stu?

– Tak.

– A możesz go zapytać, czy może przyjść jutro o szóstej rano poprawić jakoś grzywkę tej ćpunce?

– Czy możesz jutro rano poprawić grzywkę tej ćpu... Goldie?

Nachylił się do telefonu:

– Dla ciebie wszystko!

– To dorzuć jeszcze trochę cholernej fioletowej farby i dziwkę. Ciao.

Trish się rozłączyła, a my potrzebowaliśmy paru dobrych minut, zanim mogliśmy dalej rozmawiać.

– No to gadaj, jak było na wakacjach i jaka była ta cudowna Sacha? – zażądałam pomiędzy kolejnymi łykami spienionego cappuccino.

Stu właśnie wrócił z dwutygodniowych wakacji w Marbelli z wizażystką przerobioną na modelkę, z którą spotykał się przez ostatnie dwa miesiące. I nawet z punktu widzenia innej kobiety i zazdrości o szczupłe uda, która mogła mieć wpływ na gust, nie ulegało wątpliwości, że Sacha jest boginią. Prawie sześć stóp wzrostu na obcasach, niekonwencjonalny szyk Sienny Miller i wymiary Giselle. Poznali się tuż po Nowym Roku na planie zdjęciowym, gdzie Stu stylizował fryzury, a ona była wizażystką, i przez połączenie danego im od Boga wspaniałego wyglądu i artystycznych talentów byli przez cały czas cudowni i wypielęgnowani do perfekcji. I wcale nie jest łatwo to przyznać, kiedy siedzisz bez makijażu, w niechlujnych dżinsach i starej bluzie, z wąsami od cappuccino i włosami, które jeszcze pół godziny temu wyglądały, jakby były upieczone w mikrofali, a nie przycięte nożyczkami stylisty.

Miałam jednak przeczucie, i gdyby było we mnie coś z hazardzistki, to pewnie postawiłabym forsę na to, że tym dwojgu się uda.

– Rzuciła mnie – wyznał Stu.

Teraz zrozumiałam, dlaczego Bóg był tak litościwy i nie wyposażył mnie w gen hazardu.

– O nie! Co się stało?

– W czasie wakacji nie mieliśmy zbyt wielu wspólnych cech – powiedział, wzruszając ramionami.

– Dostałeś hipochondrycznej jazdy, co?

Widzicie, tak właśnie jest ze Stu: potrafi doskonale ukrywać przed światem swoje małe dziwactwa, tworząc fasadę szpanerskiego wyluzowanego fryzjera, który jest tak zajęty byciem młodszym i przystojniejszym bratem Brada Pitta, że nie ma czasu przejmować się czymś tak trywialnym, jak drobne dolegliwości. Tylko w towarzystwie najbliższych przyjaciół, który to honor przypadał mnie i Trish, na całego demonstruje obsesję na punkcie zarazków i to, że jest neurotycznym użytkownikiem środków dezynfekujących.

Znowu wzruszył ramionami, tym razem lekko zmieszany. Wydusił mało entuzjastyczne i w oczywisty sposób kłamliwe:

– Nie.

– Och, właśnie dlatego cię kocham. Śpię spokojnie, wiedząc, że nie mam w naszym małym przyjacielskim trio monopolu na nerwicę. No więc co zrobiłeś? – spytałam, unosząc brwi.

– Nic – mruknął nonszalancko.

– Co zrobiłeś, Stu? – powtórzyłam.

Przestał strzyc, wziął suszarkę i zaczął modelować, co sprawiło, że pozostało mi czytanie odpowiedzi z jego ust. Wyciągnęłam więc wtyczkę suszarki z gniazdka.

– Słucham? – spytałam wyniośle

Westchnął zrezygnowany.

– Dobra, dobra. Zamieniłem wszystkie jej kremy do opalania z faktorem dwa na faktor pięćdziesiąt. Całe cholerne wakacje przejmowała się i dostawała obsesji, że nie może się opalić, mimo że leży na słońcu przez cholernych osiem godzin dziennie. Uważam, że ewidentnie chciała dostać raka skóry.

Śmiałam się tak głośno, że pozostali klienci salonu znowu odwrócili się w naszą stronę.

– Nieee! I jak ona to odkryła?

– Przyłapała mnie w przedostatni dzień. Zastała mnie w łazience z dwoma butelkami, lejkiem i gumowymi rękawicami. Chyba myślała, że chcę przemycać narkotyki w jej emulsji do opalania. Albo że jestem w trakcie jakichś zboczonych praktyk seksualnych. Musiałem się do wszystkiego przyznać.

– Do wszystkiego?

Przytaknął.

– Do codziennego dezynfekowania łazienki, nalegania, żeby wszystkie nasze posiłki były rozgotowane, do potajemnych testów wody w basenie, do odmowy kontaktu z bakteriami w jacuzzi, do unikania samolotowego żarcia, do czytania książek o potencjalnie groźnych owadach, do posiadania numeru telefonu do najbliższego laboratorium dysponującego antidotum... Wiesz, te wszystkie rzeczy potrzebne na wakacjach.

– Kochanie, to, co jest potrzebne na wakacjach, to iPod, paszport i zapas majtek na dwa tygodnie.

– Taa, no dobra, nie wszyscy potrafią być tacy beztroscy jak ty, Pani-Smarki-w-Krewetkach – odparował, uśmiechając się, i włączył suszarkę.

Dziesięć minut później moja grzywka była gruba, błyszcząca i opadająca przez policzek aż do ramion i będąca trochę dłuższą wersją boba Trish. Na myśl o jakiejkolwiek zmianie zawsze trzęsą mi się kolana, a teraz uspokoiły się na widok lśniącego, cudownego obrazu, jaki miałam przed sobą. Stu prostował teraz moją grzywkę, pasemko po pasemku, jasnoróżową prostownicą.

Zaczęłam głośno myśleć:

– Wiesz, szkoda, że nigdy nie czuliśmy do siebie pociągu, Stu. To byłoby za łatwe, co?

Wiele razy zastanawialiśmy się nad tym niezrozumiałym wybrykiem natury. Stu ma wszystko, co podoba mi się w facetach: jest zabawny, uprzejmy, troskliwy, dobrze wychowany i wyposażony w takie cechy fizyczne, na które mogłabym patrzyć całymi dniami. Uwielbiamy spędzać razem czas i nie przychodzi mi do głowy nikt, przy kim więcej bym się śmiała. Ale pociąg fizyczny? Brak. Pustka. Susza. Po obydwu stronach. Mówiąc szczerze, myślę, że w głębi duszy zdaję sobie sprawę, że – odsuwając na bok dziwactwa Stu – jego miejsce jest u boku smukłej dziewczyny w typie modelki i może on podświadomie też to czuje. Ale nigdy, absolutnie nigdy nie wypowiedzieliśmy tego głośno i obydwoje po prostu złożyliśmy to na karb niezgodności feromonów.

Stu błysnął rzędem idealnie białych i lśniących jak perły zębów.

– Wiem, to jest smutna sytuacja, naprawdę. Poza tym byłoby to ze wszech miar wygodne, ponieważ nie musiałbym wydawać majątku, żeby zrobić na tobie wrażenie – zażartował.

– Musiałbyś! Nie jestem jakąś tanią zdobyczą, wyobraź sobie! – odcięłam się.

Popatrzył na mnie z udawanym zdziwieniem.

– Naprawdę? Niewiarygodne! W takim razie przez wszystkie lata naszej przyjaźni źle cię oceniałem.

Mówiąc to, odchylił moją głowę, pocałował mnie w usta, a potem pochylił moją głowę i jak zwykle obydwoma rękami zwichrzył mi włosy.

Efekt jego zabiegów był wspaniały: swobodny długi bob, którego nigdy nie będę potrafiła odtworzyć.

Wygięłam się przed lustrem.

– Wiesz, że zostałam twoją przyjaciółką tylko dlatego, że jesteś cholernym geniuszem fryzjerskim, co?

Przytaknął z powagą.

– Tak, ale lubisz też wgapiać się w mój tyłek.

Udawałam oburzenie, podczas gdy mój wzrok wędrował w dół, by zlustrować towar.

– Faktycznie, masz trochę racji – przyznałam z uśmiechem.

Nagle uderzyła mnie pewna myśl.

– Oo, Stu...

– Tak?

– Dobrze się spisałeś, jestem z ciebie bardzo dumna – całowaliśmy się przynajmniej trzydzieści sekund temu, a ty jeszcze nie poleciałeś po antybakteryjny balsam do ust.

Roześmiał się, sięgnął do kieszeni, wyjął z niej małą tubkę, wycisnął porcyjkę balsamu na palec wskazujący i posmarował nim usta.

Zrobiłam możliwie najbardziej zdruzgotaną minę.

– Przepraszam, kochanie, wiesz, co mówią...

– Co też takiego mówią? – spytałam rozdrażniona.

– Lepiej zapobiegać niż leczyć.

Cudowny Poranek TV!

Zara zakończyła właśnie swoje cotygodniowe przepowiednie, doradzając wszystkim Bykom, by w najbliższy weekend unikały zbyt dużych wydatków, ponieważ może to grozić długotrwałymi konsekwencjami. Jednak wniosła pewną poprawkę, dodając, że David Beckham (2 maja), Cher (20 maja) i Barbara Streisand (24 kwietnia) prawdopodobnie nie muszą się tym przejmować.

Goldie właśnie zamierzała pożegnać telewidzów, kiedy Zara łagodnie jej przerwała, zmuszając producenta do szybkiego skierowania kamery na nią.

– Goldie, zapomniałam dzisiaj rano wspomnieć, że wciąż szukamy ochotników do naszego pionierskiego przewodnika po astralnych związkach, który pojawi się na półkach księgarskich jeszcze w tym roku. – Płynnie zwróciła twarz w stronę kamery. – Poszukujemy młodego, wolnego mężczyzny w wieku pomiędzy dwadzieścia a trzydzieści pięć lat, i wszystko, co musicie zrobić, panowie, to wysłać do nas kilka informacji ze zdjęciem. Przeanalizuję wasze zgłoszenie, zastosuję moją nowatroską technikę kompatybilności i to pozwoli mi starannie wybrać dla was dziewczynę marzeń i wysłać was na idealną randkę. Nigdy nic nie wiadomo, panowie, ale możemy zmienić wasze przeznaczenie. Jesteście spod znaku Bliźniąt czy Ryb? Jeżeli tak, to czekamy na wiadomości od was jeszcze w tym tygodniu. No co czekacie? Szczegóły znajdziecie na stronie internetowej Cudownego Poranka TV!, informacje możecie uzyskać także, dzwoniąc na moją osobistą horoskopową linię, numer zero osiem siedem dziewięć i sześć piątek. Połączenie kosztuje jednego funta za minutę rozmowy z telefonów stacjonarnych, a z telefonów komórkowych jest droższe.

Kamera skierowała się na wiecznie uśmiechniętą Goldie, która miała teraz tylko kilka sekund, żeby zakończyć program. I tylko bystry widz mógł zauważyć, że powiedziała „do widzenia" i przez zaciśnięte zęby życzyła wszystkim udanego weekendu.

15
Randka z Bliźniakiem

– Mała czarna

– Ale która?

– Ta, którą kupiłam na pogrzeb wujka Dana. No, właściwie nie jest wcale taka mała, bo inaczej matka by mnie zabiła. Dobra, w każdym razie ta albo... – Otworzyłam szafę i wyjęłam z niej jeszcze jeden formalny ciuch. – Klasyczna czarna garsonka. Elegancka. Marki Next, ale jeśli nie podejdziesz zbyt blisko, wygląda na Pradę. Mówiłam ci już, jak nie cierpię szykować się na te randki?

– Dopiero pięćdziesiąt dwa razy. Dokąd idziesz tym razem?

– Do Nobu

– Oooooo, to coś dla wtajemniczonych – zadrwiła Trish z więcej niż małą domieszką sarkastycznej radości. – Ja wybrałabym garsonkę. „Dostojnie i pod kontrolą..."

– Zdecydowanie taka nie jestem.

– Dokładnie! I dlatego właśnie powinnaś ją włożyć, ofiaro losu. Uroczym dodatkiem jest fakt, że nie będziesz musiała golić nóg. Chyba że planujesz szybki numerek na zapleczu.

– Niee, to za proste – odparłam zgryźliwie. – Obecnie najbardziej à la mode jest uprawiać seks oralny pod stołem.

– W takim razie zdecydowanie garsonka. Łatwiej się schylić.

– Nie mów mi nic o schylaniu się.

Przeszłam od marzeń na jawie do pełnowymiarowych koszmarów, a ten z zeszłej nocy był szczególnie pełny pochylania się do przodu, i jestem pewna, że na całe życie zraził mnie do męskich organów i owłosionych twarzy.

– Nie jest to stwierdzenie, które spodziewałam się usłyszeć z twoich ust. – Trish zarechotała. – Cóż się więc stało?

– Wersja skrócona czy *Wojna i pokój*?

– Skrócona. Nadmiar informacji może doprowadzić mnie do obłędu i zmusić do zarzucenia rozmów z tobą.

– Dobra, trójkąt z udziałem moim, Conna i terapeuty Craiga.

– O ja cię pieprzę, czuję w ustach smak żółci.

– To jak ja – odrzekłam zgodnie z prawdą. – No dobra, muszę iść na spotkanie z przeznaczeniem.

Odłożyłam słuchawkę i mimo zdecydowanego sprzeciwu mojego instynktu samozachowawczego nie mogłam się powstrzymać od przeżywania po raz kolejny traumy zeszłonocnego sennego show. Wyszłam z pracy później niż zwykle, ponieważ musiałam zaczekać, aż Zara sprawdzi całe biuro pod kątem podsłuchu (i choć wydaje się, że jest to zabieg wymagający skomplikowanej techniki, Zara żyje w przekonaniu, iż jest w stanie po prostu dostroić się do ich częstotliwości i je, najprościej w świecie, wywąchać). Nie powinno być zaskoczeniem to, że nie znalazła żadnego podsłuchu, znalazła natomiast dwa telefony komórkowe, budzik oraz czajnik, które ukryte były pod rozlicznymi poduszkami i zaroślami, co pozwalało jej świętować niewielki sukces. Kiedy wróciłam wreszcie do domu, zaserwowałam sobie wykwintną kolację w formie zapiekanego ziemniaka z serem i wślizgnęłam się do łóżka z zapasem intlelektualnie wyrafinowanych magazynów o gwiazdach z ostatnich dwóch tygodni, kiedy...

Bum. Bum. Bum.

Wyskoczyłam z łóżka, nie zadając sobie nawet trudu, by włożyć szlafrok, i pobiegłam do drzwi, uchylając je zaledwie na kilkanaście centymetrów z podwójnym zamiarem: a) sprawdzenia, któż się tam znajduje, b) ukrycia faktu, że jestem całkowicie i bezdyskusyjnie naga.

– Leni, wybacz, byłem takim osłem i musiałem ci powiedzieć, jak mi przykro.

Był to Craig Koziorożec, z łatami na łokciach i dramatycznym wyrazem twarzy.

– Skąd wiedziałeś, gdzie mieszkam?

– To bez znaczenia. Liczy się tylko to, że jestem tutaj i naprawdę żałuję. – Opierał się o framugę wyraźnie udręczony. I mimo autentycznej ochoty, by poszydzić sobie z jego arogancji i wyniosłości, nagle zdałam sobie sprawę, że nie mam do tego prawa. Czy to nie ja zalałam go falą emocji? Czy to nie ja wykorzystałam jego odziane w tweed ramię, by się wypłakać? Jeśli mogę winić kogokolwiek, winna jestem tylko ja.

– Żegnaj, Leni. Jest mi naprawdę bardzo, bardzo przykro. Tyle tylko chciałem ci powiedzieć.

– Zostań – wyszeptałam szybciej, niż zrozumiałam, co mówię. – Możesz zostać. – Otworzyłam drzwi i objawiłam mu się naga. Stuprocentowo.

Zbliżył się do mnie, a jego wargi przywarły do moich. Przycisnął mnie do drzwi, oddychając ciężko, namiętnie i z podnieceniem, a jego baki wykonywały moim policzkom gratisową dermabrazję.

– Nie tutaj – wymamrotałam w chwili odwagi, biorąc go za rękę, zamykając drzwi i prowadząc w stronę sypialni. Już prawie tam byliśmy, kiedy przyciągnął mnie do siebie i podniósł tak, że owinęłam nogi wokół jego pasa i przylgnęłam do niego z bijącym sercem. Jedną rękę trzymał na moich plecach, drugą zaś pod pośladkami, podtrzymując mnie. Skierował się do sypialni, tam sprawnie mnie odwrócił i...

– Co do cho...

Gapił się teraz zdumiony na miejsce na łóżku, które zamierzał zająć. Miejsce, które wyglądało na zajęte.

Jego ramiona zwiotczały i runęłam na podłogę.

– To może jest odrobinę dziwne – odezwałam się zażenowana – ale wiesz, Craig, sam mówiłeś, że powinnam wziąć się za siebie i przejąć kontrolę.

– Co? Chyba się wygłupiasz! To jakiś żart? Już mnie tu nie...

– Zostań. – Do licha, skąd mi się to bierze? Nie kręcą mnie dziwne praktyki seksualne. Wolę przyjemność podaną jak najprościej, wolną od bólu czy nawet odrobiny perwersji, a tu nagle...

– Co?

Rzuciłam okiem na niesamowitego długowłosego faceta leżącego w moim łóżku, najwyraźniej rozbawionego całym zajściem. Czy będzie miał coś przeciwko? Z całą pewnością nie. Jest zawsze otwarty na nowe doznania na polu rozkoszy.

– Nie widzę przeszkód – wymruczał Conn nonszalancko, jakby zdarzało mu się to każdego dnia. Być może było to bliskie prawdy.

Widziałam, jak Craig toczy wewnętrzną walkę, jak jego rozum mocuje się z libido, wobec czego postanowiłam mu pomóc. Stał zdumiony i skamieniały, a ja rozpięłam mu spodnie i pozwoliłam przemówić jego anatomii. Polizałam palec i powoli, kusząco przesunęłam nim po jego nabrzmiałym organie. Jęknął z rozkoszy, przymykając oczy, i odrzucił głowę do tyłu.

Po kilku minutach pieszczenia jego kutasa przyciągnęłam go do siebie, odwróciłam i użyłam jako haka holowniczego, by zaciągnąć go do łóżka.

Usadowiłam się na kołdrze, a Conn błyskawicznie ukląkł za mną i zajął się moimi piersiami, podczas gdy Craig zdejmował marynarkę i brązowe sztruksy. Ani on, ani jego kutas nie spuszczali z oka sceny rozgrywającej się na łóżku. Delikatnie przyciągnął mnie do siebie, kiedy klękał na podłodze i umieszczał swoją głowę między moimi nogami.

Porno z lat siedemdziesiątych wracało w pełnej krasie.

Jęknęłam, czując jego język uderzający z niesłabnącym uporem w moją łechtaczkę. W międzyczasie Conn pochylił się i chwycił zębami jeden z moich sutków, gryząc go mocno z siłą odpowiadającą żwawości naszych trzech ciał wijących się w rozkoszy. Był to najbardziej, najbardziej... AAA!

Obudziłam się z magazynem „OK!" przyklejonym do twarzy i musiałam poświęcić kilka minut na zdrapanie odbitki tyłka Paris Hilton z lewego policzka. Trudniej było pozbyć się zgrozy i obrzydzenia.

~

Nawet teraz nie potrafię się nie trząść, gdy wspomnienia przelatują mi przed oczami.

Co jest ze mną nie tak? Zawsze miałam skłonności marzycielskie, ale nigdy w konwencji porno. I nawet mój lojalny egzemplarz *Opowieści Duszy – sny na jawie i nie tylko – jak je rozgryźć* nie miał nic do powiedzenia na temat miłosnych trójkątów z udziałem szefa i ekscentrycznego mózgowca.

To na pewno wina ostatnich zmian w moim życiu. Z całą pewnością to one powodują burzę w mojej podświadomości, która przybiera postać tak niezwykłych fantazji.

To, czego naprawdę chciałam, to iść spać i obudzić się spokojna i zregenerowana. Jedyne, co musiałam zrobić, to zdecydować, co należy włożyć na kolejny wieczór psychicznych męczarni.

Wróciłam do swoich rozważań. Millie oceniła, że najlepszym rozwiązaniem będzie sukienka, a Trish twierdziła coś przeciwnego.

Przez brzuch przeleciały mi nerwowe motyle, mimo iż w moich randkowiczach zaszła zdecydowana zmiana. Następnym w kolejce był Jon, makler giełdowy, którego wybrałam z wielkiego wora podań od Bliźniąt. Chociaż w zasadzie nie tyle go wybrałam, ile uległam presji liczby jego podań – wysłał bowiem jedenaście niezależnych listów, w których wyrażał gorącą nadzieję, że to właśnie on zostanie wybrany. Facet jest albo bardzo zdeterminowany, albo zdesperowany, tak czy inaczej wydatek na znaczki pocztowe wymagał nagrody.

Zmiana w moich odczuciach nastąpiła z chwilą, gdy zadzwoniłam do niego, a on zaproponował kolację w Nobu. Przed każdą poprzednią randką moje odczucia należały do kategorii „przerażona i zaniepokojona", teraz jednak lepsze było określenie „niecierpliwie wyczekująca". Brało się to, zapewne z mojego płytkiego i niewybrednego „ja", rajcującego się perspektywą kolacji w szpanerskiej knajpie.

Być może warto było przetrwać znój spotkań z niedoszłym Rambo z Milton Keynes, z fiutem z kapeli, moim współbratem w nieasertywności i Doktorem od Duszy, by dotrzeć aż tutaj – do bajecznego wieczoru w słynnej restauracji z facetem, który, jak wszystko na to wskazuje, chce się mną zająć z prawdziwą klasą.

Włożyłam spodnie, jak tego chciała Trish, ponieważ… cóż… ona zawsze ma rację, a ponadto jeśli kiedykolwiek odkryje, że nie posłuchałam jej rady, będzie mi to wypominała nawet wtedy, gdy na wózku pchanym przez pielęgniarkę będę używała życia na wieczorkach Bingo w domu starców. Dorzuciłam obcisły golf (z Top Shopu, styczniowa wyprzedaż, za dychę) i żakiet zakrywający bandaż elastyczny, który zalecono mi nosić przez miesiąc po zdjęciu gipsu.

Sprawdziłam swoje odbicie w lustrze: włosy rozpuszczone i tak bliskie oryginałowi stworzonemu przez Stu, jak tylko byłam w stanie zbliżyć je po prysznicu i szybkim przeleceniu ich niedrogą prostownicą. Makijaż – ujdzie – łagodny podkład, cień wokół oczu, blade usta z błyszczykiem. Zaryzykowałam nawet sztuczne rzęsy z wyprzedaży. Na nogach buty na obcasach bez palców, które Trish zostawiła u mnie pewnego razu, będąc w stanie uniemożliwiającym chodzenie w czymkolwiek innym niż moje śmieszne kapcie (te, które z przodu mają pluszowe hamburgery). Ostateczny szlif: odbrobina Chanel N°5 i małe diamentowe kolczyki, które rodzice kupili mi na dwudzieste pierwsze urodziny.

Przejechałam ręką po klapach żakietu, żeby usunąć najdrobniejszy pyłek czy resztki makijażu. W porządku, pomyślałam, przeglądając się sobie w lustrze od stóp do głów, po czym robiąc zwrot, by zobaczyć się z tyłu. W sumie całkiem nieźle się wyszykowałam. A Trish miała rację, uznałam, biorąc kwadratową, czarną, skórzaną torebkę (kupioną, by robić wrażenie na rozmowach o pracę tuż po tym, jak skończyłam studia). Garsonka to zdecydowanie najlepszy wybór. Tym razem udało mi się trafić w dziesiątkę.

Szkoda, że nie włożyłam sukienki.

Mój natrętny lęk przed obrażeniem kogokolwiek zmusił mnie, by przyjść wcześniej, i kiedy siedziałam w barze, zdałam sobie sprawę, że tutejsze towarzystwo stanowi bardzo różnorodną mieszankę. Nie brakowało oszałamiających młodych kobiet w spodniach z lepszych sklepów i w luźnych bluzkach, były też wyjątkowo wytworne niewiasty w superszykownych sukienkach i na obcasach aż po samo niebo, troszkę wyluzowanych panien, jak jeden mąż w obcisłych dżinsach i tunikach, ale nigdzie nie zobaczyłam nikogo, kto wyglądałby, jakby skończył właśnie zmianę u miejscowego grabarza.

Poza mną.

Uhh, dlaczego nigdy nic mi nie wychodzi? Już jutro pan Ahmed, sprzedawca gazet niedaleko mnie, będzie miał nad wyraz lukratywny dzień, bo napcham torby gazetami o modzie.

Gdybym włożyła sukienkę, mogłabym przynajmniej zaryzykować wizerunek Audrey Hepburn, jaki wcielała w życie publiska dwudziestokilkuletnia brunetka, oddająca cześć ukaranemu nadmiarem wagi i jednocześnie niedoborem wzrostu osobnikowi, który miał na sobie więcej złotej biżuterii niż zawodowy przestępca mógłby zwędzić w łącznym czasie, śniadania, obiadu i kolacji, u Tiffany'ego.

Na szczęście Bliźniak Jon dotarł, zanim moje poczucie własnej wartości zapadło się pod ziemię. Choć nie do końca. Pierwszą rzeczą, jaką zauważyłam, był jego uśmiech w chwili, gdy się do mnie zbliżał: ciepły i otwarty. Drugą było to, że jego blond włosy i szczupłe ciało sprawiały, iż przywodził na myśl młodego Kiefera Sutherlanda. Co było trzecie? Jasna cholera! W co był ubrany? W czarny garnitur z czarną koszulą.

Jedna osoba od stóp do głów na czarno oznacza stratę kogoś bliskiego, dwie stanowią jawny znak nadciągającego napadu na bank.

– Hej, pasujemy do siebie! – wykrzyknął. Ale spostrzegawczy.

– To dobrze czy źle?

– Zależy, czy ktoś zadzwoni na policję, by na nas donieść. Wyglądamy podejrzanie jesteśmy podobni do kryminalistów z wczorajszego *Dziewięć dziewięć siedem*.

Zaśmiał się bez jakiegokolwiek śladu zahamowania czy speszenia. Spodobało mi się to. Zlikwidowało mój ogromny zapas zgrozy i przerażenia i zastąpiło je narastającą gotowością, by się dobrze bawić. Chodzi tylko o kilka godzin mojego życia (to chyba nie takie trudne?), jesteśmy w miejscu publicznym (cóż złego może mi zrobić?), spędziłam trzy godziny na Google, zgłębiając rolę maklera giełdowego (na wypadek momentów niezręcznej ciszy) i udało mi się wygenerować jedną zabawną replikę (nie jestem ostatnią sierotą). Kiedy wskazano nam stolik, Jon przepuścił mnie przodem (dobre maniery), następnie pomógł mi usiąść (bardzo uprzejmie), po czym zapytał, czego się napiję (czuły, troskliwy). Po gościach, na których byłam ostatnio narażona, moje romantyczne „ja" czuło, że trafia szóstkę w lotto.

Jak zwykle tło naszego spotkania wymagało, bym wyjaśniła parę rzeczy. Zapewniłam go więc, że solniczka nie jest na podsłuchu, w roślinach w lokalu nie ma kamer, a Zara nie wpadnie niespodziewanie z kryształową kulą w rękach.

Dobra, głęboki wdech i czas wprowadzić w życie zasadę Zary numer siedem: ...*w czasie trwania wieczoru powinna zostać zgromadzona najszersza możliwa wiedza dotycząca przeszłości spotkań romantycznych kandydata. Podobnie uzyskane powinny zostać dane dotyczące rodziny i zatrudnienia kandydata.*

– Mam nadzieję, że nie będziesz miał nic przeciwko temu, że zapytam – powiedziałam to z wahaniem, które wskazywało, że ja mam coś przeciwko zadawaniu jakichkolwiek pytań. – Co sprawiło, że zgłosiłeś się do projektu?

– Właściwie to się nie zgłosiłem.

– Ależ owszem, zgłosiłeś się.

Uśmiechał się od ucha do ucha.

– Naprawdę, przysięgam, że się nie zgłosiłem. Zrobiła to moja szesnastoletnia siostra, która spędza życie na wynajdywaniu sposobów, by poniżyć i rozgniewać swojego brata. W sumie to mógłbym do niej zadzwonić i powiedzieć, że jej plan totalnie nie wypalił.

Mmm, słodki pochlebca. Moje romantyczne „ja" z dzikim entuzjazmem wymazywało z listy określenia „głodny sławy" i „zdesperowany" i na ich miejsce wpisywało „przyjacielski" i „czarujący".

– A jak ty tutaj wylądowałaś? – chciał wiedzieć Jon.

Wzruszyłam ramionami.

– Jestem osobistą asystentką Zary i to część mojej pracy. Dwanaście randek z różnymi znakami zodiaku.

– A ile miałaś dotychczas?

– Jesteś numerem piątym. Zdążyłam spotkać Skorpiona, Lwa, Koziorożca i Barana.

Jon był naprawdę zaintrygowany.

– I podoba ci się to?

Rozważyłam stojące przede mną możliwości. Ujawnianie jakichkolwiek informacji byłoby całkowitym złamaniem czwartej zasady projektu Zary: *Żadne informacje personalne, szczegóły kontaktu, materiały firmowe ani treści rozmów wewnątrzfirmowych nie powinny być ujawniane kandydatowi.* I nawet jeśli miałabym być buntowniczką i nie stosować się do zaleceń wszystkowidzącej, byłoby grzecznie i dyskretnie oznajmić, że wszystko przebiega bezbłędnie, a przy okazji w niebanalny sposób poznaję ludzką naturę.

To był moment, by użyć inteligencji, myśleć rozsądnie i podejmować właściwe decyzje.

Jednak jakimś cudem z moich ust wyrwał się chichot, a ja wyszeptałam:

– Nie, cholernie tego nienawidzę.

Z niewiadomych przyczyn Jon uznał to za zabawne i wybuchnęliśmy radością tak irracjonalną i niepohamowaną, że ludzie przy sąsiednich stolikach nie mogli oprzeć się pokusie rzucenia okiem na Bonnie i Clyde'a.

Po godzinie miłej rozmowy odkryłam coś bardzo niezwykłego: Jon jest... normalny. Bez zarzutu. Bez wyraźnych kompleksów, objawów szaleństwa ani zwyrodniałych skłonności. Po prostu cudownie, efektownie, kojąco normalny. Ma młodszą siostrę, pochodzi z Devonu i przeniósł się do Londynu, gdzie założył firmę maklerską. Kocha swoich rodziców, mieszka w Islington, gra w squasha, co drugi dzień przebiega trzy mile, lubi podróżować, jeździ mini i uwielbia chodzić do klubów, w których występują komicy. Cechuje go szybkie, autoironiczne poczucie humoru, które jakimś sposobem sprawia, że wspaniale spędza się z nim czas. O radości!

Mój lęk i rozpaczliwa potrzeba, by mieć już tę noc za sobą, zjechały na bocznicę, gdzie parkowały moje nerwy sprzed spotkania.

Wyskoczyłam na moment do toalety. Gdy tylko zamknęłam drzwi kabiny, wydobyłam z torebki telefon i zadzwoniłam do Trish. Odebrała po pierwszym sygnale.

– Po prostu mnie zamorduj. Ognie Potępienia grają w programie w poniedziałek i właśnie zażądali obecności satanistycznego kapłana i trzech żywych kurczaków. Co mnie podkusiło, żeby wziąć tę pracę?

– Nie mam pojęcia. A wiesz co? – wyszeptałam, chwilowo zapominając, że Trish nie cierpi zarówno szeptania, jak i głupawych pytań.

– Zostałaś lesbą i masz w tej właśnie chwili na języku Angelinę Jolie?

– Owszem. A poza tym, to ten jest naprawdę fajny.

– To samo mówiłaś o muzyku.

– Wiem, ale ten jest w dodatku zabawny. I to dziwne, ale jest między nami coś, co nas łączy.

– Macie ze sobą naprawdę dużo wspólnego. Na przykład nie potraficie znaleźć sobie partnerów konwencjonalnymi sposobami.

– Będziesz cicho? Proszę, zadzwoń do Stu i powiedz mu, że wszystko u mnie w porządku. Dostaje szału, gdy w czasie moich randek nie zdaję mu raportów co trzy minuty.

– Zaiste tak uczynię, Wasza Królewska Mość. A teraz wracaj do Pana Niesamowitego i pamiętaj, co ci mówiłam... kiedy skończą wam się tematy...

– Tak? – spytałam, zachodząc w głowę, jakiej to cennej porady udzieliła mi wcześniej moja droga przyjaciółka.

– Wskocz pod stół i rozepnij mu rozporek.

Postanowiłam nie zadawać sobie trudu i nie uświadamiać jej, że byłoby to bezpośrednie złamanie piątej zasady projektu Zary: *Kontakt fizyczny z kandydatami nie powinien być inicjowany.* Zamiast tego rozłączyłam się, wyszłam z kabiny i skierowałam do drzwi.

– Przepraszam...

Odwóciłam się, by zobaczyć Audrey Hepburn stojącą w rogu i wyglądającą na nieco czymś skrępowaną. Podeszła do mnie i wręczyła mi ulotkę.

– Hej – rzuciła – weź to. Chcę, żebyś wiedziała, że ja też przez to przeszłam. Te szepty, chichoty, to kombinowanie ukradkiem. Może to pomoże.

To powiedziawszy, znikła za drzwiami.

Mój wzrok powędrował na ulotkę i nagłówek:

JESTEŚ W PUŁAPCE KOKAINOWEGO NAŁOGU?
MOŻEMY CI POMÓC!

Dlaczego? Dlaczego ktokolwiek mógł tak pomyśleć? Pognałam do Jona Bliźniaka i położyłam przed nim ulotkę, szepcząc:

– Ktoś właśnie dał mi to w toalecie. Najwyraźniej wyglądam podejrzanie.

Przeanalizowaliśmy to wydarzenie w chłodny i obiektywny sposób – dostając kolejnego ataku niekontrolowanego śmiechu.

Wytarłam łzy rozbawienia i wzięłam łyżeczkę. Tak, należy się uspokoić. Najwyraźniej stres i napięcie związane z randkowaniem doprowadza mnie na granice histerii.

– Często ci się zdarzają takie rzeczy, wiesz, nietypowe? – zapytał Jon szpiegowskim tonem.

– Kilka miesięcy temu odpowiedź na to pytanie brzmiałaby: „zdecydowanie nie".

– A teraz?

– Teraz to norma. Opowiedzenie ci wszystkiego zajęłoby mi całą noc...

– Wal! – zachęcił mnie z uśmiechem

Fachowy zespół prawników bez trudu odkryłby, że niejedno z tego, o czym tak chętnie mu opowiedziałam, było złamaniem zmowy milczenia zarządzonej przez Zarę, ale Jon był naprawdę uroczo zainteresowany, i to zupełnie nie w stylu: „owszem, udaję ciekawość, ale tylko po to, by wylądować z tobą w łóżku jeszcze tej nocy", ani w stylu: „gram zainteresowanego, a tylko czekam na moment, aż uda mi się wtrącić wymówkę o chorej papużce i dać nogę". Był po prostu... hm... urzekający.

Rozmowa dzięki temu posuwała się płynnie naprzód, pozwalając mi uniknąć zalecanych przez Trish metod usprawniania randki.

– Wierzysz w tę całą astrologię? – zapytał, kiedy kelnerka przyniosła desery, robiąc pauzę, gdy przechodzili koło nas Audrey Hepburn ze swoim nadzianym chłopakiem. Wbiła we mnie pełne współczucia spojrzenie, które, kiedy tylko dostatecznie się oddaliła, pchnęło nas w objęcia chichotu.

Odetchnęłam i zdmuchnęłam sobie włosy z oczu (fryzura zrobiona przez Stu może i wygląda wspaniale, ale daje też absolutną gwarancję zapalenia spojówek pod koniec tygodnia) i odzyskałam powagę na tyle, by móc odpowiedzieć na pytanie, wzruszając ramionami.

– Szczerze mówiąc, sama nie wiem. Wiesz, zawsze sprawdzam swój horoskop w gazecie, ale wierzę w niego tylko wtedy, gdy jest optymistyczny. Nie jest to coś, co kiedykolwiek mnie fascynowało. Chociaż teraz się to zmienia – dodałam po chwili namysłu.

– A to dlaczego?

– Bo to szalenie ciekawe. A Zara, chociaż, no wiesz, jest nieco... ekscentryczna to jedna z najlepszych pań astrologów w kraju. Zewsząd ściągają ludzie na sesje z nią. Nie działo by się to, gdyby w jej wróżbach nie było choćby odrobiny prawdy. Dobra, a co ty o tym sądzisz? Dzień się nie zacznie, dopóki nie sprawdzisz, jakie plany ułożyły dla ciebie gwiazdy?

– Mmm, nie jestem pewny – odpowiedział Jon z szerokim uśmiechem – Należę raczej do wierzących tylko faktom i rzeczom, które można zobaczyć lub udowodnić. Chyba że chodzi o moją siostrę – wtedy wszystko jest możliwe.

To powiedziawszy, ujął moje dłonie, spojrzał w górę i wyszeptał rozbawiony:

– O, tajemne siły kosmosu, ześlijcie nam znak, jakikolwiek, że jesteśmy tylko marnymi pionkami w twojej kosmicznej grze w butelkę.

Pochyliłam się w jego stronę.

– Jon, jaki znak masz na myśli? – zapytałam cicho, podejmując grę.

– Cokolwiek. No, dalej, kosmosie, przyłóż się trochę. Niechże coś się wydarzy.

Nic. Zero. Wzruszył ramionami.

– Hm, wygląda na to, że nadal będę musiał polegać na farcie i uroku osobistym – powiedział ze skromnym uśmiechem.

I wtedy objawił nam się znak.

O dwudziestej w piątek tłum gości jednej z najbardziej szpanerskich londyńskich restauracji usłyszał ogłuszający wrzask.

16
W rozgwieżdżoną noc

– Bardzo cię przepraszam za to wszystko. Naprawdę... przepraszam.

– Nie przejmuj się. Mówiłem ci, że dzięki temu nie zapomnimy tej nocy, mimo iż nie będziemy mogli tam pójść przez jakiś czas.

„Przez jakiś czas" w tym przypadku oznaczało „nigdy".

Nie mogłam w to uwierzyć. Sugerował, że jeszcze kiedyś się spotkamy, mimo iż napędziłam mu stracha, narobiłam kolosalnego zamieszania, zrujnowałam kilka wieczorów przy świecach, ściągnęłam na siebie uwagę ludzi w całej restauracji i naraziłam na szwank dobre imię popularnego lokalu.

A dlaczego?

Zasrane sztuczne rzęsy.

A dokładniej mały strzęp moich jakże modnych sztucznych rzęs, który jakimś sposobem odkleił się od powieki i wylądował w deserze, tworząc coś, co wyglądało jak przepołowiona tarantula wystająca z gęstego puddingu toffi. Zdołałam tylko zauważyć coś przypominającego cztery podrygujące owadzie nogi, a mój chorobliwy lęk przed stawonogami dokonał reszty, odbierając mi panowanie nad odruchami. Mój wrzask ściągnął cały personel restauracji, a najbliżej epicentrum znalazł się kelner o podobnie nerwowym usposobieniu. Przez wieki będzie żałował, że zdarzyło mu się zauważyć rzekomego pająka właśnie wtedy, gdy niósł sześć dań do stolika paryskich modnisiów.

Zapłaciliśmy i szybko się stamtąd ulotniliśmy, zażenowani i coraz bardziej zakłopotani demonstracyjnie głośnym zachowaniem Francuzki grożącej procesem sądowym za to, co spora porcja krewetkowej tempury zrobiła z jej torebką z Bottega Veneta.

Kiedy znaleźliśmy się na dworze, byłam przekonana, że Jon odwali standardowe „było fajnie, miło było cię spotkać i dzięki za cudowny wieczór, ale muszę lecieć". Ku mojemu zaskoczeniu zasugerował jednak, żebyśmy skoczyli do baru w pobliskim hotelu Metropolitan.

– Powinnam dowiedzieć się najwięcej, jak to możliwe o twoich poprzednich związkach, ale w sposób sprytny i podstępny, tak żebyś nie miał ani krzty wrażenia, że cię przesłuchuję. Bądź wobec tego tak miły i zwierz mi się, bo chwilowo nie ma we mnie ani grama sprytu i podstępności.

Jon się zawahał.

– Nie będziesz zachwycona.

– Nie będę? – Dupa tam! Wiedziałam, że nie może być źle, o nie.

– Trzy rozwody, siódemka dzieci.

– Chyba żartujesz – wykrztusiłam

– Owszem. Ale to dlatego, że prawda jest dużo mniej ciekawa.

– Dla mnie prawda jest w porządku.

Fiu-fiu-fiu.

– Dobra, streśćmy to zatem w punktach:

- Nigdy nie żonaty.
- Czteroletni związek w czasie studiów, ale wszystko skończyło się, kiedy uświadomiliśmy sobie, że interesują nas zupełnie różne rzeczy.
- Dwuletni związek, który dobiegł końca, kiedy została przeniesiona do nowojorskiego oddziału jej banku.
- Singiel przez ostatnie trzy miesiące.

Do „zajmujący, ciekawy i umiejący słuchać" dodałam w myślach „konkretny i wiarygodny". Hej, z drugiej jednak strony, czyż Trish nie miała racji, że dokładnie to samo myślałam o tym nieszczęsnym grajku imieniem Matt?

Nie pytajcie mnie jednak dlaczego, skoro i tak już wiadomo, że moje umiejętności szybkiej oceny ludzi są porównywalne do mojej wprawy w tańczeniu ludowego tańca morris z jednoczesnym mówieniem językiem Kurdów, ale Jon wydawał się inny. Bardziej naturalny. Przyjemniejszy.

– Proszę pani, taksówka czeka – poinformował mnie portier, który, mimo iż była druga nad ranem, był imponująco pełen życia.

Nagle Jon złapał mnie za rękę, a moje walące jak oszalałe serce w duecie z uginającymi się kolanami informowało mnie, że istnieje całkiem spora szansa na wystąpienie za moment niezręcznego: całujemy się czy nie, a jeśli tak, to gdzie, w usta czy w policzek?

Mój wewnętrzny głos (ten, który jest wybitnym specjalistą od chronienia mnie przed niezręcznymi sytuacjami) odezwał się i zacytował szóstą zasadę projektu Zary: *Jakakolwiek próba kontaktu fizycznego powinna zostać odrzucona, lecz także odnotowana dla celów późniejszej analizy.*

– Muszę iść – powiedziałam z nutą smutku. Spędziłam całkiem miłą noc z gościem, który nie wymachiwał bronią, nie zachowywał się obraźliwie, nie robił mi wiwisekcji, ani też nie uszkodził mnie fizycznie. To niewątpliwe plusy.

– Leni, to był naprawdę super wieczór. Nawet nie wiesz, jaki będę miły dla siostry za to, że mnie w to wmanewrowała.

Nasze uśmiechy, godne istot pozbawionych mózgów, idealnie się zgrały.

– Muszę jednak przyznać, że całe to umawianie się „zgodnie ze znakami zodiaku" trochę mnie niepokoi. Uważam się za otwartego, ale moja dziewczyna umawiająca się ze stadem obcych facetów może przyprawić mnie o bezsenność.

Dziewczyna? Powiedział „moja dziewczyna"? Jakie to cholernie zarozumiałe! Jak diabelnie aroganckie! Jak... Hm, tak, znów dodałam do opisu „uroczy".

– Więc tak się zastanawiam, czy moglibyśmy się jeszcze kiedyś spotkać, kiedy to wszystko się skończy? Jeśli wciąż będziesz wolna, rzecz jasna.

Ach, jak słodko. Zawiesił głos, najwyraźniej zastanawiając się, co by tu dodać.

– Ale w międzyczasie, tak sobie myślę, może moglibyśmy zdzwonić się czasem i napisać e-mail, żeby się lepiej poznać. Co ty na to? Mogłoby tak być?

Niestety, wiedziałam, że nie. Zasady ósma i dziewiąta projektu Zary głosiły: *Żadne informacje personalne, szczegóły kontraktu, materiały firmowe, ani treści rozmów wewnątrzfirmowych nie powinny być ujawniane kandydatowi. Jakikolwiek kontakt po zorganizowanym spotkaniu jest stanowczo zabroniony.*

Tak więc było to całkowicie niemożliwe. To po prostu nie może się stać. Jesteśmy w złym miejscu i w niewłaściwym czasie. Tak chciał los. I na tym skończyły mi się banały

– Mmm, byłoby super – wydusiłam.

PROJEKT RANDKOWY *WSZYSTKO JEST W GWIAZDACH* – PODSUMOWANIE

Lew	Harry Henshall	niezdrowa fascynacja komputerową przemocą
Skorpion	Matt Warden	lider zespołu, kłamliwy dupek
Baran	Daniel Jones	bez szans na karierę jako trener asertywności
Koziorożec	Craig Cunningham	terapeuta związków, wzbudza gwałtowną agresję
Bliźnięta	Jon Belmont	zdecydowany potencjał – potajemne plany na spotkanie w przyszłości

E-mail
Do: Trish; Stu
Od: Leni Lomond
Odp: Gdyby ostatnia randka miała mieć formę ogłoszenia towarzyskiego, to brzmiałoby ono mniej więcej tak...

ODMAWIAM OMÓWIENIA SPOTKANEGO WCZORAJ PRAWDZIWEGO SKARBU, ZE WZGLĘDU NA PLANY PONOWNEGO SPOTKANIA. UJMUJĄC TO W STYLU WIEDŹMY Z HORRORU: JEST MÓJ! CAŁY MÓJ!
PS: Proszę zrozumieć, że moja niepoczytalność spowodowana jest przez urazy psychiczne wyniesione z poprzednich spotkań. Jednak teraz, gdy udało mi się wreszcie spotkać tego jedynego, przyzwoitego, kochanego, wolnego faceta w Londynie, możliwe, że moje zachowanie przybierze postać totalnego wariactwa i zacznę knuć, jak go porwać i uwięzić. Jeśli miałoby się tak stać, proszę o ubezwłasnowolnienie mnie odpowiednio wcześniej, nim zdołam zrobić krzywdę sobie lub osobom trzecim. Z góry dziękuję.

17

Obcość kosmosu

Millie stała ze skrzyżowanymi ramionami i sceptycyzmem malującym się na trupio bladej twarzy. Nawet ja, totalna ignorantka w sprawach wizażu, nie miałam wątpliwości, że źdźiebko samoopalacza byłoby jak najbardziej na miejscu.

Jej niezwykły styl plasował się gdzieś pomiędzy wyglądem Dity von Teese a Morticią z *Rodziny Addamsów.* Dziś zdecydowanie ciążyła ku tej pierwszej, mając włosy uczesane z przedziałkiem z boku i opadające na ramię, szkarłatną szminkę i biust uniesiony wysoko nad szerokim na osiem cali pasem, który nadawał jej talii szerokość mniej więcej mojego uda.

– Słucham? – spytałam niewinnie.

– Co więc jest z nim nie tak? – spytała, emanując cynizmem.

– Z wyjątkiem garba i kuli, wszystko w jak najlepszym porządku – zareplikowałam lekko. – Był fajny. Podobał mi się. Zamierzamy pozostać w kontakcie, ale nie mów o tym Zarze, bo jej Duchowy Doradca Do Spraw Tolerancji i Zrozumienia zatłucze mnie gołymi rękami.

Zastanawiała się nad tym przez chwilę.

– Tylko bądź ostrożna, Leni. Nie ufaj do końca facetom, którzy piszą listy do programów telewizyjnych.

– To nie on pisał, tylko jego siostra.

Brwi Millie uniosły się w górę na znak osiągnięcia przez ich właścicielkę maksymalnego poziomu cyniczności. Odpędziłam jej negatywne wibracje, rzucając na blat przed nią białe pudełko.

– Pączki na lunch. Rezygnuję z pojedynku na zgadywanie z ewidentną mistrzynią. Nie zniosę dłużej upokorzeń.

Z uśmiechem uniosła ręce.

– Po raz kolejny zwycięstwo! – krzyknęła triumfalnie w kierunku podrobionych gwiazdozbiorów na ciemnogranatowym suficie.

Huknęłam ją długą kartonową tubą, w której przyszła jakaś przesyłka.

– Nie bądź zbyt pewna siebie, kusicielko. Pewnego dnia rozpracuję twój system.

Popędziłam schodami na górę. Poniedziałkowy ranek. W grę wchodziło z tuzin różnych scenariuszy rozwoju wydarzeń. Jeśli Zarze udało się spędzić spokojny i satysfakcjonujący weekend, będzie na pewno oazą spokoju i reszta dnia minie w błogiej atmosferze. Z drugiej strony, jeśli dwa poprzednie dni były pełne frustracji i nie dały jej wytchnienia, następne osiem godzin będzie lawirowaniem między atakami szału a chwilami opętania, okraszonymi szczyptą irracjonalności dla utrzymania wybuchowej atmosfery.

Mogła na przykład, idąc za ciosem ostatniej rewolucji w fitnessie, wisieć w urządzeniu, którego sprzedaż jest zabroniona w kilku państwach. Mogła też dojść do wniosku, że ma pilną wiadomość natury duchowej dla znanej osobistości i moim zadaniem na dziś będzie wiszenie na telefonie, by załatwić jej spotkanie w cztery oczy. Ten wariant szczególnie mi nie odpowiadał, ponieważ z pewnością u kilkunastu agentów popularnych gwiazd figuruję na liście upierdliwców.

Oddychaj głęboko. Nacisnęłam klamkę i otworzyłam drzwi z uśmiechem i radosnym „Dzień Dobry, Zaro" na końcu języka, gotowa na...

Nieee, zdecydowanie nie byłam gotowa na to, co zobaczyłam. Twarz Zary. Tylko twarz. Była to jedyna część jej ciała wystająca z ogromnej dmuchanej kuli o średnicy, na oko, dwóch metrów. Wyglądała jak prototyp jednoosobowego urządzenia do przemierzania kosmosu. Albo zeppelin. Tak, na to wyglądało. Zeszłej nocy położyła się pewnie spać zupełnie normalna, a obudziła się przemieniona w wypełniony gazem sterowiec rodem z początków lotnictwa.

– Dobry, Leni! – zagrzmiała, najwyraźniej nieświadoma faktu, że może przy pomyślnych wiatrach przedostać się znad Londynu nad Francję w mniej więcej dwie godziny.

– Dobry, Zaro – rzuciłam lekko, biorąc udział w wymianie zdań, która odbywała się jednocześnie w niezliczonej liczbie biur w całym Londynie.

– Juan pomaga mi przywrócić równowagę moich wewnętrznych energii – wyjaśniła. Zapewne gestem wskazywała drobnego, ciemnego człowieczka siedzącego w kącie z pompką w rękach, ale nie mogłam być tego pewna, bo nie widziałam jej rąk.

– Jak tam wczorajsza randka? Pan Bliźnięta, prawda?

Przytaknęłam.

– Super. Był całkiem w porządku. Wezmę tylko laptopa i napiszę raport tuż obok.

Wykombinowałam szybko, że to najlepsze rozwiązanie. Zdecydowanie nie zamierzałam zakłócić jej procesu osiągania równowagi energetycznej. Chciałam pozwolić Zarze skoncentrować się na sobie samej. I byłam solidnie zaniepokojona, że w każdej chwili balon może trzasnąć, a Zara zacznie odbijać się od ścian niczym bezpańska torpeda, niosąc śmierć nam obydwu.

W pokoju konferencyjnym uznałam, że raport może poczekać jeszcze kilka minut i zadzwoniłam do Trish, która odebrała z tradycyjnym:

– Streszczaj się, nie mam w ogóle, w ogóle czasu.

– To naprawdę urzekające, że moja najlepsza przyjaciółka zawsze ma dla mnie chwilkę.

Udało jej się wykryć sarkazm w moim głosie... co oczywiście mi nie pomogło.

– Tłumaczyłam ci przecież, że od szóstej rano do szesnastej twoim najlepszym przyjacielem jest Stu. Ja obejmuję to stanowisko, kiedy tylko skończę pracę. I dziś nie mam siły na twoje dramaty – Grey ma dzienną zmianę i w nocy nie dał mi spać. Jestem wykończona. Przysięgam, chyba zażera się ukradkiem tymi niebieskimi pigułkami. Ale, ale, słyszę, że zeszłonocny lowelas nie zamordował cię i nie zostawił gdzieś w worku na pożywkę dla szczurów. To dobrze o nim świadczy.

– Też mi się tak wydaje. Mówiłam ci przecież, że jest fajny.

– Fajny? To znaczy, że dostęp do twoich majtek ma gwarantowany?

– Chciałam ci przypomnieć, że w czasie trwania projektu moje majtki pozostają na swoim miejscu.

– Ach, do ciężkiej cholery, ktoś w poczekalni dla artystów postawił kanapki z bekonem.

– I co w tym złego?

– Dziś gościem jest Fenella Smith McTartney. To wojująca wegetarianka. Jej ludzie runą na mnie jak myśliwce.

– To po drodze mają szansę spotkać Zarę. Dziś ubrana jest w balon meteorologiczny.

– Ta kobieta jest zdrowo szurnięta. A, i między nami, po ostatnim programie było trochę marudzenia na Zarę, wciskającą wszędzie tę swoją książkę i swoje namiary na antenie. Możesz jej dać do zrozumienia, żeby trochę wyluzowała z autopromocją? Ale wracając do poważnych kwestii, panno Żelazne Majtki. Kiedy dane ci było odbyć ostatnie nagie zapasy w pościeli?

Zawyłam z oburzenia.

– Co?! Odmawiam odpowiedzi. Zresztą i tak dobrze wiesz.

– Owszem, ale powiedzenie tego na głos może ułatwić ci zaakceptowanie tej tragicznej prawdy. Dawaj, możesz zaokrąglić do pełnego roku.

– Kategorycznie. Odmawiam. Odpowiedzi. Nie będę z tobą omawiała mojego życia erotycznego i to o dziewiątej rano.

– Kurde, ale jesteś uparta. No dobra, ale mówię ci, jeśli trafi ci się niezły gość, to nie ma nic złego w spędzeniu z nim jednorazowo upojnej nocy, chociażby ze względów zdrowotnych. Nie myśl nawet, że to seks, to będzie po prostu przyjemny sposób na utrzymanie w jako takiej formie mięśni miednicy.

– Jesteś skrzywiona. I przerażająca. Poważnie.

– O ja pieprzę! Fenella wpiernicza bekon. Musiała uznać, że to wegetariańskie żarcie. Lecę, skarbie, akt oskarżenia wisi nad moją głową...

Klik.

Odłożyłam słuchawkę, żywiąc nadzieję, że nikt w biurze nie padł ofiarą naszego żenującego systemu telefonicznego i niechcący nie włączył się do rozmowy.

Od jak dawna Trish mnie zna? Czy kiedykolwiek zdarzyła mi się jednorazowa upojna noc? No, w zasadzie była jedna, ale rozmawiałam z nim przedtem w Starbucks każdego ranka przez sześć miesięcy z rzędu i wolałam uznać to za długotrwałe zaloty... mimo że nasza wymiana zdań przed spotkaniem w pubie i wylądowaniem u niego w łóżku ograniczała się do: „Dzień dobry, co podać?", „Poproszę dużą latte i muffina z jagodami".

Tak, zdecydowanie mogę powiedzieć, że moje aktualne badania nad rodzajem męskim na zlecenie nadmuchiwanej znawczyni zodiaku w żaden sposób nie dotyczą mojej intymnej anatomii.

Zdecydowanie nie.

Z całą pewnością.

Jestem tego pewna.

W stu procentach.

I jest tylko kwestią czasu, kiedy ta teoria legnie w gruzach.

I to dosłownie.

18
Droga Mleczna

– Leni Lomond? Witamy ponownie, miło cię widzieć. Proszę dalej.

Nawet za dziesięć lat będę pamiętała, jak złamałam rękę, będę pamiętała szpital, w którym ją składano, i nie zapomnę uśmiechu pielęgniarza, który zawsze się mną zajmował.

Identyfikator na jego fartuchu informował, że ma na imię David, ale koledzy nazywali go Dave. Ja, oczywiście, się do nich nie zaliczałam, więc zwracałam się do niego per „panie pielęgniarzu".

Wprowadził mnie do malutkiego, skąpo umeblowanego pokoiku z odrapanym biurkiem, udającym drewno tekowe, dwoma plastikowymi krzesłami koloru pomarańczowego i całym zestawem medycznych gadżetów. Z boku widać było rozciągniętą między pożółkłymi od papierosowego dymu ścianami zasłonę, teraz częściowo odsuniętą, a za nią obitą brązową skórą kozetkę. Światło sączące się z lampek umieszczonych w suficie ani trochę nie niwelowało pierwszego wrażenia, że pokój jest nad wyraz nudny.

I oto stał przede mną David Canning, ubrany w niezwykle twarzowy błękitny strój pielęgniarza. Z dekoltu nie wystawało mu ani trochę owłosienia, co uznałam za dobry znak. Pielęgniarz na oddziale ratunkowym, gdzie znalazłam się podczas mojej pierwszej wizyty, wydawał się chować za pazuchą Dianę Ross.

– Dziś spotykasz się tylko ze mną – powiadomił mnie z uśmiechem. – To ostatnia wizyta i chcemy sprawdzić ruchomość w stawie i obrzęk, zanim pozwolimy ci pozbyć się bandaża.

Mówiąc to, zmrużył oczy, co natychmiast przekwalifikowało go z „przeciętniaka" na „wyglądającego całkiem fajnie". Jego oczy były ciemnoniebieskie, miał długie rzęsy i... Co ja najlepszego robię? Z niedowierzaniem stwierdziłam, że przyglądam się pielęgniarzowi jak kandydatowi na potencjalną randkę. Ten cholerny eksperyment włazi z buciorami w moje życie. Mężczyźni przestają być jedynie częścią otoczenia, a stają się sensem istnienia.

To niedorzeczne. Owszem, partner jest dla mnie bardzo wskazany. I owszem, byłoby super mieć kogoś oprócz Stu i Trish, z kim mogłabym spędzać weekendy. I ze wszech miar kilka orgazmów byłoby wspaniałym sposobem spędzenia wolnego kwadransa, ale czułam, że niebezpiecznie wciąga mnie obyczaj traktowania mężczyzn jak towaru, jakże daleki od mojego normalnego stylu bycia.

Ma naprawdę ładne oczy.

Aaaaa!

Delikatnie odwinął bandaż i odłożył go na obok, a następnie, chwyciwszy delikatnie mój nadgarstek, poprosił, bym poruszała nim w jedną i w drugą stronę. Rozluźnił nieco uchwyt i przeszliśmy do etapu zaciskania pięści i prostowania palców, kończąc na ostrożnym rozciąganiu i podnoszeniu niewielkich ciężarów. Mój nadgarstek był posłusznym pacjentem i chętnie wykonywał polecenia.

Przez cały czas badania na mojej twarzy gościł niemądry uśmiech. Ukradkiem łypałam na Davida, kiedy koncentrował się na mojej ręce, w skupieniu nieświadomie przeczesując ręką gęste, falujące, czarne włosy. A więc tak wygląda! Nagle zdałam sobie sprawę, że jest bardziej normalnym, mniej zepsutym bratem aktora Adama Greniera z serialu *Ekipa*, choć, rzecz jasna, pielęgniarz David Canning napawał swoich rodziców większą dumą niż ten drugi, rezygnując ze sławy, fortuny i całej dekadencji Hollywood na rzecz pomagania innym.

– Pełna ruchomość, odruchy w normie, nieznaczny obrzęk. Myślę, że jesteś już zdrowa, Leni.

– Dziękuję.

Nie miałam pojęcia, dlaczego mu podziękowałam. Ani dlaczego położyłam rękę na jego dłoni.

– Przepraszam! – Szybko cofnęłam zabłąkaną kończynę. Zbyt szybko niestety, bo zawadziłam o kubek stojący na biurku, rozbryzgując dookoła strumienie kawy. Niewiarygodne! Czyżby wracała moja niezgrabność z czasów dorastania?

– Kurczę, kurczę, przepraszam – mamrotałam, zachodząc jednocześnie w głowę, dlaczego przepraszam go w chwili, gdy kawa płynie sporym nurtem w moją stronę i tworzy okazałą plamę na przedzie mojej dżinsowej spódniczki. Czy miałam jakiś zatarg z kubkami z kawą?

David porwał z dystrybutora spore naręcze papierowych ręczników i podał mi, mówiąc:

– Masz, wytrzyj ciuchy, a ja zajmę się resztą. To moja wina, nie powinienem był zostawiać tego kubka na biurku.

– Nie, nie, to moja... – zaprzeczałam, nerwowo osuszając plamę i zdając sobie sprawę, że jedyne, co osiągam, to udekorowanie jej kawałkami ręcznika. Dlaczego to zawsze przydarza się mnie? Złamane ręce, rzęsy wywołujące panikę, rozlana kawa... Pragnę iść przez życie niesiona falą beztroski i mieć styl, a tymczasem natrafiam na kolejną mieliznę niezręczności, która na domiar złego sprawia, że wyglądam, jakbym miała kłopoty z nietrzymaniem moczu. Przeczytałam przecież od deski do deski *Wytworność dla opornych* i *Sztukę opanowania i pewności siebie*. Teraz mogę z całkowitą pewnością stwierdzić, że były to pozycje niewiele warte.

Pielęgniarz Dave skończył wycierać biurko, podniósł moją upapraną kartę pacjenta i powiesił ją na korkowej tablicy.

– Chyba pozwolę jej tu wyschnąć i wypełnię ją potem – powiedział i, co niezmiernie urocze z jego strony, w chwili, gdy spodziewałam się grymasu niesmaku, prawie się uśmiechnął. – A na razie jesteś wolna i chyba nie musisz nas już odwiedzać, chyba że pojawi się ból i zwiększy się obrzęk. Wtedy dzwoń bez wahania.

– Dzięki – wymamrotałam z twarzą koloru musu malinowego – i... em... przepraszam jeszcze raz.

– Nie przejmuj się. I uważaj na siebie.

– Będę uważała – zapewniłam go z przyklejonym do twarzy przepraszającym uśmiechem i ruszyłam tyłem do drzwi. Poniewczasie zorientowałam się, że nie jest to zbyt roztropne, ponieważ Dave mógł przyjrzeć się ogromnej brązowej plamie w okolicy mojego krocza.

Wymacałam klamkę, nacisnęłam ją, otworzyłam szybko drzwi i wyskoczyłam na korytarz. Tam błyskawicznie się obróciłam i zamknęłam je za sobą. Oparta o zamknięte drzwi oddychałam głęboko z zamkniętymi oczami. Ale wstyd. Jak cholernie głupio.

Na szczęście moja ręka wygląda na zdrową, pomyślałam, próbując przywrócić spokój na twarzy i przekonać ją do zmiany koloru na normalny. Nie będę musiała się tu więcej pokazywać i patrzeć Dave'owi w oczy.

Dwie sekundy później moje pośladki huknęły o podłogę i ujrzałam nad sobą uważne spojrzenie pielęgniarza Dave'a. Lekcja wygrzebywania się z niezręcznych sytuacji nr 456: *Zawsze bezzwłocznie opuszczaj miejsce zdarzenia – zwlekanie w celu zebrania myśli, a szczególnie opieranie się o drzwi, może zakończyć się przedłużaniem niezręcznej sytuacji.*

Zupełnie tym niewzruszony Dave pochylił się, by podnieść mnie jedną ręką, w drugiej trzymając listę pacjentów, na której coś sprawdzał.

– Sally Jane Scott! – obwieścił grupie zdumionych ludzi czekających na korytarzu.

Żująca gumę dziewczynka, na oko dziewięcioletnia, z wyjątkiem różowych opatrunków na obu rękach ubrana jak lalka Bratz, wstała z krzesła i stanęła na różowych koturnach. W chwili, gdy do nas podeszła, przesunęłam się trochę na bok, żeby mogła przejść.

– Pielęgniarzu Dave – wyszeptała

– Tak, Sally Jane?

Sally Jane wskazała mnie ruchem głowy.

– Proszę, niech mi pan nie daje tego co jej.

Wystrzeliłam stamtąd biegiem – na pewno z prędkością niedozwoloną na terenie szpitala – i podjęłam męską decyzję. Jest piętnasta, a ja obiecałam Zarze, że wrócę jeszcze do biura, by zadzwonić do jej refleksologa, kręgarza, zespołu tańca afrykańskiego i specjalisty od szczotkowania ciała (nie pytajcie) i umówić ich na ten tydzień. Muszę teraz usiąść za kierownicą i podjechać na dworzec. Cała droga do biura, w zależności od rozkładu jazdy pociągów, zajmie mi około godziny, więc najszybciej mogę tam być koło szesnastej. A potem, jeśli nic się nie przeciągnie, mam przed sobą kolejną jazdę pociągiem i kolejną jazdę samochodem – a wszystko tylko po to, by wykonać kilka telefonów. W końcu to wina Zary, że muszę się teraz błąkać po szpitalach, więc chrzanić to. Mam dość. Jestem zmęczona, zawstydzona, a ból pośladków jest jak sól na ranę. Zdecydowanie należy położyć kres narażaniu życia, kończyn i godności dla czyjegoś pożytku. Posłuszna i uległa Leni Lomond ma dość bycia... posłuszną i uległą Leni Lomond. Raz w życiu nie będę przejmowała się tym, co wypada. Zamiast tego zamierzam zrobić dokładnie to, na co mam ochotę, a w tej chwili mam ochotę podjąć niezbędne kroki, by poprawić sobie samopoczucie.

Gdzie jest najbliższy pub?

Nazwa Czerwony Lew przywodziła na myśl przybytek dla entuzjastów gry w rzutki i zwolenników głośnego chłeptania piwa, ale rzeczywistość była zupełnie inna. Był to wiekowy pub urządzony w byłej stacji dorożek, o kamiennych posadzkach, pełen spatynowanych przez czas dębowych mebli i perkalowych zasłon. Na ścianach wisiały obrazy w mahoniowych ramach, oświetlone światłem ognia z kominków, znajdujących się zarówno w barze, jak i w jadalni. Opuściłam szpitalne mury, zatrzymując się tylko po to, by kupić zestaw kojącej lektury składający się z „Cosmopolitana" i innych babskich gazet. Następnie, jadąc żółtym nissanem micrą do domu, po prosto zatrzymałam się w pierwszym pubie, jaki napotkałam. Popołudniowe popijanie w Czerwonym Lwie jest najprawdopodobniej pierwszym krokiem do alkoholizmu, uszkodzenia wątroby i przymusowego pobytu w ośrodku odwykowym, ale w tej chwili w ogóle mnie to nie obchodziło. No dobrze, jakaś część mnie cierpiała z powodu poczucia winy, ale starałam się to zignorować.

Zamówiłam (duży) kieliszek czerwonego wina i (jeszcze większą) paczkę czipsów o smaku steku i znalazłam ogromny, miękki fotel w rogu. Z dala od ognia, aby na pewno zboczyć z dzisiejszego kursu pełnego katastrof i uniknąć przypadkowego zapalenia się.

Wtuliłam się w obity wełną fotel koloru miedzi, oparłam nogi na wygodnym podnóżku, wyłączyłam komórkę i upijając spory łyk wina, otworzyłam kolorowy magazyn.

Tak, to jest to. Wiem, że moje postanowienie noworoczne mówiło o zastrzyku dodatkowych życiowych atrakcji, ale, doprawdy, nie takie atrakcje miałam na myśli. Przymknęłam na sekundę oczy i przywołałam obraz mojego biura w Kanalizacji Miejskiej, przeprowadziłam wyimaginowaną rozmowę z Archie'm Bothamem o jego spłuczkach i zadrżałam. Mój humor natychmiast poprawił się o kilka stopni. Motywowanie przez zastraszenie wcale nie jest głupim pomysłem.

Upiłam następny spory łyk shirazu i wróciłam do lektury, gotowa zagłębić się w historii niejakiej Janette z Barnstable, która wróciła pewnego wieczoru nieco wcześniej ze spotkania Strażników Wagi i zastała własnego męża pośrodku miłosnego trójkąta z jej siostrą bliźniaczką i najlepszą koleżanką. Biedactwo, za jednym zamachem straciła troje najważniejszych dla niej ludzi, szczęśliwie jednak trauma pozwoliła jej zrzucić ponad czterdzieści kilo i otrzymać za to coroczną nagrodę od swoich trenerów. Wnioski z tego płynące? Jeśli chodzi o gubienie kilogramów zawsze polegaj na rodzinie i najbliższych.

Mój plan działał. Godzinę temu byłam w otchłani rozpaczy, a teraz powoli zaczynałam czuć się jak ktoś wyjątkowy. Komu potrzebni są psychologowie, jeśli istnieją spłuczki, butelki dobrego czerwonego wina i magazyny pełne historii tak okropnych, że dusza od razu odzyskuje rumieńce?

– Uważaj na rękę, nie powinnaś jej przeciążać dźwiganiem kieliszka.

Pielęgniarz Dave. Stał tuż obok mnie. Zaczęłam odwracać się w jego stronę, kiedy...

– Stój! Nie ruszaj się! Ja podejdę! – wykrzyknął rozbawiony. – Nie chcemy powtórki tego, co wydarzyło się wcześniej.

Obszedł mnie i stanął naprzeciwko. Z ulgą spostrzegłam, że niebieski strój służbowy i białe buty zniknęły, a na ich miejsce pojawiły się ciemnogranatowe dżinsy (czyste i niewymięte), luźny podkoszulek (wyprasowany, z małym logo Teda Bakera) i podejrzanie modne sportowe buty.

– Na szczęście z plamą nie jest tak źle – zauważył, wskazując przód mojej spódnicy. Wstałam i pokazałam mu w całej okazałości pokaźną plamę, która dzięki obróceniu spódnicy w talii wskazywała, że nadal borykałam się z nietrzymaniem, teraz jednak dużo większego kalibru.

Dwie starsze panie przy sąsiednim stoliku sapnęły zdumione i zaczęły się na mnie gapić. Wykonałam drobny ukłon w stronę pielęgniarza Dave'a.

– Moim zadaniem jest zabawianie mas kosztem osobistego poniżenia.

– Jesteś w tym świetna – odparł z udawaną powagą.

– To umiejętność, którą pielęgnuję od lat – wyjaśniłam rzeczowo, zauważając, że: a) czerwone wino zaczyna powoli na mnie działać, zapewniając leczniczą dawkę nonszalancji i odwagi, oraz b) dwie starsze panie nadal się na mnie gapią.

Ta cięta replika wyczerpała jednak zasoby mojej nonszalancji i odwagi, zapadła więc niezręczna, przerażająca, pięciosekundowa cisza. Tym, który ją przerwał, był Dave.

– Przynieść ci coś do picia?

Wskazałam kieliszek na stole.

– Mam już wino, dzięki. A jeśli wypiję drugie, to incydent kosztujący mnie sporo wstydu i wymagający użycia mopa będzie nieunikniony.

Kurcze! Kolejna inteligentna odpowiedź. Zazwyczaj w stresowych sytuacjach potrzebuję około dziesięciu minut, by obmyślić zręczne zdanko, na które idealna chwila zwykle dawno mija. Zapamiętać: należy częściej pić.

– Dobra, w takim razie kupię sobie piwo.

Hej, mówi prawie tak, jakby był speszony. Niemal wstydliwy. Natychmiast pożałowałam swojej odpowiedzi, przewidując, że David uda się teraz w najodleglejszy koniec baru i spędzi resztę wieczoru, trzymając się z daleka ode mnie. Czy kiedykolwiek uda mi się zrobić coś dobrze? To, na czym zupełnie mi nie zależy, idzie mi jak z płatka, a tylko w sytuacjach, kiedy trzeba trzymać język za zębami, uśmiechać się i iść za ciosem, niezawodnie korzystam z okazji, by wygłosić jakieś stuprocentowo durne spostrzeżenie. Jestem całkowicie niezdolna do funkcjonowania wśród ludzi.

Wypuściłam powietrze z płuc i wygrałam bitwę na spojrzenia z ciocią Aggie i ciocią Ethel, dzięki czemu przestały się gapić, po czym wróciłam do bajecznego świata magazynów dla kobiet. I cóż z tego, że wypuściłam z rąk Pielęgniarza Dave'a, jakby był rozgrzaną do czerwoności patelnią – i tak chciałam pobyć trochę sama. Miałam ochotę podumać nieco we własnym towarzystwie, ponapawać się przyjemnym otoczeniem, pozwolić nieco ponad miarę wypchanym ramionom odrobinę nieświeżo zalatującego fotela przenieść mnie w krainę beztroski...

– To co, mogę się przyłączyć?

– Jasne, przysuń sobie krzesło

– Na pewno nie przeszkadzam? – Dave zerknął na zegarek. W ręku dzierżył butelkę budweisera – Mam się tu spotkać z bratem za dwadzieścia minut i wolałbym nie siedzieć całkiem sam, jak wyrzutek. – Raz. Dwa. Trzy... W tył zwrot. – To oczywiście, broń Boże, nie znaczy, że ty jesteś wyrzutkiem, siedząc tu sama. Oczywiście, że nie jesteś. To fajne miejsce, żeby się napić. Nawet samemu. To znaczy, nie każdego dnia, oczywiście, ale od czasu do czasu jest w porzo, a szczególnie dzisiaj, bo, wiesz, przez to całe wywalanie się i...

Musiałam wybawić go z opresji. Wyglądało na to, że rzucono na nas tę samą klątwę.

– Daj spokój. Zdaje się, że podłapałeś ode mnie wirusa gadania bez sensu i choroba rozwija się na całego – powiedziałam z uśmiechem.

Przysunął sobie identyczny fotel jak mój i usiadł, co zaowocowało kolejną posępną chwilą ciszy.

– Więc dziś masz wolne?

– Skończyłeś już pracę?

Wypowiedzieliśmy te zdania w tym samym momencie, co było równoznaczne z próbą przełamywania lodów za pomocą bomby atomowej.

– Ja jestem na wagarach. Moja szefowa doprowadza mnie do szału, więc szukam ukojenia w babskich gazetach i winie. Fakt, trochę jak wyrzutek.

Moje wyzywające spojrzenie spotkało się z jego zmieszaniem. Urocze.

– A ty co? Masz przerwę?

– Nie. Skończyłem na dziś. – Uniósł wymownie butelkę piwa. – Mam w tym tygodniu wcześniejszą zmianę, co uwielbiam, bo nie muszę przebywać wśród połamańców i innych nieszczęśników na oddziale, a tylko wśród miłych, normalnych i trzeźwych ludzi. Co nie dotyczy tutaj obecnych, rzecz jasna.

– Hej! To dopiero mój pierwszy kieliszek. A zanim wypiszesz mi skierowanie na detoks, wiedz, że nie piję zbyt często. W zasadzie nigdy, chociaż są wyjątkowe sytuacje...

Stuknął butelką w mój kieliszek.

– Tak czy siak, cieszę się, że dziś jest akurat ten dzień. A tak przy okazji, jestem Dave.

– Wiem. Przeczytałam na twoim identyfikatorze.

– Zawsze jesteś taka czujna?

– Tylko wtedy, gdy nie są to rzeczy, które można upuścić, zmiażdżyć, albo o które można się potknąć.

Uśmiechnął się i znów spojrzał na zegarek.

– Mój brat będzie tu za kwadrans. Może to wystarczy, żebyś opowiedziała o tych wyjątkowych sytuacjach?

– Przykro mi, nie. Lista jest bardzo, bardzo długa i nie można jej streścić.

Bzzz. Bzzz. Bzzz. Komórka, którą położył na stole, zaczęła wściekle wibrować i przesuwać się po dębowym blacie. Złapał ją w ostatniej chwili i spojrzał na wyświetlacz.

– To wiadomość od brata. Niestety nie przyjdzie – westchnął. – To już trzeci raz w tym tygodniu. Pracuje w wydziale śledczym, więc gdy trafi się jakaś duża sprawa, ma nadgodziny.

Przez następne pięć sekund milczenia czekałam, aż Dave oznajmi, że w takim razie już sobie pójdzie. Wypił piwo i postawił pustą butelkę tuż obok komórki.

– Wygląda na to, że powinienem pójść do domu.

Nie ma sprawy! I tak nie mogę się doczekać, by wrócić do swoich magazynów. I odkąd się pojawił, prawie nie tknęłam wina. Byłoby uroczo zatopić się w rozkosznej beztrosce i podjąć naprawę mojej poranionej duszy. A może zafunduję sobie jeszcze jedną paczkę czipsów i Bacardi Breezera?

– Chyba, że... – podjął.

– Tak?

– Chyba że kupię nam jeszcze coś do picia, a ty przybliżysz mi te zagadkowe wyjątkowe sytuacje. Bez żadnego streszczania, naturalnie.

Zanim to sobie uświadomiłam, moją twarz opromienił uśmiech, głowa gorliwie przytaknęła, a usta powiedziały:

– Dobra, umowa stoi.

Kiedy David poszedł do baru, zastanowiłam się nad ironią całej sytuacji. W zeszłym roku w moim randkowym życiu panowała taka posucha, że powinnam spodziewać się ostrzeżenia z ministerstwa zdrowia. A teraz randki zdarzają się zupełnie nieproszone.

Zaraz, właściwie to nie randka, poprawiłam się w myślach, tylko miły zbieg okoliczności. Dwoje znających się z widzenia ludzi wpadło na siebie w pubie, zgadza się, ale do randki jeszcze daleko.

Lecz... hm... oddalone w czasie o kilka godzin gwałtowne zetknięcie się naszych intymnych części ciała może nadać temu spotkaniu zupełnie inną rangę.

19

Całkowite zaćmienie serca

– Ktoś zmienił zamki! – jęknęłam, opierając się zrezygnowana o framugę. Czyżbym zapomniała zapłacić czynsz? A może ktoś zabarykadował się w moim mieszkaniu? Może dokładnie w tej chwili gang naćpanych nastolatków spędza u mnie miło czas, opróżniając lodówkę i grzebiąc w szufladach z bielizną, dyskutując jednocześnie przez komórkę ze swoim prawnikiem na temat zajęcia lokalu przez zasiedzenie?

Kiedy rozważałam zadzwonienie do Biura Porad Obywatelskich, drzwi się otworzyły i pojawiła się rozbawiona twarz.

– To nie te drzwi, Leni, skarbie. Wypiłaś ciut za dużo, prawda?

– Przepraszam, pani Naismith. – W reakcji na potworny wstyd moje ciało napięło się jak struna. – Kupię pani jutro paczkę papierosów – obiecałam, albo tak mi się wydawało, bo po wypiciu całej butelki wina sprawność mojego umysłu oraz jakość pamięci pozostawiały wiele do życzenia.

– Och, nie trzeba, skarbie, nic się nie stało. Cieszę się, że dobrze się bawisz. Czy nie powtarzam ci na okrągło, że jesteś młoda i powinnaś używać życia?

Ale poniżenie. Po raz kolejny usłyszałam cenną życiową poradę, tym razem od dobrotliwej, lecz bardzo bezpośredniej siedemdziesięcioletniej sąsiadki.

Odwróciłam się o dziewięćdziesiąt stopni, czknęłam, włożyłam klucz do odpowiedniego zamka i chwiejąc się, zniknęłam za drzwiami. Wtedy zdałam sobie sprawę, że zostawiłam na korytarzu pielęgniarza Dave'a w towarzystwie pani Naismith, więc otworzyłam drzwi i przesunęłam się, by mógł przejść. Pani Naismith uważnie mu się przyglądała, aż zniknął w głębi mieszkania. Nawet ze zmysłami zmąconymi alkoholem wiedziałam, co jest grane. Wyznała mi kiedyś, że jej życiową ambicją jest udział w jednej z policyjnych rekonstrukcji zdarzeń z miejsca przestępstwa relacjonowanych w telewizji, czujnie więc zapamiętywała każdy szczegół.

– Prosto, prosto – pokierowałam (bełkotliwie) Dave'a, idąc za nim (chwiejnie), kiedy zmierzał do salonu. Nagle (choć poniewczasie) zdałam sobie sprawę, że rano zostawiłam piżamę na kanapie. Bosko. Stanie twarzą w twarz z gwiazdkowym prezentem od Trish, jaskrawoczerowonym elementem mojej nocnej garderoby informującym z przodu, że „Jestem Fanką Nr 1 Barry'ego Manilowa". Zanotowałam w głowie, żeby pokazać Dave'owi również napis widniejący z tyłu: „I chcę się naćpać". Chociaż z drugiej strony może to zły pomysł – pomyśli, że ściągnęłam go tu tylko po to, by zdobyć kluczyk do szafki z niebezpiecznymi lekarstwami w jego szpitalu.

Nawet ja widziałam, że ten pokój nie nadaje się do przyjmowania gości. Miska niedojedzonych płatków nadal stała na stoliku z drewna orzechowego kupionego w Ikea. Fioletowe poduszeczki z Ikea rozrzucone były bezładnie na kremowej sofie, też z Ikea. Na orzechowym stoliku z Ikea kurz tworzył już grubą warstwę. Tej samej marki regał na książki uginał się pod ciężarem kolekcji poradników. Kawałeczki waty, której użyłam do wsadzenia sobie między palce u stóp podczas wczorajszego pedicure'u zaścielały mały stolik. Owszem, kupiony w Ikea. Brakowało tylko Ulriki Jonsson i Svena Gorana Erikssona*, żebym mogła oficjalnie ogłosić to miejsce szwedzką kolonią.

Oprócz bycia miejscem, gdzie przybywają meble w płaskich pudełkach, by dożyć starości, mój salon, jak reszta mieszkania, ozdobiony był złotawą wykładziną i białymi ścianami. Nutkę zieleni zapewniały draceny imitujące bambus i rzekomo przynoszące szczęście. Postanowiłam nie komentować faktu, że odkąd je mam, nie przydarzało mi się nic prócz klęsk i niepowodzeń. Stanowczo powinnam zwrócić je tam, skąd przybyły: do Ikea.

– Z tego, co pamiętam, mówiłaś, że masz z okna widok na zamek...

Aha. Dokładnie tak. Zwabiłam go moją nieśmiertelną kwestią: „Chcesz zobaczyć widok z okna mojej sypialni?".

Żartowałam! Jednak nawet sama myśl sprawiła, że dostałam gwałtownego napadu śmiechu. Dave, też niezupełnie trzeźwy, stanął zdezorientowany na środku salonu. Co rozśmieszyło mnie jeszcze bardziej.

– A mam – wykrztusiłam. – Łatwo go zobaczyć, jeśli masz dwa i pół metra wzrostu i teleskop Bubla.

Ależ wstyd. Przysięgam, że wiedziałam, że teleskop jest Hubble'a, ale jakoś samo się to powiedziało. Oto w skrócie, dlaczego nigdy, przenigdy nie piję w towarzystwie innym niż Stu i Trish.

---

* Ulrika Jonsson – urodzona w Szwecji angielska prezenterka telewizyjna; Sven Goran Eriksson – trener piłki nożnej.

– Zrobię w takim razie kawę – zaproponowałam, przypominając sobie powód, dla którego tu przyszliśmy.

Cóż, wtedy wyglądało to na całkiem niezły pomysł. Zamykali właśnie pub, a my byliśmy w trakcie fajnej rozmowy toczącej się wartko po tym, jego brat zadzwonił z wieścią, że po raz kolejny wystawił go do wiatru. Wtedy w mojej zbałamuconej przez wino głowie pojawił się plan dokończenia wymiany poglądów u mnie w domu. Dave zdążył mi wyjawić, że mieszka z dwójką lekarzy w mieszkaniu przydzielonym im przez szpital, więc proste rozumowanie poparte całym morzem shirazu sprawiło, że udaliśmy się w przyjazne progi mojej Małej Szwecji.

Zostawiłam go w salonie i poszłam do kuchni, by podjąć niezbędne kroki: włączyć czajnik i oprzeć czoło o chłodną, kojącą powierzchnię drzwi lodówki.

– Mogę puścić jakąś muzykę?! – krzyknął Dave.

– Jasne! – odkrzyknęłam i wydałam stłumiony pomruk, który zapewne postawił na nogi wszystkie psy w promieniu kilku kilometrów. Teraz otworzy mój odtwarzacz CD. Teraz wyjmie płytę i ze zdumieniem przeczyta, co jest na niej napisane. A teraz szybko przemyśli, jak sprawnie nawiać z domu kobiety, której upodobania muzyczne uwzględniają *Największe Hity Cliffa Richarda.*

Nie zamierzałam tracić czasu na tłumaczenie, że był to prezent pod choinkę od pani Naismith – entuzjastki wszelakich świątecznych wyprzedaży – i że puszczam tę płytę od czasu do czasu, idąc do wanny (i zamykając za sobą drzwi) tak, by mogła słyszeć ją przez ścianę i winszować sobie nawrócenia kolejnej duszyczki na kult Cliffa.

Zadziwiające było to, że sama myśl o trzech zwrotkach i refrenie takiej piosnki, jak na przykład *Bachelor Boy*, przyśpieszyło proces trzeźwienia. Wolna od zawrotów głowy, sięgnęłam do szuflady po kawę i cukier i nie uroniłam ani kropelki, niosąc trzy wypełnione po brzegi kubki do salonu.

– Dwie kostki cukru i mleko, prawda?

Ostatnią rzeczą, jaką Dave pił w pubie, była właśnie kawa i, jak widać, uważałam.

– Dzięki. Przykro mi, ale nie mogłem znaleźć nic Barry'ego Manilowa – powiedział z kamienną twarzą, po czym wybuchnął śmiechem.

– Naturalnie. Nagrania Barry'ego trzymam pod kluczem, żeby nic im się nie stało.

Szybkim ruchem wrzuciłam piżamę za kanapę i usiadłam.

– To miłe, że odprowadziłeś mnie do domu. Dzięki.

Upił łyk kawy, po czym wcisnął guzik odtwarzacza.

– Nie ma sprawy. To należy do twojego ubezpieczenia zdrowotnego. Profilaktyka wypadków. Oszczędzam ratownikom pracy na wypadek, gdybyś miała zderzyć się z czymś po drodze. Nie zapomnij tylko wrócić rano po samochód.

Jasna cholera, samochód! Na śmierć o nim zapomniałam. Będę musiała po niego podejść, wracając jutro z pracy.

Najwyraźniej David miał na tyle rozumu, by zmienić płytę, ponieważ pokój wypełniły dźwięki początkowych taktów płyty Dolly Parton *9 to 5*. Czy wspomniałam, że uwielbiam muzykę country and western? Z każdą chwilą moje wnętrze okazywało się coraz bogatsze.

– Pierwsze co znalazłem – wyjaśnił Dave.

Uff, zatem musiałam wyjąć płytę Cliffa zeszłego wieczoru.

– Oprócz *Największych Hitów Cliffa Richarda.*

Moje policzki przybrały kolor ciemnego fioletu.

– To przez panią Naismith, moją sąsiadkę, to jej ulubiona – wybąkałam, chcąc ratować twarz. – Chce mnie nawrócić.

Przez chwilę siedzieliśmy w przyjemnej ciszy, po czym, nie zastanawiając się, przemówiłam:

– Spodobałbyś się mojemu najlepszemu kumplowi, Stu.

Miał refleks, więc zamiast opluć stolik kawą, powstrzymał się i zaczął się nią krztusić.

Nie pierwszy raz podczas ostatniej godziny byłam zdezorientowana. W końcu jednak odzyskał częściowo zdolność mówienia i wydusił:

– Ale.. ale… ja nie jestem gejem.

– NIE! Nie sądziłam, że jesteś. Źle mnie zrozumiałeś, przepraszam. Mój kumpel Stu uwielbiałby cię, bo jest hipochondrykiem. Uwielbia prowadzić rozmowy z ludźmi z branży medycznej, bo oszczędza mu to wyszukiwania najnowszych symptomów chorób w Internecie. Boi się też, że przez pisanie na klawiaturze komputera zachoruje na chorobę przeciążeniową stawów.

Pielęgniarz Dave patrzył na mnie z wyrazem twarzy wyrażającym przekonanie, że jestem wariatką. Podobnie jak moi kumple.

Kolejna chwila ciszy.

– Ale mojej przyjaciółce Trish byś się nie spodobał...

Na twarzy Dave'a odmalowała się groza.

– ...ale to dlatego, że ona nikogo nie lubi.

Zamknij się. Natychmiast się zamknij. Dlaczego zdenerwowanie przekłada się u mnie na wylewający się z ust potok bzdur? Na szczęście nie stoję na czele żadnego państwa, bo mogłabym paplać o ostatnich wyprzedażach w drogerii w samym środku poważnych negocjacji na forum Organizacji Narodów Zjednoczonych.

Dave przerwał mi, zanim zdołałam zacząć kolejny wątek moich bredni.

– Mogę cię pocałować? – spytał łagodnie.

To spowodowało, że moje usta się zamknęły. Mów! Powiedz „tak". Natychmiast! Struny głosowe, do roboty! Ale zaraz, co ja najlepszego robię. Przecież nie mam w zwyczaju sypiać z przypadkowo poznanymi facetami. Czyżby moje doświadczenia z ostatnich miesięcy przełamały mój wieloletni okres niepewności i strachu przed zmianami? Czyżby ten cały projekt naprawdę mnie zmienił, czyniąc mnie silniejszą i bardziej odporną? A może to obłęd Zary tak wpływa na moją osobowość?

A może jestem po prostu konkretnie nawalona i nie mniej napalona?

Wiedziałam, że powinnam odmówić. Powinnam stanowczo wyrazić sprzeciw.

Więc oczywiście skinęłam głową.

Nachylił się i przy romantycznych dźwiękach *I Never Promised You a Rose Garden* pielęgniarz Dave dał mi buziaka.

❧

Godzinę później nasze palce nadal były splecione, a w mojej głowie nieco się rozjaśniało. Dolly ustąpiła miejsca Snow Patrol, a my bawiliśmy się doskonale, na przemian całując się i rozmawiając. Mimo to podejrzewałam, że pani Naismith podsłuchuje nas za pomocą szklanki przyłożonej do ściany.

– Powinienem już iść – powiedział wreszcie Dave. – Muszę wstać wcześnie rano.

– Dobrze – zgodziłam się, a następnie pochyliłam się śmiało, by pocałować go jeszcze raz. – Zdecydowanie powinieneś. – Jeszcze jeden pocałunek. – Odprowadzę cię. – I jeszcze jeden.

Dotykał mojej twarzy, a nasze usta wciąż były złączone. Nagle jego ręka powędrowała do mojej szyi i oto odtwarzaliśmy scenę w *Pretty Woman*, w której Richard Gere całuje Julię Roberts w eleganckiej sukience. Mmm. Moja ulubiona. Zupełnie jak... to, co działo się teraz. Ale teraz bardziej mi się podobało. Jeśli oferuje to państwowa służba zdrowia, to nigdy, przenigdy nie przejdę na usługi prywatne.

Aha, ręka Dave'a znowu w ruchu, sunęła w dół, aż na mostek, gdzie zatrzymała się na dłuższą chwilę. Nie byłam pewna, czy David chce mnie złapać za pierś, czy zrobić masaż serca.

Cofnął się.

– Naprawdę muszę iść, bo jeśli zostanę, to nabiorę ochoty na rzeczy, które robi się bez ubrania – wyjaśnił z nieśmiałym uśmiechem.

– Dobra.

Pocałował mnie po raz ostatni, po czym wstał.

– Co robisz?

Ściągnął brwi, a na jego twarzy pojawił się wyraz bezradności.

– Ja... ee... idę sobie.

Wtedy nastąpiło coś, co nigdy wcześniej w moim dwudziestosiedmioletnim życiu się nie zdarzyło. Opanowana przez demona seksu rodem z lat pięćdziesiątych przemówiłam, mrużąc oczy, głosem pożyczonym na tę noc od Mae West:

– Mówiąc „dobra" miałam na myśli rzeczy, które robi się bez ubrania.

Zza ściany dał się słyszeć niepodrabialny dźwięk tłukącej się szklanki.

David spojrzał na mnie pytająco, co nie było dokładnie reakcją, jakiej się spodziewałam po zaoferowaniu pełnowartościowemu samcowi wycieczki po moich intymnych okolicach.

– Jesteś pewna? Bo wiesz, wypiłaś dziś trochę i może byśmy się spotkali innym razem i...

Skupiłam się, by przeanalizować jego wywód. Tak, owszem, zdecydowanie za dużo wypiłam, ale zdążyłam przetrzeźwieć i teraz myślałam względnie jasno. I zgoda, możemy się spotkać innym razem, ale istnieje pewna przeszkoda w postaci siedmiu randek z nieznanymi facetami, i nie za bardzo wiedziałam, jak mu to wytłumaczyć. Jak długo potrwa Kretyński Projekt Zary? Może całe miesiące. Na koniec rozważyłam ten czyn z każdej możliwej strony i przywołałam starożytną zasadę fizyki, która ułatwi mi decyzję: jeśli nie możesz sobie przypomnieć, ile lat temu ostatni raz uprawiałaś seks, czas zrzucić fatałaszki i brać się do dzieła.

Uświadomiłam sobie, że David wciąż się na mnie gapi, czekając na odpowiedź na zgłoszone zastrzeżenia, które, jak zaczynałam rozumieć, były godną pochwały próbą bycia rycerskim i eleganckim, a nie próbą podeptania mojego ego.

Wstałam i pocałowałam go jeszcze raz

– Jestem pewna.

Jego język zatańczył taniec radości wokół moich migdałków. Czas brać się do rzeczy naprawdę romantycznych i seksownych.

– Ee, Dave?

– Mmm.

– Jest tylko jeden warunek.

– Mmm?

– Musimy zgasić światło, bo moje majtki nie pasują do biustonosza, a nóg nie goliłam chyba ze dwa tygodnie.

Nie znałam gościa, który potrafiłby śmiać się i całować jednocześnie, i nie miałam pojęcia, jakie to seksowne. Idąc do tyłu z ustami ciągle złączonymi z jego ustami, poprowadziłam nas w stronę sypialni, która, zapomnijmy na chwilę o całej masie odpadków, wyglądała jak prosto z osiemdziesiątej dziewiątej strony w katalogu Ikea.

Coś zaszeleściło pod naszymi nogami (to sterta magazynów, która ciągle jeszcze nie trafiła do kosza na śmieci), coś strzyknęło mokro (zawartość butelki olejku dla niemowląt wylądowała na ścianie) i na koniec runęliśmy przy wtórze szelestu gniecionej pościeli na kołdrę z energią i gracją drużyny olimpijskiej w pływaniu synchronicznym.

– Aaa! – krzyknął Dave i gwałtownie sięgnął pod siebie, by wydobyć coś, co się tam znajdowało. Nawet w ciemności dało się odczytać, co widnieje na przedmiocie, który trzyma w ręku: *Biurowe Fantazje: co oznaczają i jak sprawić, by się ziściły.*

Nie pozwól, by to przeczytał. Nie pozwól, by to przeczytał. Aha, znowu mnie całuje, więc najwyraźniej nie zauważył.

Jego ręka początkowo bardzo delikatnie gmerała pod moją bluzką, ale w miarę, jak stawał się śmielszy, czułam, że zaczyna zmagać się z materiałem.

– Zamek! Jest na zamek! – wyszeptałam pośpiesznie, po czym nastąpiło kilka szybszych ruchów pod moją bluzką i dało się słyszeć mój donośny wrzask, kiedy skóra na moim cycku została uszczypnięta przez suwak.

– Przepraszam, kurczę, przepraszam.

– Spoko, nic się nie dzieje.

Problem z bluzką udało się rozwiązać, co pozwoliło Davidowi swobodnie eksplorować mój biustonosz. Wewnętrznie zaryczałam z żalu, uświadamiając sobie, że to pierwszy biustonosz, jaki wpadł mi w ręce tego ranka. Nawet w ciemności było jasne, że jest pomarańczowy (za sprawą wyprania go razem z farbującymi ręcznikami barwy mandarynkowej) i z jednej strony brakuje fiszbinu. Ostatnio przebił mi sweter na wylot i po prostu wyjęłam go z biustonosza. Biustonosz z kolei miał trafić do kosza, ale dzisiaj rano byłam spóźniona, znalazłam go i... a niech to, odwrócę uwagę Dave'a i może nie zauważy.

W przystępie nietypowej dla mnie (z wyjątkiem moich biurowych fantazji) śmiałości sięgnęłam do jego dżinsów i delikatnie przesunęłam ręką od guzika w dół, co spotkało się z jękiem aprobaty. Wróciłam więc nieco wyżej i zabrałam się do rozpinania guzika.

David opierał się teraz na łokciu, zdejmując prawą miseczkę mojego stanika, a jego usta podążały za palcami w poszukiwania sutka. Pozwoliłam sobie wydać nieplanowane westchnienie zachwytu, rozpięłam haftkę stanika... i brzdęk!

– Aaaaaaa!

Kurde, powinnam była poczekać, aż odsunie twarz sprzed mojego biustu.

– Oczy w porządku? – spytałam szeptem.

– Leni, myślałaś kiedyś o tym, by mieć przy sobie na stałe obstawę medyczną? – jęknął.

Zachichotałam.

– Myślę, że w tej chwili wystarczająco wykorzystuję pracowników służby zdrowia.

Zdołałam ściągnąć z Davida podkoszulek, nie dusząc go, i zaczęłam sesję zawziętego macania w poszukiwaniu zamka dżinsów. Kiedy go wymacałam, ostrożnie rozsunęłam i poczułam niewątpliwą obecność jego fiuta, przysłoniętego tylko czymś, co wyglądało na bawełniane bokserki.

W brzuchu czułam nie tylko szał uradowanych jajników, ale też nerwowe niedowierzanie, że oto robimy to razem i mamy z tego frajdę. W tym czasie moja ręka wróciła do jego pasa, gotowa ściągnąć mu spodnie. To naprawdę się dzieje! Jestem w łóżku z nagim mężczyzną. Sama też bez ubrania. Powinnam odchodzić od zmysłów z niepokoju i obawy, że jestem w tak niezwykłej dla mnie sytuacji, jednak zaprzątała mnie kontemplacja tego, jak cudownie jest mieć sutki całowane z siłą odkurzacza.

Nie przestawaj!

Ale niestety przestał. Nadal opierając się na jednej ręce, wygiął się tak, by swoimi pocałunkami schodzić niżej, niżej, coraz niżej...

Włączyć panikę! Uwaga! Mój mózg wydał sygnał alarmowy podobny do tego, jakiego można się spodziewać przed uderzeniem bomby atomowej. Dave sunął ustami coraz niżej, zamierzając zrobić coś, za co, według facetów, powinniśmy być wdzięczne... STOP! Aż podkurczyłam palce u stóp. Wiem, że to niemodne podejście, wiem, że jako kobieta wyzwolona powinnam się z tego cieszyć, rozłożyć nogi, odprężyć i dobrze się bawić, ale nie, nie było o tym mowy. Dobrze, może być u mnie w sypialni, możemy być nadzy, może poobśliniać moje piersi, ale śmiały zamach językiem między moimi nogami to o jedno zahamowanie za daleko.

Zanim jednak zdołałam łagodnie zażegnać zagrożenie i skłonić Davida do zmiany decyzji, moje odruchy okazały się szybsze... a konkretnie ten związany z kolanami, które powędrowały w górę, szybko i mocno trafiając go w brodę.

Mam się z tym facetem kochać, a zamiast tego daję mu podstawy, by oskarżył mnie w sądzie o naruszenie nietykalności cielesnej połączonej z napaścią i dotkliwym pobiciem.

– Przepraszam – wyszeptałam, kiedy zamarł bez ruchu.

Muszę szybko coś zrobić, żeby do reszty nie stracił zapału. Nic dziwnego, po ciosie w zęby...

Sięgnęłam w dół.

– Hej, nie skończyliśmy się jeszcze całować.

Dopiero kiedy nasze twarze znalazły się kilka centymetrów od siebie, zdałam sobie sprawę, że przyciągnęłam go za uszy, co nie jest chyba techniką zalecaną przez *Kamasutrę*.

I oczywiście, kiedy byliśmy usta w usta, pierś w pierś, biodro przy biodrze, panika zaczęła dawać o sobie znać...

Tym razem, na szczęście, to on przerwał.

– Leni, masz prezerwatywę?

– Za tobą, w górnej szufladzie, za stolikiem – wyszeptałam.

Nastąpiła szamotanina. Seks w marzeniach idzie mi zdecydowanie lepiej niż w rzeczywistości.

– Czekaj, zapalę światło, ale tylko pod warunkiem, że nie popatrzysz w tę stronę.

Jego śmiech był zaraźliwy.

– Jesteś najzabawniejszą, najbardziej zwariowaną kobietą, jaką spotkałem.

– Wolałabym „oszałamiającą" i „kuszącą" – zachichotałam.

– O tak, to też!

Światło oślepiło nasze oczy, a ja odruchowo zasłoniłam je rękami. Usłyszałam, jak Dave otwiera szufladę, grzebie w niej i w końcu rozległ się szelest folii.

– Sprawdź datę ważności, nie sięgałam po nie od prehistorii – ostrzegłam go, wciąż z ręką na oczach.

– Do dwa tysiące jedenastego, jesteśmy uratowani – zapewnił mnie, nadal się śmiejąc.

Kiedy usłyszałam dźwięk rozdzieranej folii, zacisnęłam oczy jeszcze mocniej. Oglądanie prawie nieznanego faceta, zakładającego prezerwatywę, było dla mnie nie mniej przerażające niż jego twarz w moich okolicach intymnych.

Najwyraźniej to wszystko wciąż go bawiło.

– Nie zamierzasz otwierać oczu?

– Zdecydowanie nie.

– W porządku, skończone.

Zgasiłam światło. Jego usta odnalazły moje, prawa ręka delikatnie masowała mi prawą pierś, moje palce były w jego włosach i zapadliśmy w słodką, rozkoszną nieświadomość.

Powoli, ostrożnie położył się na mnie i rozsunął mi nogi.

Nie odrywając ust od moich warg, uniósł się nieco wyżej i delikatnie, bosko się we mnie wsunął.

Złapałam go za ramiona, nasze ciała splotły się i gdy były idealnie, idealnie dopasowane poczułam potrzebę, by zadać Dave'owi najważniejsze pytanie.

– Dave... – wyszeptałam, a mój oddech był krótki z powodu zalewających mnie fal rozkoszy – jaki jest twój znak zodiaku?

Przerwa na reklamę w Kiss FM 6:45

W tle: dźwięk dzwoneczków poruszanych wiatrem wtórujący melodii granej na pianinie i skrzypcach

Wokal: seksowny, kuszący głos kobiety w wieku 20-30 lat

Jak więc znaleźć w tych czasach prawdziwego mężczyznę? Najpopularniejsza astrolog w kraju, Zara Delta, wie dokładnie, co należy zrobić, ale nie jest jeszcze gotowa, by wszystko wyjawić. Realizuje zakrojony na dużą skalę program badawczy dotyczący randek i związków i, uwaga, wszyscy samotni panowie, potrzebuje waszej pomocy. Może uda wam się spędzić wieczór z jedną z czarujących badaczek – wszystkie koszty opłacone – a może spotkacie miłość swego życia.

Tak więc, jeśli masz nie mniej niż dwadzieścia, a nie więcej niż trzydzieści pięć, jesteś singlem i jesteś gotowy na spędzenie fantastycznego wieczoru, dzwoń do Zary: osiem siedem dziewięć i sześć piątek.

O, i drogie panie, nie czujcie się zapomniane – badanie Zary jest przecież dla was. W grudniu ukaże się jej niesamowity poradnik mówiący o tym, jak odnaleźć mężczyznę, na którego zasługujecie. Może nie okaże się Panem Ideałem, ale na pewno będzie Panem Właściwym. *Wszystko jest w gwiazdach* stanie się najbardziej rozchwytywaną książką roku, więc nie czekajcie i nie przegapcie okazji – zamówcie egzemplarz już dzisiaj na stronie www.wszystkojestwgwiazdach.net i niech będzie to pierwszy krok w kierunku odnalezienia mężczyzny waszych snów.

20
Lądowanie na Księżycu

– Co za cholerna baba.

W głosie Trish oprócz niesmaku pełno było jadu. Wyłączyła radio w swoim malutkim biurze i upiła łyk beztłuszczowej mocha coca z blaszanego kubka z logiem Starbucks.

– Czy ona żyje w dziewiętnastym wieku?

Mówiąc to, nachylała się w stronę radia tak wkurzona, że ulegała iluzji, iż jej głos skierowany do srebrnego pudełka dotrze, jakimś przewrotnym prawem fizyki, prosto do Zary.

– Nie słyszałaś o sufrażystkach, ty tępa, złośliwa krowo?!

Siedziałam w rogu na jasnofioletowym pufie, ostrożnie popijając latte i próbując nie uronić ani kropli na gruby folder i kupę papierów leżących na moich kolanach. Ostrożnie wzruszyłam ramionami. Błąd. Cały gniew Trish natychmiast skoncentrował się na mnie.

– Leni, wiem, że to przeze mnie jesteś w tym całym bigosie, myślałam, że może być z tego zabawa, a poza tym, jak sama zresztą wiesz, potrzebujesz sporego wsparcia, żebyś mogła wylądować z kimś...

– Na zdrowie – mruknęłam.

– ...ale to wszystko zmieniło się w jakiś koszmarny seans poniżania kobiet. Po pierwsze, jaka kobieta żyje tylko po to, żeby znaleźć odpowiedniego faceta? Czy oni myślą, że tylko spacerujemy z cyckami na wierzchu i prężymy się jak bezmyślne cipy w nadziei, że pan Zajebiście Wspaniały spadnie nam z nieba? Czy to aby nie jest już za nami? Pytam, czy, do jasnej pieprzonej cholery, nie skończyły się czasy, kiedy jedynym celem kobiety było znalezienie właściwego typa? To żałosne. I nie mogę uwierzyć, że bierzesz w tym udział.

– Pozwolę sobie zwrócić ci uwagę, że w tym wszystkim znalazłam się przez ciebie – odparłam spokojnym, bezbarwnym tonem, rozpaczliwie próbując zmienić poziom głośności tej rozmowy, wiedząc, że jeśli te krzyki potrwają jeszcze choć przez chwilę, moje gałki oczne eksplodują, rozerwie mi mózg, a zęby zaczną zgrzytać i wypadną.

– Wiem o tym i szczerze mówiąc, wcale mi nie wstyd. Myślałam, że to kolejny głupawy pomysł Zary, który pomoże mi upiec dwie pieczenie na jednym ogniu...

– Pieczenie? Czyli?

– No, nowa praca i szansa, żebyś poznała nowych kolesi. Nie miałam pojęcia, że to wszystko zmieni się w pełnowymiarową kampanię, która zaprzecza osiągnięciom ruchu feministycznego w ciągu kilku ostatnich wieków. Ale, o ironio, to potworna strata czasu. Która baba w tym stuleciu jest nawet śladowo zainteresowana tym badziewiem?

Miałam do wyboru: być cicho i skupić się na wewnętrznej mantrze „Dobry Boże, niech się to wreszcie skończy”, albo odezwać się i tym samym sprowadzić na siebie zgubę.

„Książkę można zamawiać dopiero od miesiąca". – Panie, spraw, żeby przestała mówić. – „I mamy jak na razie cztery i pół tysiąca zamówień".

– WAL SIĘ!

Zastanawiałam się, czy jest cień szansy, że Trish domyśli się, że nie jestem w stanie nic nikomu walić.

– JA SIĘ, KURWA, PODDAJĘ – jęknęła Trish.

– Hej, Trish, nie każdy ma takiego faceta, jakiego ty masz. Poszczęściło ci się, że spotkałaś Greya.

– To nie było szczęście, tylko pożar w kuchni.

Postanowiłam podążać ścieżką pochlebstw i łagodności. Mimo całej mojej miłości do Trish, drażniło mnie to, że jedną z jej najsłabszych stron (oprócz napadowej wulgarności, ogólnej napastliwości i morderczych instynktów) jest skłonność do bycia przekonaną o swojej wyższości z powodu spotkania fantastycznego gościa i trwania z nim w nie mniej fantastycznym związku.

– Wiesz, o czym mówię. Mnóstwo kobiet mogłoby zabić, żeby być w takim związku jak twój, ale to nie takie proste. Może te, które marzą o czymś takim, chcą, żeby ktoś im to podał na talerzu, i tu miejsce dla siebie znalazła Zara. Nie patrz na jej klientki jak na zrozpaczone facetki gotowe zrobić wszystko, żeby dorwać faceta. Pomyśl o nich jak o nowoczesnych kobietach, które akceptują to, że Zara znalazła sposób na oszczędzenie im trudu i daje gwarancję szybkiego osiągnięcia celu.

Nie wiem, kto był bardziej zaskoczony, ja czy Trish. Skąd ja to wzięłam? Od kiedy w moje CV wpisana jest umiejętność racjonalnej debaty i precyzyjnej argumentacji? I odkąd to bronię szaleństwa spod szyldu Zary? Najwyraźniej wino i seks przeorały mi mózg.

Oczy Trish się zwęziły, płatki nosa zapłonęły i zaczęła wpatrywać się we mnie z nową siłą.

– Co ci się stało?

Czułam się jak zając na szosie w świetle reflektorów.

– Coś się z tobą stało. Coś się zmieniło. Jesteś dziś jakaś inna... ty... – Brwi Trish się uniosły, a na twarzy zamajaczył nikczemny uśmiech czarnego charakteru z filmów o Bondzie. – Uprawiałaś seks!

– Nieprawda.

– Prawda! Kurde, tylko nie mów, że zrobiłaś to z jednym z ogierów ze stajni Zary.

Postanowiłam trzymać język za zębami. Wytrzymałam mniej więcej dziesięć sekund. Jako szpieg byłabym do kitu.

– Personel pielęgniarski z mojego szpitala.

– Pielęgniarka! A więc bierzesz się za panienki! Chryste, ten świat oszalał. Nie dalej jak tydzień temu znalazłam trzydziestocentymetrowego przypinanego penisa w fioletowej garderobie MC Madge, a teraz okazuje się, że i ty grasz w drużynie sióstr Safony! Fantastycznie! Wiedziałam, że w końcu się skusisz – wydyszała, napawając się każdą sylabą swojej wypowiedzi.

Zignorowałam ten potok wymowy, bo za bardzo bolała mnie głowa, by się kłócić.

– Nie powinnaś myśleć stereotypowo o zawodzie pielęgniarskim. To pielęgniarz imieniem Dave, i owszem, oddawaliśmy się wszelakim czynnościom zalecanym małżonkom, aż... – spojrzałam na zegarek – do półtorej godziny temu.

– Eeeeł, szczegółów możesz mi oszczędzić. Ale, ale, mogło być gorzej. Mogłaś dać się dosiąść MC Madge z jej sztucznym penisem długości niemowlęcia.

Uwielbiam, gdy moi przyjaciele się o mnie troszczą.

– Opowiedz mi wszystko, opuszczając genitalne detale.

Opowiedziałam Trish skróconą wersję, wiedząc, że reszta jej współpracowników będzie tu za dziesięć minut, a poza tym chciałam trochę popracować, nim Zara zacznie występ u Goldie. Z moją szefową spotykałam się w piątki już w telewizji. Był to, o dziwo, pomysł Zary, która uznała, że moja wycieczka do pracy, a następnie godzinę później do telewizji ma mniej sensu niż dotarcie bezpośrednio na miejsce, gdzie też mogę popracować, czekając, aż wróci z porannej wizyty u fryzjera, makijażystki i sesji medytacji.

Jakoś jednak nie wydawało mi się, że pod definicją „pracy czekając na nią" kryć się będzie streszczanie demonicznej szefowej cateringu *Cudownego Poranka TV* moich zeszłonocnych wyczynów łóżkowych.

Trish wysłuchała z zachwytem całej opowieści, aż do momentu, gdy obudziłam się rano u boku Dave'a.

Gdy opowiadałam, co nastąpiło później, moje policzki przybrały dojmująco nieprzyjemną barwę głębokiego fioletu.

Kiedy zadzwonił budzik, odwróciliśmy się twarzami do siebie. Pominę szczegóły dotyczące tego, co robiliśmy parę chwil wcześniej, powiem tylko, że wymagało to sporej giętkości i zdolności wstrzymywania oddechu przez dłuższą chwilę.

– Budziiimy się – powiedziałam, odwracając resztę ciała w tym samym kierunku, w którym patrzyła twarz.

Dave wsunął twarz w mój biust i odparł ze śmiechem, nieco stłumionym głosem:

– Nie wiem, czy pani zauważyła, panno Lomond, ale jeszcze nie spaliśmy. Przynajmniej nie ja. Czyżby zdarzyło ci się zdrzemnąć?

Przytaknęłam, a on w akcie zemsty przygryzł mój sutek, zaraz potem jednak pocałował mnie w usta.

– Po dokładnym badaniu zapewniam panią, że jest pani w doskonałej kondycji – oznajmił. – Jakie jest pani zdanie na temat nowego pakietu usług medycznych?

– Sądzę, że powinien być powszechnie dostępny.

Jęknął i opadł na poduszki.

– Muszę zatem zacząć pracować nad formą.

Zaczął bawić się moim lokiem, który sterczał w jego kierunku. Reszta moich szlachetnych pukli, za sprawą intensywnej gimnastyki, przypominała teraz sofę, na którą spadła bomba.

– Muszę iść – wyszeptał z wyraźną nutą wahania, co przyjęłam z zadowoleniem.

– Pamiętam, jak mówiłeś coś takiego kilka godzin temu.

– Ale teraz naprawdę muszę iść. Za godzinę zaczynam pracę.

Łóżko zakołysało się, kiedy dawał mi buziaka i skoczył na równe nogi. Zamknęłam błyskawicznie oczy. Tak, wiem, mogłam spędzić kilka godzin, praktykując czystą pornografię z facetem, którego właściwie nie znałam, ale patrzenie na jego małego w świetle dnia nie wchodziło w rachubę. Z całą pewnością stałam pierwsza w kolejce, kiedy Bóg rozdawał dziwne zahamowania.

Kiedy tylko usłyszałam jednoznaczny dźwięk zasuwanego zamka, otworzyłam oczy i po raz pierwszy mogłam zobaczyć dobrze oświetlonego półnagiego Pielęgniarza Dave'a. Jego blada skóra kontrastowała z czarnymi włosami, a mięśnie brzucha i bicepsy były wyrzeźbione i napięte, kiedy pochylał się, by założyć skarpetki. Zauważyłam, że na środku pleców ma tatuaż rozmiarów melona.

– To maoryski symbol wojownika – wyjaśnił zawstydzony. – Miałem osiemnaście lat i nie byłem nigdzie poza Londynem, ale wtedy widziałem to... hm... inaczej.

Podobał mi się ten tatuaż, podobało mi się to, że Dave potrafił być nierozważny, i podobało mi się, że potrafi się przyznać, iż zdarzało mu się być palantem.

Nieuchronny moment niezręcznej ciszy nadszedł, kiedy założył buty i wstał, gotowy do wyjścia.

– Przepraszam, że tak szybko, ale muszę wziąć w domu prysznic, zanim zacznie się moja zmiana.

– W porządku, nie ma sprawy, nie martw się. Ja… – wyrzuciłam z siebie i uświadomiłam sobie, że nie mam pojęcia, jak skończyć to zdanie.

– Może zrobimy to jeszcze raz? – zapytał. – To znaczy nie tylko seks, chociaż to też byłoby super i ja bardzo chętnie... ale chodzi mi o spotkanie, może któregoś wieczoru…

Podobało mi się też, że potrafił się zaplątać i mówić bez ładu i składu, zupełnie jak ja.

– Byłoby ekstra.

I wtedy oprzytomniałam. Mam przed sobą jeszcze siedem randek. Nie wiem dlaczego mu o tym nie powiedziałam, ale w ciągu ostatnich szesnastu godzin, które spędziliśmy razem, nie było ani jednego stosownego momentu. A może po prostu nie wpadłam na to, jak to opisać, by nie wyjść na zwykłą zdzirę. Może też nie chciałam mówić mu o czymś, przez co wyglądałabym gorzej w jego oczach. Bo mógłby mnie oceniać. Z niewiadomych przyczyn dokładnie w tamtej chwili przeżyłam déjà vu i przed oczami stanęła mi ostatnia rozmowa z Jonem i uznałam, że warto odroczyć jakiekolwiek zaangażowanie do momentu, aż skończą się moje randki.

– Ale wiesz, Dave, mam poważną rzecz w pracy. Projekt, który wymaga sporo uwagi i zabiera masę czasu nocami i jest dosyć wymagający. To dlatego wczoraj się zbuntowałam i poszłam do pubu. Moglibyśmy z tym trochę poczekać, aż to się skończy?

Wyraźnie się zawahał.

– Leni, czy ty mnie spławiasz? – zapytał.

– Nie, nie, przysięgam! Zaufaj mi! Nie jestem taka! Mam po prostu trudny okres. Ale naprawdę chciałabym się z tobą jeszcze spotkać. Serio!

Zastanawiał się nad tym przez chwilę. Nie mów „nie", proszę cię, nie mów „nie". Wziął ze stolika długopis i na numerze „Glamour" zapisał swój numer.

– Zadzwoń do mnie, kiedy będziesz mogła.

Podciągnęłam kołdrę, próbując ukryć szeroki uśmiech, od którego już bolała mnie żuchwa. Nachylił się, potargał mi włosy i poszedł sobie.

Stan techniczny organizmu: obolałe nogi, wrażliwe mięśnie brzucha, piersi zadowolone, libido zaspokojone, mózg w ekstazie. Zrozumie mnie tylko ktoś naprawdę wyposzczony. Od lat nie spotkałam nikogo, kto by mi się podobał, a tu dwóch w ciągu dwóch tygodni.

Bzzzzz. Bzzzzz. Bzzzzz. Dryń. Dryń.

Potrzebowałam chwili, by się zorientować, że dźwięk pochodzi z mojego mieszkania, i dodatkowych paru chwil, zanim odgadłam, że spod mojego łóżka. Schyliłam się i sięgnęłam pod dębowe łóżko z Ikea, próbując wymacać przedmiot, który psuł mi podniosły moment napawania się sytuacją i odradzania się ego.

Na wyświetlaczu widniało: CHARLIE. Jego brat? Kumpel?

– Halo?

Cisza.

– Przepraszam, musiałam wybrać zły numer – powiedział kobiecy głos.

Siostra? Ciotka?

– Szukasz Dave'a?

– Tak, jest tam? – Głos był wyraźnie zaniepokojony.

Moje dodatkowe zmysły wyspecjalizowane w przewidywaniu katastrof biły na alarm.

– Nie, nie ma go. Hm... przepraszam, że pytam, ale kto mówi?

– Mówi Charlie.

– Charlie?

–Tak, Charlie. Jestem dziewczyną Dave'a.

Trish wybałuszyła oczy jak żaba z amazońskiej dżungli w programie Davida Attenborough.

– Chyba żartujesz!

– Chciałabym.

– Co za syf!

Na szczęście jej furia została przytłumiona przez pojawienie się Jessiki, jej podwładnej.

– Trish, piekarnia znowu nawaliła, zamiast czterdziestu pain au chocolat dostarczyli czterysta.

– Który debil podpisał odbiór? – zaskrzeczała Trish.

– Ja. Przepraszam. Nie zwróciłam uwagi.

I wtedy właśnie Trish zrobiła coś zupełnie do niej niepodobnego w najmniej oczekiwanym momencie.

– Jak się ma twój maluch?

– Ciągle bez zmian. Lekarze mówią, że to krup i minie, ale znów nie spał całą noc.

– Kochanie, jesteś wyczerpana, idź do domu i się prześpij. Ja się zajmę wypiekami. Bezdomnych w noclegowni za rogiem czeka niezła wyżera.

Trish miała dwa oblicza: bojowa, zaciekła i łatwopalna, ale też zdolna do współczucia. Jessica była jej bardzo wdzięczna.

– Dziękuję, Trish, jesteś aniołem. Nie zapomnę ci tego.

Tris mnie uściskała.

– Muszę lecieć, skarbie, ale wrócę później i obmyślimy plan zamordowania Drania Dave'a.

Mając Trish z głowy, zawładnęłam jej nienagannie uporządkowanym biurkiem, rzuciłam na nie swoje papiery i podpięłam laptop. Włączyłam Worda, robiąc pierwszy krok w stronę małego przekrętu. Kiedy dziś rano szłam do budynku telewizji pełna żalu i w oparach shirazu, postanowiłam zrobić choć minimalny użytek z nocy z Pielęgniarzem Dave'em.

Teraz, kiedy do mnie należy wybieranie kandydatów, mogę udać przed Zarą wzorową pracownicę i oznajmić, że (nie chcąc zaprzątać jej uwagi ani zajmować czasu) kolejną randkę mam już za sobą. Było jasne, że jeśli następny znak zodiaku zostanie odhaczony i w załączniku znajdzie się dwudziestodwustronnicowy raport, ani Zara, ani Conn nie będą mieli zastrzeżeń.

Zara miała być za godzinę, co dawało mi mnóstwo czasu na sfabrykowanie listu od Dave'a i napisanie wyczerpującego sprawozdania z wieczoru, rzecz jasna pozbawionego golizny i jęków rozkoszy. Jeśli Zara lub Conn będą mieli jakieś uwagi, powiem, że po prostu wzięłam go z kupki podań i zgubiłam zdjęcie.

Przy wtórze zgrzytających zębów wzięłam się do roboty.

Droga Zaro... bla, bla, bla... wybierz mnie, proszę. Podpisano: David Canning.

Oparłam się pokusie dodania „Wredny Kutas". Drukowanymi literami dopisałam dość istotny szczegół, który pominęłam:

Znak zodiaku: RYBY.

E-mail
Do: Leni Lomond
Od: Jon Belmont
Temat: Jak leci, Gwiezdna Panienko?

Witaj, Gwiezdna Panienko!
Pomyślałem, że napiszę, żeby zapytać, jak się masz po wczorajszej wizycie w szpitalu. Zrzuciłaś bandaże? Dziwne, ale myślałem o Tobie przez całą noc. Wiem, że mówiłem to już kilka razy i wiem, że się powtarzam, ale naprawdę super wspominam nasz wieczór i nie mogę

się doczekać następnego... gdy tylko spławisz tych innych kolesi!
Więc jak tam zbieranie informacji? Mówiłaś, że masz już za sobą Koziorożca, Skorpiona i paru innych (przepraszam, nie pamiętam, ale nie dlatego, że nie słuchałem, po prostu gubię się w tym całym zodiaku), więc co czeka cię teraz? Mam nadzieję, że nie spotkałaś nikogo, kto sprawił, że zapomniałaś o Bliźniętach! Przepraszam, właśnie zdałem sobie sprawę, że brzmi to dość żałośnie, ale wiesz, co mam na myśli. Czy Zara wciąż doprowadza Cię do szału? Wygląda na to, że pcha się wszędzie z tą swoją książką. Musisz być dumna, że w tym uczestniczysz. Niezłe były twoje historie o jej wariactwach. Hej, mam wyjątkowo nieciekawy dzień w pracy, podrzuć mi kolejny odcinek opowieści z planetarium.
Muszę zmykać. Giełda w Nowym Jorku ma otwarcie za dziesięć minut, więc muszę brać się do roboty.
Odpisz wkrótce! Dzisiaj! Teraz!
Jon Xx
PS: Pozdrowienia od siostry.

E-mail
Do: Jon Belmont
Od: Leni Lomond
Temat: Odp: Jak leci, Gwiezdna Panienko?

Cześć Jon,
To miło, że napisałeś, i owszem, zaczynasz się powtarzać, ale to jest nawet fajne, więc Ci wybaczam. Powtarzaj się dalej :)!
Pozbyłam się bandaża i zarazem konieczności dopasowywania do niego ubioru.
Wciąż przemierzam gwiezdne przestrzenie i właśnie skreśliłam z listy Ryby. Była to niezwykła, nieoczekiwana randka z – możesz mi wierzyć lub nie – pielęgniarzem, ale skończyła się sporym rozczarowaniem. Nie żeby mnie to w jakikolwiek sposób zmartwiło, bo, jak mówiłam wcześniej, ten projekt to tylko praca i nie robię tego dla przyjemności. Chociaż, rzecz jasna, nasza randka była całkiem przyjemna. Owszem. Jak widzisz, potrafię się zaplątać

i bredzić nawet w e-mailu. Muszę częściej kasować to, co piszę.
Dziś mamy tu wyjątkowo spokojny dzień i to dosłownie. Zara i jedenastu buddyjskich mnichów przeprowadzają jakiś milczący rytuał w jej biurze i od dziesiątej nie wolno się nikomu w całym budynku odezwać na wypadek, gdyby jakieś słowo dotarło do jej uszu i wytrąciło ją ze świętego skupienia. Czuję pokusę, by zaryczeć wniebogłosy piosenkę z musicalu *Dźwięki muzyki*, żeby tylko zobaczyć jej reakcję. Z drugiej strony muszę regularnie płacić rachunki, więc ten plan chyba porzucę.
Ja też, co podwójnie dziwne, myślałam o Tobie zeszłej nocy. Nie mogę się doczekać spotkania z Tobą, kiedy to całe szaleństwo się skończy, ale mogę być wtedy zrażona do randek, więc być może będziemy musieli zrobić coś nieskomplikowanego, jak pójście na spacer albo wyczilowanie w knajpie z jedzeniem na wynos. Czy maklerzy giełdowi robią takie rzeczy? Wyobrażam sobie Ciebie jako naładowanego adrenaliną faceta, który biega z telefonem komórkowym przy uchu, krzycząc: „kupuj, kupuj, kupuj!" albo: „sprzedawaj, sprzedawaj, sprzedawaj!". Jeśli mógłbyś dodać do repertuaru „dwa kurczaki ze smażonym ryżem i paczkę czipsów krewetkowych", byłabym zachwycona.
Dobrze, kończę, bo zaczynam bredzić. Przepraszam za to. Po prostu jest mi tu trochę markotno, odkąd pozbawiono mnie daru mowy. Skończyłam papierkową robotę i zrobiłam wszystko niewerbalne, co miałam do zrobienia. Spaliłam 300 kalorii, biegając w dół i w górę po schodach przez 20 minut, przeszperałam eBaya i teraz rozmawiam z Tobą. Nie żebyś był ostatni na liście... bo nie jesteś.
Kończę, zanim znowu się wkopię...
Miłego dnia,
Leni x

21
Księżyce Jowisza

– Słuchaj, czy jesteś pewna, że wszystko w porządku? Kość wciąż może być złamana. A zrobili ci prześwietlenie? Kiedy miałaś gips, mógł powstać skrzep, który może się powiększyć, oderwać się i na koniec cię zabić.

Na szczęście z powodu kaszlu Stu musiał przerwać wypowiedź i nie był w stanie przejść do sugerowania mi muzyki na chwilę złożenia do grobu.

– Na cóż to cierpisz w tym tygodniu? – zapytałam, wiedząc, że odpowiedzią bez wątpienia nie będzie „a, taka tam infekcja".

– Ciągle nie wiem. Może gruźlica, może zapalenie opłucnej. Ale może to być też SARS albo ptasia grypa, a jeśli tak, to wszyscy jesteśmy w dupie.

Trish uniosła brew.

– Ptasia grypa?

– Słuchaj, to tylko kwestia czasu. Gdy tylko wirus zmutuje w postać, która łatwo przenosi się między ludźmi, czeka nas nawrót chaosu, jaki miał miejsce w czasie epidemii hiszpanki w tysiąc dziewięćset osiemnastym. Naukowcy prognozują, że na świecie umrze około pięciu milionów ludzi. I gdzieś to się musi zacząć.

– I sugerujesz, że zacznie się w skrajnie niehigienicznym środowisku szafki z szamponami w eleganckim salonie fryzjerskim w Notting Hill?

– Nie sposób tego wykluczyć – odparł Stu lekko urażony.

– Kotku, chyba znowu wąchałeś balsam do trwałej. Leni, przestań się kręcić, bo zbiera mi się na wymioty – gderała Trish.

Dotknęłam natychmiast stopami podłogi. Przez chwilę się zapomniałam i kiedy Stu zajmował się odrostami Trish, ja wirowałam w jednym ze skórzanych foteli.

– Czekajcie, coś wam opowiem – rzuciła, chcąc podzielić się z nami swoim najnowszym odkryciem. – Kojarzycie Malky'ego Menziesa, naszego kucharza celebrytę? Wydoił dziś dwie butelki czerwonego wina przed śniadaniem i puścił pawia na wstępnie przyrządzony boeuf bourginion, więc musieliśmy zadzwonić po firmę detoksykacyjną, żeby go zgarnęli. Chwała Bogu, że to nie było na żywo, bo dzieciaki zajadałyby płatki przy okrzykach z telewizora: „Zasrane dupki! Gdzie jest moja pieprzona chochla?".

Podjęłam próbę (przyznaję, dość mizerną) uśmiechnięcia się i opadłam na oparcie fotela. Ustawiłam zagłówek, wcisnęłam przycisk, który wysuwał spod spodu oparcie na stopy, i ułożyłam się wygodnie.

– Wyrzuć to z siebie – zażądała Trish niecierpliwie.

– Co?

– Co z tobą jest nie tak? Wyłączając tego tu Posępnego Żniwiarza – wskazała Stu stojącego za nią – jesteś najbardziej zdołowana z nas wszystkich.

Rzuciłam okiem na opustoszały salon. Cały personel był już dawno w modnych knajpach, na ćwiczeniach tae bo i dorabiał, tańcząc w klatkach. Stu przyciągał wolne duchy lubujące się w niebanalnym życiu.

– Nas wszystkich?

– Na piętrze na kanapie śpi Grey.

Biedny Grey. Przepracował dwunastogodzinną zmianę, podczas której ugasił dwa płonące domy, kontener na śmieci, był przy wypadku samochodowym i za pomocą specjalnych nożyc usunął pachołek drogowy z głowy ośmiolatka. Po tym wszystkim Trish przywlokła go tutaj, wyczerpanego i zobojętniałego, z zamiarem spędzenia „wspaniałych chwil w jej towarzystwie", a nieco później oddaniu się „życiu seksualnemu dzikich". Jednak pięć minut później Grey postanowił spędzić trochę „wspaniałych chwil" w objęciach kanapy piętro wyżej, w czasie gdy włosy Trish pięknaiały, a ona wymyślała swoim przyjaciołom. Grey spędził długie godziny na granicy życia i śmierci, co zapewniała mu jego praca, nie miałam wątpliwości, że uznaje naszą płomienną wymianę zdań za niewartą uwagi. Trish spotykała się z nami, kiedy Grey pracował na nocną zmianę i w weekendy, więc nieliczne okazje, kiedy mogliśmy zobaczyć go na żywo upewniały nas, że jest prawdziwym, a nie wyimaginowanym, dmuchanym mężem trzymanym w szufladzie.

– Dalej, Leni, do roboty! Zażartuj, rozbaw nas! Albo chociaż wyjaśnij nam, dlaczego masz wyraz twarzy jak wielbłąd z zaparciem – pokrzykiwała Trish.

– Zaparcie to nic śmiesznego – wtrącił Stu.– Może to być symptom...

– ...rychłego wsadzenia ci suszarki do włosów tam, skąd wyjmie ją tylko chirurg. Zamilcz, Doktorze Śmierć, i pozwól Leni się wygadać. – Zwróciła gniewną twarz w moją stronę – I lepiej nie mów mi o tym konusie ze szpitala. Powiedziałam ci, że masz zaliczyć tę przygodę i o niej zapomnieć. Po prostu miałaś pecha. – Jej ton nieco złagodniał.

Poczułam ukłucie w sercu. Jeśli Trish jest jednoznacznie dla kogoś miła, oznacza to, że ma kłopoty.

– Myślę o rzuceniu pracy.

Proszę. Powiedziałam to.

Trish natychmiast przestała być słodka.

– Dlaczego? Dlaczego chcesz to zrobić? Kasa nie jest zła, liźniesz trochę sławy, nie jest nudno...

– Wiem, wiem, ale to chyba nie dla mnie. Chyba lubię, jak jest trochę nudno.

– Spłuczki – rzucił Stu.

– Nie muszę tam wracać. Mogłabym znaleźć pracę w normalnej firmie, gdzie robiłabym normalne rzeczy i miała normalne stanowisko.

– Leni, co jest fajnego w byciu normalnym? – szydziła Trish. – Słuchaj, kochanie, oprócz tego debilnego randkowania, praca u Zary jest pierwszorzędna. Poza tym pomyśl, jak pozytywnie wpłynie na twoje CV, pod warunkiem jednak, że stamtąd nie czmychniesz.

Miała rację i wiedziałam o tym, ale przeoczyła sedno problemu.

– Chodzi ci o te randki? Przez nie chcesz zrezygnować?

A teraz trafiła w samo sedno problemu.

Odwinęłam rękawy luźnego granatowego swetra, skrzyżowałam ręce na piersi i wzruszyłam ramionami. Znawca języka ciała, widząc to, w tę pędy zamówiłby dla mnie prozak.

– Och, na miłość boską, Leni, nie przejmuj się tak. To tylko kilka wieczorów, a kiedy się skończą, będziesz mogła odetchnąć. Masz już, czekaj... pięć z głowy?

– Sześć. Nałgałam i wpisałam Dave'a na listę.

– No więc połowa za tobą. Sześć wieczorów i po sprawie, załatwione.

– Od kiedy to widzisz moją pracę tak różowo? Ostatnio przekonywałaś mnie, że ta praca to wołające o pomstę do nieba poniżanie kobiety.

– Powiedziałam coś takiego?

– Owszem!

– Ach, to mnie nie słuchaj. Wiesz, że kiedy mam zły dzień, bredzę jak potłuczona. Patrz, Leni, prawie masz to za sobą, wytrzymaj jeszcze trochę i przed tobą długa i szczęśliwa kariera osobistej asystentki najbardziej szurniętej kobiety na tej planecie. To wymarzona praca!

Brzmiało to naprawdę prosto i zachęcająco, dlaczego więc nie czułam się zachęcona? W miarę trwania projektu Zary moje przedrandkowe niepokoje były coraz mniejsze, lecz wciąż czułam się chora, mając przed sobą perspektywę spotkania z sześcioma nieznajomymi i przechodzenia przez cały ten magiel. To wszystko po prostu nie jest dla osoby takiej jak ja. Mijał tydzień od wtopy z Dave'em (i sześć dni, odkąd wysłałam jego telefon do szpitala, bez znaczków, w bąbelkowej kopercie) i mimo że starałam się jak mogłam, żeby o tym zapomnieć, cały czas wywoływało to we mnie emocje. Z drugiej strony, skończyły się moje fantazje i koszmary. Najwyraźniej odkąd uprawiałam seks naprawdę, moja podświadomość uznała, że nie musi go już dłużej symulować.

Niestety, trzeba spojrzeć prawdzie w oczy. A prawda jest taka, że nie należę do osób zdolnych, dajmy na to, wystąpić w *Big Brotherze* i pokazywać tam gołe cycki, nie mam też potrzeby walczyć o pięć minut sławy. Lubię bezpieczeństwo, jakie dają mi znajome i łatwe do przewidzenia sytuacje, i choć w sylwestra regularnie deklaruję coś innego i obiecuję, że stanę się kimś zupełnie innym, to tak naprawdę jestem szczęśliwa, będąc obserwatorem, i nie mam skłonności czy ambicji oddawać się spektakularnym zajęciom, które rzucą mnie w centrum uwagi i nieuchronnie zaowocują nieprzespanymi nocami.

– Stu, wytłumacz jej, jaka jest niepoważna – nakazała Trish.

Stu stał nad nią zdjęty fryzjerskim szałem, zawijając pasma włosów w folię z prędkością błyskawicy: podnosił pukiel włosów długim grzebieniem, wsuwał pod spód folię, ciap, ciap, ciapał w nie farbą, składał folię wzdłuż, a następnie raz, dwa, trzy – trzy razy w poprzek, aż z głowy Trish sterczał tylko mały kwadracik folii. Teraz było ich około pięćdziesięciu i Trish wyglądała, jakby zaraz miała wylądować w piekarniku albo zacząć odbierać sygnał telewizyjny.

– Nic nie powiem – mruknął.

– Dlaczego? – zapytałyśmy jednocześnie.

Gdy przestał zawijać włosy w folię, zauważyłam zaskoczona, że prawie nie udziela się w rozmowie. Zazwyczaj potrzebowaliśmy knebla, by powstrzymać Stu od wygłaszania poglądów.

– Widzisz, nikt zacieklej nie protestował, kiedy chciałaś wziąć tę pracę, i tak, przyznaję, że gdy chodzisz na te randki, zamieniam się w nadopiekuńczego psychopatę i nie mogę zasnąć, póki nie wiem na pewno, że jesteś bezpieczna w domu, a nie leżysz naćpana w kontenerze na statku wiozącym cię do dalekowschodniego burdelu...

– Dzięki, to zupełnie nowy najgorszy scenariusz do dodania do mojej listy mrocznych scenariuszy.

– Ale mimo to – ciągnął Stu – uważam, że Trish ma rację. No wiesz, tylko sześć wieczorów i będziesz to miała z głowy, a zostanie ci fajna praca. Leni, nigdy nie widziałem cię tak pełnej życia, jak w ciągu kilku ostatnich miesięcy. Wcześniej byłaś tak zdołowana, że aż było to niezdrowe. Nie wspominam o siedzeniu w biurze dzień po dniu. Nawet nie wiesz, jakie to szkodliwe: niedobór witaminy D, ryzyko zakrzepicy żylnej od przesiadywania za biurkiem, nie mówiąc o niebezpieczeństwie złapania choroby legionistów z klimatyzacji. Teraz przynajmniej coś się w twoim życiu dzieje, masz przed sobą nowe doświadczenia i wyzwania. Ostatnie badania wykazały, że stymulowanie mózgu może opóźnić chorobę Alzheimera o całe lata.

Dlaczego nie mam normalnych przyjaciół? Dlaczego nie powiedział po prostu: „Rób jak uważasz skarbie, to twoje życie". Czasem rozmowa ze Stu jest nie tyle wymianą zdań, ile zapoznawaniem się z zaleceniami ministerstwa zdrowia.

Mimo iż Stu potwierdzał jej stanowisko, Trish zaczynała się niecierpliwić, że tak dużo gada, więc postanowiła wyrzucić to z siebie w zwięzłym jasnym stylu godnym wyrzutni rakiet:

– Słuchaj, jeśli nie chodziłoby o to żenujące, poniżające zbieranie informacji do książki, byłabyś zadowolona z pracy, nie?

Niechętnie przytaknęłam.

– Więc zaciśnij zęby, przejdź przez to i przestań się mazać.

Świadoma, jak podeptane jest już moje ego, ostatnie słowa wypowiedziała z czymś na kształt uspokajającego uśmiechu.

– Chcę jednak, żebyś to miała – powiedział Stu, sięgając to tylnej kieszeni spodni i wyjmując coś, co wyglądało jak pudełko na pierścionek.

– Aaach, Stu, nie wiedziałam, że aż tak ci na mnie zależy! To oświadczyny? Jeśli tak, to porzuć, proszę, kudły tej Torturelli de Mon i padnij, proszę, na kolana!

– Tak, kochanie, ale w przyszłym tygodniu – uspokoił mnie. – Chcę, żebyś to wzięła. Osobisty alarm, kupiłem go w Stanach. To centymetrowy kwadracik, który przypina się do naszyjnika. Jeśli coś będzie nie tak, po prostu go naciśnij, a dowie się o tym cały Londyn.

– Stu, jesteś prawdziwym paranoicznym neurotykiem, ale dziękuję.

– Proszę bardzo, skarbie. A wracając do tematu, co byś odpowiedziała?

– Kiedy?

Pokazał w uśmiechu komplet idealnych białych zębów.

– Gdybym ci się oświadczył.

– Zapytałabym, kiedy wybierasz się do psychiatry.

Puścił do mnie oko, rozśmieszając mnie po raz pierwszy od wielu dni.

Dokładnie w tej chwili drzwi od salonu się otworzyły i wkroczyła – alarm! gwiazda! – Verity Fox. VERITY FOX!

Verity Fox była kociakiem z magazynów dla facetów. Powszechnie uznawano ją za głupkowatą lalunię, do czasu, gdy stała się sławna po tym, jak jej ówczesny chłopak, aktor Joe Callan, został aresztowany za próbę przemytu trzech uncji kokainy na Kajmany. Spędzał właśnie półtora roku za kratkami, ale całe to zamieszanie pozwoliło nikomu nieznanej hostessie Verity zrobić sobie serię zdjęć topless i zbudować karierę w świecie kolorowych magazynów. Jednak jej popularność poszybowała w górę dopiero wtedy, gdy wzięła udział w telewizyjnym programie badającym inteligencję celebrytów (*Celebrity IQ*) i okazało się, że jest najbystrzejszą gwiazdą Wielkiej Brytanii z IQ wynoszącym sto siedemdziesiąt dziewięć, zostawiając w tyle stado bardziej znanych figur, w tym poważanego przemysłowca i znaną z przenikliwego umysłu prezenterkę. I mimo że Verity była bardziej kumata niż fizycy nuklearni, nie miała nic przeciwko pokazywaniu balonów męskiej publiczności, zarabiając miliony na kalendarzach z jej podobizną i rozbudowując swoją korporację Verity Fox Inc.

Podeszła prosto do Stu i pocałowała go w policzek.

– Cześć, skarbie. Wiem, że jestem przed czasem, ale sesja zdjęciowa skończyła się szybciej, niż się spodziewaliśmy.

Odwróciła się w naszą stronę i żartobliwie, niby to z zażenowaniem, wzruszyła ramionami.

– Tak to jest, gdy nie trzeba martwić się o ciuchy. Trish! Skąd się tu wzięłaś?

Runęła na moją przyjaciółkę z cmoknięciami i uściskami. Zaczynałam się czuć nieco zapomniana.

– Dobra, a wy skąd się znacie? – zapytał Stu lekko zaniepokojony.

– Z *Cudownego Poranka TV!* – zawyła Verity. – Kiedy Joe został aresztowany, byłam cotygodniowym gościem programu przez jakieś dwa miesiące, komentując to zajście, a ta tu dziewczyna karmiła mnie i dostarczała mi chusteczki.

– Doskonale wyglądasz, Verity – powiedziała ciepło Trish. – Bardzo się cieszę, że wszystko się ułożyło.

– Ale ten świat mały – mruknął Stu. – A, Verity, to jest Leni.

– Ach tak, pracujesz dla Zary.

Skąd ona o tym wie? Czy coś mnie ominęło?

– Stu wszystko mi o tobie opowiedział. Więc powiedz mi, warto bukować sesję u Zary? Nie mam pojęcia, czy ta cała astrologia jest coś warta. Myślisz, że potrafiłaby przewidzieć, że spotkam ciebie, Stu?

Dobry Boże, kiedy spojrzeli na siebie, uśmiechając się czule, blask ich niepokalanych siekaczy był oślepiający. To nie romans, to prawdziwa gratka dla okulisty.

Stu zwrócił się do mnie i Trish:

– Czekałem, aż skończysz na chwilę szydzić – to było do Trish – a ty wygrzebiesz się z dołka – to do mnie – żeby wam powiedzieć. A więc oto wielka nowina: spotykam się z Verity.

Verity dygnęła żartobliwie, a Trish ryknęła gratulacyjne „Jeeeee!".

– Dwa tygodnie, jeden dzień i wciąż nabieramy impetu – zaśmiała się Verity. – I nadal go nie aresztowano, co jest dla mnie dużym plusem u partnera.

Stu i Verity? Kto by pomyślał? Z drugiej strony... ich spojrzenia ociekały pożądaniem. Tworzyli naprawdę wspaniale wyglądającą parę. Verity miała nieco ponad sto siedemdziesiąt centymetrów wzrostu, ale nawet w czterocalowych pomarańczowych platformach od Gucciego z obcasami z ciemnego drewna (but tygodnia magazynu „In Style"), była o kilka centymetrów niższa od Stu. Oboje nosili czarne dżinsy, Stu luźne, Verity obcisłe, a biały podkoszulek służbowego stroju Stu kontrastował z jej czarnym topem bez rękawów. Ich ciemnokarmelowe cery też idealnie do siebie pasowały, a blond grzywa Verity z miodowymi pasemkami wyglądała jak włosy Barbie przy krótkich, ciemnych włosach Kena, jakie miał Stu.

Oboje byli interesujący, efektowni i tak długo, jak tylko Stu potrafi, ukryć swoją patologiczną hipochondrię, będą mogli uchodzić za niesamowitą parę.

A ja? Co o tym myślę?

Nagle zrozumiałam: nie ma w tym nic złego. Nie ma nic złego w szukaniu kogoś wyjątkowego, na czyj widok ma się motyle w brzuchu, a jajniki stają w gotowości. Nie ma nic złego w byciu samotną i w poszukiwaniu miłości – poza faktem, że najwyraźniej zaczynam wyrażać się jak pocztówka z pokrzepiającym tekstem.

I mimo iż szanse na spotkanie takiej osoby na randkach organizowanych przez Zarę są nikłe, postanowiłam się przemóc i traktować te wieczory jak zło konieczne, małe wyboje na drodze do zawodowego i osobistego szczęścia.

Jeszcze sześć randek. Jeszcze sześć wieczorów. Jeszcze sześciu facetów. Czas brać się do dzieła... kiedy tylko opanuję chęć zwymiotowania.

OGŁOSZENIE

ZARA DELTA CZEKA NA CIEBIE!
SAMOTNY? SZUKASZ MIŁOŚCI?
ZARA DELTA, NAJWYBITNIEJSZA ASTROLOG I DUCHOWA GURU WIE, JAK CI POMÓC I NIEBAWEM CI TO WYJAWI.
ODNAJDŹ MIŁOŚĆ SWEGO ŻYCIA!
SPOTKAJ POKREWNĄ DUSZĘ!
ZŁÓŻ ZAMÓWIENIE NA
WWW.WSZYSTKOJESTWGWIAZDACH.NET
NIE ZWLEKAJ!!!

22
Randka z Wodnikiem

– Czy możesz wreszcie przestać się tak ostentacyjnie gapić? Zaczynamy wyglądać podejrzanie.

Millie wysysała przez słomkę resztki truskawkowego daiquiri, wydając przy tym dźwięki podobne do dźwięków, jakie wydaje kosiarka do trawy, ignorując moją prośbę i bez przerwy jak radar lustrując pomieszczenie.

– Nie mogę się powstrzymać, to jest takie podniecające!

– Myślę, że „nieznośne" lepiej pasuje.

Wierciłam się na krześle, usiłując obciągnąć spódnicę, żeby choć trochę zbliżyła się do kolan.

– Jesteś pewna, że mój strój jest odpowiedni? – spytałam królową wysysania. – Mam wrażenie, że jestem trochę... przesadnie wystrojona.

– Leni, zaufaj mi, czytałam podanie tego gościa i to, co napisał, wywarło na mnie zdecydowanie dobre wrażenie. Jest prawnikiem, ma trzydzieści cztery lata, mieszka w Chelsea i zabiera cię do teatru. Myślę, że nie pojawi się w fioletowym dresie obwieszony biżuterią. A ty wyglądasz wspaniale, więc wyluzuj.

Oddychaj głęboko. Oddychaj głęboko. Ma rację. Kiedy rozmawiałam z Colinem przez telefon, pierwszą rzeczą, jaka mnie uderzyła, była jego nienaganna dykcja i długie pauzy między zdaniami. Natychmiast skojarzyło mi się to z telewizyjnym programem przedstawiającym proces sądowy, w którym prokurator, zwracając się do sędziego, uzasadnia, dlaczego seryjny morderca posługujący się maczetą zasługuje na karę śmierci.

Pomimo mojej determinacji, żeby w tej piekielnie stresującym położeniu jednak się nie bać, motyle zaczęły szaleć w moim brzuchu i obawiam się, że gdybym próbowała wstać, padłabym jak długa, bo czułam, że kolana mam jak z waty.

Millie przyszła ze mną na przedrandkowego drinka, bo parę dni temu pomogła mi wybrać Colina przy pączkach (ja) i herbacie miętowej (ona) i ciekawiło ją, czy dokonała dobrego wyboru. Była ubrana idealnie na tę okazję... jeżeli ta okazja oznacza śpiewanie na scenie dla wojaków wyruszających na drugą wojnę światową. Z Dity von Teese przeobraziła się na ten wieczór w Avę Gardner: wstrząsająco czerwone wargi i kruczoczarne włosy stanowiły dramatyczny kontrast z kredowobiałą cerą. Miała na sobie sięgającą do połowy łydki, nieprawdopodobnie obcisłą sukienkę z paskiem podkreślającym talię, czarne pończochy ze szwem i czarne, skórzane, lakierowane platformy na sześciocalowych obcasach. Mogłoby to być niesamowicie zachwycające, gdyby nie to, że przejście stu metrów zajęło nam pięć minut, ponieważ tak ubrana i obuta mogła tylko drobić jak Japonka.

Westchnęłam głęboko, przestawiając radar na tryb przeczesywania.

– Czy on tu jest, czy on tu jest, gdzie on jest? – gadała podniecona Millie.

– Nieee, ale zauważyłam twoje buty. Czy to prawdziwe louboutiny?

Wybuchnęła śmiechem.

– Z moją pensją? Chyba żartujesz? Nie, to z New Looka, pomalowałam tylko sprayem na czerwono podeszwy, żeby zachować pozory.

Nasze wybuchy śmiechu stawały się coraz mniej eleganckie, gdy pojawił się przed nami wysoki gentleman i wyciągnął rękę do Millie.

– Wybacz, przepraszam, że przeszkadzam, ale czy przypadkiem to ty jesteś Leni Lomond?

– To ja jestem Leni Lomond – wyjaśniłam i zauważyłam wtedy jego prawie – ale nie całkiem – niezauważalną próbę ukrycia rozczarowania. Ten facet byłby zdecydowanie dobry w pokerze.

Pocieszałam się, że chociaż z całą pewnością nie olśniłam go od pierwszego wejrzenia, przynajmniej mój przepisowy strój idealnie pasuje do jego cudownie skrojonego garnituru w kolorze głębokiej szarości i – uwaga – jedwabnego krawata. Nigdy nie byłam na randce z kimś noszącym krawat, od czasu, gdy w wieku dziesięciu lat na potańcówce w szkole podstawowej mój „chłopak", Raymond Drummond, założył cudo na gumce w biało-niebieskie paski.

Powierzchowność Colina była równie olśniewająca jak jego strój. Lekko łysiał, miał włosy koloru piaskowego zaczesane do tyłu i opadające w małych lokach na kark. Nos zdecydowanie w rzymskim stylu, szeroko rozstawione oczy spoglądały spod ciemnych brwi. Części jego twarzy analizowane pojedynczo były w najlepszym wypadku oryginalne, a w najgorszym nieatrakcyjne, ale wszystkie razem dawały niesamowicie imponujący rezultat. Tworzyły niezwykle przystojną twarz mężczyzny inteligentnego i władczego – w stylu „siedź cicho, nie wspominaj o spluwie, a ja spróbuję przekonać sędziego, żeby dał ci dziesięć lat z możliwością zwolnienia warunkowego po pięciu".

W odpowiednim momencie przypomniałam sobie o dobrych manierach.

– A to jest Millie de Prix – poinformowałam go.

Starałam się powiedzieć to bez cienia rozbawienia. Millie de Prix. Przysięgała, że to jej prawdziwe nazwisko, ale brzmiało jak skrzyżowanie nazwiska gwiazdy porno z nazwiskiem kierowcy Fomuły 1.

– Pracujemy razem – dodałam.

– Właśnie wychodziłam – powiedziała ciepło Millie, ściskając jego rękę.

Zaprotestował z galanterią. Ile zdobył punktów za szarmanckość i wdzięk w skali od jeden do dziesięciu? Jak na razie jedenaście.

– Przyłącz się do nas, zapraszam – powiedział. – Nie będzie problemu ze zdobyciem biletu. Bilety na *Blood Brothers* rzadko są wyprzedane w czwartkowe wieczory

– Dziękuję, ale mam już inne plany na wieczór – odrzekła Millie, po czym pożegnała się i ruszyła po schodkach do wyjścia, dając w ten sposób wszystkim możliwość obejrzenia jej jaskrawoczerwonych podeszew. Jeżeli coś dobrego wynikało z pracy dla Zary – jeśli zlekceważyć korzyści płynące z umiejętności śpiewania afirmacji takich jak na przykład „Moje ciało jest narzędziem niebiańskiej radości" – to było to spotkanie z niekonwencjonalną, ale absolutnie uroczą Millie.

Zanim ruszyliśmy do teatru, wypiliśmy szybkiego drinka – ja białe wino, on bardzo drogiego courvoisiera. Nawet w kwietniu, dobre parę miesięcy przed największym najazdem turystów na Londyn, chodniki zapełnione były ludźmi spieszącymi na przedstawienia na West Endzie.

– Często chodzisz do teatru? – spytał, kiedy szliśmy Charing Cross do Phoenix Theatre.

– Tak. Właściwie to jedna z moich ulubionych rozrywek.

Dlaczego ja to robię? Dlaczego? W ciągu ostatnich dwóch lat byłam w teatrze cztery razy, zawsze z Trish i Stu, i widzieliśmy *Chitty Chitty Bang Bang*, *Mamma Mia!*, *Grease* i *We Will Rock You*. I coś mi się wydaje, że nie był to poziom intelektualny, jaki miał na myśli Colin.

Na szczęście dotarliśmy do celu, zanim zdążył mnie zapytać o subtelności moich dotychczasowych doświadczeń teatralnych.

Weszłam do foyer teatru wyluzowana, spokojna i opanowana, spodziewając się, że *Blood Brothers* to musical, więc byłam przygotowana na popisy taneczne i ogólnie dobrą zabawę. Dwie godziny później osłupiała, zdruzgotana i załamana usiłowałam powstrzymać smarki napływające mi do nosa.

Dotąd myślałam, że teatr ma bawić i cieszyć. Ani *Grease*, ani *Dirty Dancing* między kolejką po lody a opadnięciem kurtyny nie traktowały o skrajnej nędzy, o rodzinnych tragediach czy brutalnych morderstwach.

Nagle przed moimi oczami pojawiła się chusteczka do nosa i to nie zwyczajna, papierowa, ale kwadratowa, bawełniana, prawdziwa, „do prania, do prasowania i do ponownego użytku". Nie zdawałam sobie sprawy, że ktoś jeszcze takich używa. Przyjęłam ją z wdzięcznością i zaczęłam bardzo głośno wydmuchiwać nos, wyraźne rozbawiając grupę turystów z Tajwanu (wskazywały na to flagi na ich kapeluszach).

Fantastycznie.

Zadowolona złożyłam chusteczkę, kiedy Colin, przyglądając mi się z zakłopotaniem, wykonał gest „możesz ją zatrzymać". Niestety, nie potrafię powiedzieć, czy jego zakłopotanie spowodowane było moim stanem, czy tym, że wieczór dopiero się zaczynał, a on znalazł się w towarzystwie wyjącej idiotki.

– Tak mi przykro – przepraszałam słabym głosem. – To było fantastyczne, ale nie spodziewałam się, że będzie takie smutne. Myślałam, że to będzie raczej lekki repertuar.

I znów jego nienaganne maniery sprawiły, że pozostał niewzruszony, ale myślę, iż nie był zbyt zadowolony po całym dniu pracy spędzonym wśród morderców, złodziei i piłkarzy, usiłujących uniknąć utraty prawa jazdy za rajd po pijanemu w drodze powrotnej do domu z klubu Funky Buddha.

Co zaskakujące, Colin wcale się nie wymiksował. Poszliśmy do restauracji, w której zarezerwował stolik. Piękne, autentyczne, małe francuskie bistro to był doskonały wybór: ekskluzywne, ale ani nie szpanerskie, ani nie pretensjonalne (więc go stać), i nie był to lokalny oddział Pizza Hut. Co nie znaczy, że nie marzyłam o wielkiej pepperoni z serem, ponieważ w moim stanie umysłu z ogromną przyjemnością rozbiłabym namiot w ogrodzie rozkoszy kulinarnych.

Szef na powitanie wycałował go w oba policzki, zaszwargotali o czymś po francusku, po czym wskazał nam boks w głębi sali z meblami obitymi skórą w kolorze ciemnej czekolady. Na orzechowym stole zobaczyłam kryształowe kieliszki i ozdobne serwetki, ułożone na srebrnych talerzach. Wszystko tu było we francuskim stylu z lekkim kosmopolitycznym poświstem. Myślę, że to miejsce wywarłoby wielkie wrażenie na uczestniczce pierwszej randki, pod warunkiem, że po jej policzkach nie spływałaby maskara, nie miałaby czerwonych oczu i zatkanych zatok, w każdej chwili grożących migreną.

Skoczyłam do toalety, umyłam twarz, poprawiłam makijaż i wróciłam do stolika trochę mniej przestraszona, niż byłam dziesięć minut temu.

– Tak mi przykro – powtórzyłam nosowym głosem.

– Niepotrzebnie. Uważam, że to było słodkie.

Bim-bam. Bim-bam. To mój cholerny detektor głupot sygnalizował jak oszalały. Rozumiem, że potężna łza Julii Roberts w operze w *Pretty Woman* była słodka, ale mój histeryczny wybuch rozpaczy to raczej przypadek w stylu: „Trzymaj się z dala, uwaga na latające smarki”.

Kelner podał nam menu i ku mojemu zdumieniu zaczął dyskutować z Colinem po francusku, a ja ze swoją śladową znajomością tego języka nie mogłam dotrzymać im kroku. Gdyby ktokolwiek inny zachowywał się w ten sposób przybiłabym mu na czole pieczątkę z napisem „pretensjonalny dupek", ale w przypadku Colina, o dziwo, było to do zniesienia. Był opanowany i władczy, co, prawdę mówiąc, bardzo mi się podobało – nawet jeśli czułam się przy nim jak małolata. Zrobił na mnie wrażenie. I bez wątpienia po tak dogłębnej konsultacji miał wszystkie informacje na temat najlepszych dań i idealnie do nich pasujących win.

– Przepraszam, nie chciałem się popisywać, ale znam od lat właścicieli tej restauracji i zdziwiliby się, gdybym nie znalazł czasu na pogawędkę. Właśnie mi powiedział, że jego ciotka dzisiaj nie kelneruje, bo dokuczają jej żylaki.

A więc zna tę rodzinę od lat – czy miał na myśli znajomość prywatną, czy zawodową? Ten kelner nie wzbudzał zaufania, a oczy szefa były jakoś podejrzanie blisko osadzone – czy to przypadkiem nie jest cecha charakterystyczna kryminalistów? A co z tą kelnerką w bardzo krótkiej spódniczce? Prostytucja? Paserstwo skradzionych przedmiotów? (Oooch, co za słownictwo – muszę przestać oglądać powtórki *CSI*.) A jeżeli on siedzi u swoich oskarżonych w kieszeni? Jeżeli jest przez nich opłacany? Cholera, czyżbym została dziewczyną gangstera?!

Jeden potajemny uścisk ręki czy brązowa nieoznakowana koperta, a już mnie tu nie ma. Właśnie w tej chwili możemy być śledzeni. Niemożliwe, żeby ten stary otyły typ trzy stoliki od nas był naprawdę na randce z seksowną dwudziestoparoletnią dziewczyną, siedzącą naprzeciwko niego. To na pewno tajniacy. O mój Boże, mogą nas zapuszkować w każdej chwili. Pod stołem pewnie jest przyklejona pluskwa. Wyląduję w talk-show i będę się spowiadała prowadzącym, jak to nie miałam zielonego pojęcia, że moja randka odgrywała kluczową rolę w działalności przestępczości zorganizowanej. Mogłabym też wybrać ścieżkę rozwoju Verity i zdobywając sławę dzięki związkom z gangsterami, skończyć na rozkładówce poczytnej gazety dla panów.

– Czy mogę cię o coś zapytać? Oczywiście nie musisz odpowiadać. Możesz skorzystać z Piątej Poprawki – powiedziałam, równocześnie gmerając palcami pod stołem, żeby sprawdzić, czy nie ma tam podsłuchu. Niczego nie znalazłam. Ale za to pokleiłam sobie palce gumą do żucia.

– Piąta Poprawka ma zastosowanie w Ameryce – zauważył Colin z pobłażliwym uśmiechem w rodzaju „jasne, wal śmiało". Opanowany i chłodny jak nos Inuity. Można powiedzieć, że na pewno nigdy nie załamie się w czasie przesłuchania.

– Czy spędzanie całych dni z najzatwardzialszymi kryminalistami nie robi na tobie wrażenia? To znaczy, czy to nie jest przerażające?

Wyciągnij to z niego – jak psycholog z serialu o policjantach, Cracker. Ten nigdy nie rzuca oskarżeń na prawo i lewo. Zawsze stosuje łagodne metody.

Koniecznie zapamiętać: za dużo starych seriali telewizyjnych. Trzeba to zmienić.

– Tylko kiedy mam do czynienia z seryjnymi mordercami. Trzeba bardzo na nich uważać.

Moje oczy zrobiły się większe niż bułeczki, które odmieniona call-girl właśnie położyła na stole. I wtedy, między kęsami ciepłej bułeczki, zauważyłam pojawiający się na jego twarzy z trudem skrywany uśmiech.

– A więc nie masz do czynienia z seryjnymi mordercami?

– Nic mi o tym nie wiadomo, ale przecież nigdy nie można być pewnym. Przepraszam, Leni, bardzo nie lubię psuć wrażenia, ale jestem prawnikiem korporacyjnym. Fuzje, przejęcia, zniesławienia, odszkodowania, roszczenia… same nudy, obawiam się. Czy jesteś rozczarowana?

– Nie, nie, ależ skąd – odrzekłam rozczarowana.

A moje intrygi, niespodziewane zwroty akcji i zdjęcia w magazynach dla facetów? Jednak może uniknięcie wplątania się w działalność kryminalną ma swoje dobre strony: jeżeli randka się nie uda, nie będę musiała się martwić, że Colin wynajmie któregoś ze swoich byłych klientów, żeby poprzecinał mi opony, albo że ukradnie moją tożsamość i zaciągnie na nią tysiące funtów kredytu na zakup kokainy od narkotykowego kartelu w Ameryce Południowej. Naprawdę muszę przestać oglądać kryminały.

Dlaczego prawnik, co prawda zajmujący się dosyć nudną dziedziną prawa, zgłasza się do Zary Delty? Ma kasę, jest niewątpliwie czarujący, i, jak się daje zauważyć, przy zdrowych zmysłach. I zna francuski, co, biorąc pod uwagę moje zadurzenie w Tierrym Henrym, jest niewątpliwie seksowne. Zaczęłam głośno się nad tym zastanawiać (wyłączając wątek zadurzenia w Tierrym Henrym).

– Zrobiłem to pod wpływem nagłego impulsu – wyznał, wzruszając ramionami. – Rano, kiedy jechałem do sądu, słyszałem w radiu jej program i od razu wysłałem e-mail z blackberry. Pracuję potworną ilość godzin, otoczony facetami, a jako że kluby mi nie leżą, więc tak naprawdę nie wiem, jak w dzisiejszych czasach kogoś spotkać.

– Więc jak wyglądałaby twoja wymarzona randka? – spytałam, chcąc się dowiedzieć, co zrobiłby, mając wolną rękę, skoro na pierwszym spotkaniu naraża dziewczynę na kontakt z mordercami.

Moje pytanie rozpaliło jego wyobraźnię.

– To trudne pytanie. Daj mi chwilę, pozwól pomyśleć, niech się zastanowię... ciepłe kraje, zdecydowanie ciepłe kraje. Mam na sobie kremowy lniany garnitur, a ona spowita jest w olśniewającą, białą, jedwabną szatę, przypominającą togę i sięgającą niemal do ziemi. Spotykamy się o zachodzie słońca, wokół piasek, a na plaży stoi stolik dla nas dwojga.

Jego oczy zaszkliły się delikatnie i z pewnością przeniósł się myślami na lazurową plażę.

Nie jestem przyzwyczajona do takich rozmów.

– Rozmawiamy, śmiejemy się, trzymamy się za ręce przy księżycu, delektując się wybornym winem i najbardziej wyszukanymi owocami morza. I postanawiamy, że nigdy nie zapomnimy o tych chwilach, tych pięknych, niezapomnianych momentach więzi między dwojgiem ludzi, którzy mają świadomość, że są dla siebie stworzeni.

Cisza. Colin był w tropikalnym kurorcie, a mnie odebrało mowę.

– Wiesz, czasami zastanawiam się, czy ta kobieta istnieje naprawdę.

Postanowiłam nie zwracać uwagi na fakt, że jasno daje do zrozumienia, iż ja nią nie jestem. Z przekrwionymi oczami, z rozmazanym makijażem i niecierpliwie czekająca na wielką porcję chrupiącego kurczaka pieczonego w głębokim tłuszczu, zdałam sobie sprawę, że fakty mówią same za siebie.

– Mam na myśli kobietę luksusową, która uwielbia być odpowiednio traktowana. Wiem, że to strasznie niemodne, ale myślę, iż szukam nieosiągalnej kobiety, lubiącej staroświeckie zaloty i następujący po nich tradycyjny ślub.

Patrzcie, patrzcie, kto by pomyślał? Pod garniturem z Savile Row kryje się niepoprawny romantyk, marzący o tym, żeby uciec i jeść homara na plaży z kobietą z marzeń. Prawdziwy romantyk! Żywcem wyjęty z powieści historycznej albo z amerykańskiej opery mydlanej. Dlaczego ten facet jest jeszcze niezagospodarowany? Czy kobiety nie narzekają, że współcześni mężczyźni nie potrafią się elegancko zalecać? Czy to nie sytuacja ze snów (oczywiście nie z tych nieprzyzwoitych, jakie zdarzają się mnie)? Jest wytworny, inteligentny, przy kasie, odnosi sukcesy… więc dlaczego wciąż jest singlem?

– Pozwolisz, że będę potwornie szczery?

– Zgoda.

– Jak można w dzisiejszych czasach znaleźć idealnego partnera? Speed-dating to dla mnie zagadka – jak, na Boga, w tak krótkim czasie można się z kimkolwiek związać? A ja z natury jestem nieufny wobec wszelkich internetowych kontaktów. Więc żeby zupełnie szczerze odpowiedzieć na twoje wcześniejsze pytanie, pomyślałem, że powinienem zorientować się we współczesnych trendach randkowych, próbując przy tym zminimalizować ryzyko spotkania jakiejś niepoczytalnej... jak by to powiedzieć… hm… baby rodem z *Fatalnego zauroczenia*.

– A więc to nie jest odpowiedni moment, żeby ci opowiadać, iż lubię małe króliczki, bo się szybko gotują?

To był żart, stary głupi żart, jeden z tych, które przed laty usłyszałam od Trish i zanotowałam sobie w pamięci, żeby móc go wykorzystać w odpowiednim momencie. Pamiętam dobrze, jak w latach dziewięćdziesiątych wszyscy na uniwersyteckich imprezach chichotali, zanim ruszyli tańczyć przy dźwiękach *Wonderwall*. Żart w moim niezawodnie niezgrabnym wykonaniu jakimś cudem zamieniał się w totalną klapę.

Hałas z początku przypominał drażniący kaszel, charkot, który nabierał rozpędu, aż zaczął przypominać ryczący silnik. Była to kakofonia chrząknięć, spiętrzających się i nasilających do dźwięku nie z tego świata, który stawał się coraz głośniejszy, głośniejszy i głośniejszy...

Colin Bilson-Smythe był singlem, ponieważ śmiał się jak silnik odrzutowy, który pochłonął stado hien na haju. Albo może połknął w całości Celine Dion.

Dobry Boże, spraw, żeby to się skończyło.

Ludzie zaczęli nam się przyglądać, wzruszać ramionami, kieliszki pobrzękiwały, a ja miałam ochotę wejść pod krzesło. W moim obolałym mózgu kołatała się przerażająca myśl: co za cholerne szczęście, że nie poszliśmy na komedię.

Potworny krzyk sprawił, że Colin umilkł. Młoda kobieta, siedząca trzy stoliki od nas, zerwała się z krzesła, wywracając je z hukiem, i szaleńczo gestykulowała nad swoim pocącym się towarzyszem, który skręcając się konwulsyjnie, ściskał się za gardło, wydając dźwięki zwykle towarzyszące krztuszeniu się. Zauważyłam coś czerwonego i zdałam sobie sprawę, że spod białej skórzanej minispódniczki dziewczyny wystają czerwone majtki – z pewnością wycie Colina, mogące spowodować trzęsienie ziemi, przeszkodziło im w konsumowaniu wyszukanej przystawki.

– On się dławi, on się dławi! – krzyczała, sprawiając, że wszystkich w restauracji ogarnął paraliż.

Oprócz mnie.

Ludzie często zastanawiają się, jak by zareagowali w sytuacji zagrożenia czyjegoś życia, a ja już wiem. Dzięki ci, Kanalizacjo Miejska – te siedem corocznych kursów pierwszej pomocy

Czerwonego Krzyża uratowały życie starego napalonego milionera, który świętował właśnie dwudzieste piąte urodziny swojej nowej kochanki.

Uruchomił się autopilot i jak superbohater z kreskówki przeskoczyłam trzy stoły, rozdzierając przy tym sukienkę i ukazując błyszczące biało-niebiesko-czerwone majtki oraz biustonosz bez ramiączek w takim samym kolorze... Dobra, kłamię. Rzuciłam się po prostu do ich stolika, objęłam faceta obydwoma rękami poniżej klatki piersiowej i z potężną siłą ucisnęłam, sprawiając, że z jego tchawicy wyleciał niezidentyfikowany biały przedmiot i strzelił prosto w przedłużone platynowoblond włosy jego dziewczyny.

Sugar Daddy świstał i sapał jak maratończyk, jego głowa opadła na stół i w chwili, gdy myślałam, że będę musiała zastosować kolejną technikę ratującą życie, zerwał się i zaryczał jak ranny zwierz:

– Ta ryba miała być bez ości!

Tak jest, proszę pana.

– Dajcie mi tego skurwysyna, który ugotował tę kupę gówna! To cholerna zniewaga!

Nie, cała przyjemność po mojej stronie, jestem dumna, że mogłam uratować panu życie.

W tym czasie ogarnięty paniką personel restauracji (minus ciocia, którą żylaki litościwie zatrzymały w domu) zebrał się koło nas, podczas gdy lalunia usiadła, przygryzając dolną wargę. Cała restauracja się gapiła, a ja wciąż stałam za rozwścieczonym bykiem, zastanawiając się, czy mogłabym wsadzić mu z powrotem ość do gardła i pozwolić działać naturze. Colin wstał – lepiej późno niż wcale – z mieszaniną zaskoczenia, dumy i, co dziwne, irytacji malującymi się na twarzy.

– Przepraszam, ale czy nie uważa pan, że powinien...

– Nie zaczynaj, do kurwy nędzy! Na sto procent udławiłem się przez ten pieprzony hałas, którego narobiłeś!

Możecie być zdania, że nie jestem zbyt spostrzegawcza, ale przyglądając się całej tej scenie, nie mogłam nie stwierdzić, iż ta randka przebiega, na oko, nie tak jak należy.

– Moment, moment, nie ma potrzeby... – Colin zniżył głos o około trzy oktawy, zmrużył oczy i skupił wzrok na stojącym przed nim wstrętnym dupku. Jeżeli kiedykolwiek przydałaby mi się umiejętność podróżowania w czasie, to właśnie teraz. Pojechałabym wytropić pana Heimlicha i poprosiłabym, żeby zabrał się do wymyślania na przykład wysokich obcasów, w których nie bolą nogi.

W centrum całej awantury znalazł się szef, rozpaczliwie usiłując załagodzić sytuację.

– Proszę pana, proszę mi pozwolić...

– Na nic, ci kurwa, nie pozwalam! – wrzeszczał dziadyga.

Kiedy zdałam sobie sprawę, że nie zamierza obdarować mnie wszystkimi dobrami doczesnymi z wdzięczności za to, że uratowałam mu życie, chciałam jak najszybciej się stamtąd wynieść, więc zaczęłam przeciskać się do naszego stolika, mijając po drodze Colina.

Szef był bliski histerii.

– Ależ proszę pana...

– Załatwię twoją francuską dupę w sądzie. Słyszysz?!

Uważam, że to nie najlepszy moment, żeby zwrócić uwagę, iż wszyscy z dziesięciu sąsiednich dzielnic doskonale go słyszą.

– Lepiej poszukaj sobie jakiegoś pieprzonego dobrego prawnika, bo puszczę cię z torbami!

Jakbym słyszała męską wersję Trish. Gdybym nie wiedziała, że tata Trish jest uroczym, nieśmiałym, emerytowanym piekarzem we wsi niedaleko Cornwall, mogłabym przysiąc, że to ten facet przekazał jej swoją krew.

Zapadła cisza, kiedy pozostali goście restauracji wpatrywali się w zdumieniu w rozgrywający się przed nimi dramat. Personel stał oniemiały, lalunia nakładała na usta kolejną warstwę błyszczyku, a ja schyliłam się ukradkiem, żeby podnieść z podłogi torebkę.

Jedyną osobą, która się poruszyła, był Colin. Bardzo powoli, z zaciśniętymi szczękami, co stanowiło wyraz determinacji, podszedł do stolika wkurzonego typa i oparł kłykcie palców obydwu dłoni na białym adamaszkowym obrusie, pochylając się w kierunku jego wykrzywionej, purpurowej twarzy, i odezwał się najbardziej złowrogim tonem, jaki kiedykolwiek słyszałam:

– Oni już mają prawnika. I nie mogę się doczekać, kiedy zacznie się sprawa.

W powietrzu można było powiesić siekierę, bo wszyscy zgromadzeni w restauracji bez reszty zaangażowali się w dramat.

Byłam zadowolona.

Ponieważ to oznaczało, że nikt nie zwróci uwagi na głuchy odgłos drzwi uderzających mnie w tyłek, kiedy wyjdę.

PROJEKT RANDKOWY *WSZYSTKO JEST W GWIAZDACH* – PODSUMOWANIE

Lew	Harry Henshall	niezdrowa fascynacja komputerową przemocą
Skorpion	Matt Warden	lider zespołu, kłamliwy dupek
Baran	Daniel Jones	bez szans na karierę, jako trener asertywności
Koziorożec	Craig Cunningham	terapeuta związków, wzbudza gwałtowną agresję
Bliźnięta	Jon Belmont	zdecydowany potencjał – potajemne plany na spotkanie w przyszłości
Ryby	pielęgniarz Dave Canning	na przyszłość: należy unikać pracowników służby zdrowia
Wodnik	Colin Bilson-Smythe	prawnik, śmieje się jak robot kuchenny

E-mail
Do: Trish; Stu
Od: Leni Lomond
Odp: Gdyby ostatnią randkę opisać w formie ogłoszenia towarzyskiego, brzmiałoby mniej więcej tak...

Czy marzysz o powrocie romantycznych starych czasów, kiedy mężczyźni i kobiety wzajemnie się adorowali?
Wytworny, dwujęzyczny prawnik, lat 34, królewsko piękny, o tajemniczej powierzchowności, poszukuje eleganckiej, dobrze ubranej, dobrze wychowanej miłośniczki prawdziwie romantycznych wieczorów pod tropikalnym niebem. Przygotuj się na bycie rozpieszczaną, obsypywaną

prezentami i zaskakiwaną oryginalnymi niespodziankami. Jeżeli twoją pasją jest poezja, harfa uskrzydla twoje serce, a teatr przenosi cię do krainy radości, to czekam na twój telefon. Chcę powrotu staroświeckich zalotów, jak z Szekspira. Jestem Romeo – czy będziesz moją Julią?
PS: Przyjaciele często robili uwagi na temat mojego wyjątkowo hałaśliwego rechotu, więc powinni zgłaszać się tylko ci, którzy lubią dźwięk wydawany przez przemysłowy robot kuchenny. Zatyczki do uszu nie będą dostarczane.

23
Cyt, cyt, gwiazdko miła...

– Wszystko w porządku?

Czy to tylko moja wyobraźnia, czy na twarzy Millie maluje się niepokój? Z pewnością to moje zszargane nerwy i zbyt bujna wyobraźnia – przecież nie miałam jeszcze okazji opowiedzieć jej o szczegółach wczorajszej randki.

– Tylko dwa tygodnie na plaży ze skrzynką pączków Krispy Kremes pod ręką mogą mnie uratować.

Wzięła z biurka wielką stertę e-maili i wcisnęła ją w moje wyciągnięte ręce.

– Jej wysokość? – spytałam.

– Już u siebie na górze, z mistrzem reiki, z księgowym i typem od detoksu stóp. Nie mogę uwierzyć, że znowu go zatrudniła. To ustrojstwo do spa stóp, którego używa, przecieka i ostatnio wywaliło korki.

– Kapitalnie. Chyba będę musiała trzymać ekipę elektryków pod parą. A co robi jego wysokość?

– Stoi za tobą.

Czy jakimś cudem poprzedniej nocy Millie nauczyła się sztuczki polegającej na zniżaniu głosu, co pozwoliło jej teraz udawać, że stoi za mną Conn? Sądząc po tym, że starała się właśnie ukryć rozbawienie, to nie.

Na szczęście Conn nie wyglądał na wkurzonego, był raczej zaintrygowany.

– Wiesz, użyłam określenia „jego wysokość" z szacunku… – wybąkałam.

– Czy mogę z tobą chwilę pogadać?

O kurczę. Dowiedział się, że skłamałam na temat randki z Dave'em. Wie, że w ten sposób działam wbrew interesowi firmy. I odkrył, że utrzymuję kontakty z Jonem, co jest wbrew regulaminowi projektu Zary. Spojrzałam na stertę e-maili, którą trzymałam w rękach. Nadeszła chwila prawdy – nie ma mowy, żebym taszczyła to wszystko na górę po schodach, jeżeli on ma właśnie zamiar wywalić mnie z pracy. Muszę spytać…

– Czy wchodzę po tych schodach po raz ostatni?

Ściągnął brwi, dając tym samym do zrozumienia, że nie ma pojęcia, o czym mówię.

– No, chyba że zainstalujesz tu windę – odpowiedział niefrasobliwie. – A teraz pozwól, że wezmę te e-maile, i chodź ze mną na górę.

No, no. Zrobiłam dokładnie to, o co mnie prosił. Szedł przede mną po schodach, jak zwykle otoczony chmurą zapachu Ciacho Nr 1, atakującego moje zmysły i, wytrącającego mnie z równowagi, że prawie odwróciłam wzrok od jego pośladków (na szczęście w spodniach).

Po wieczorze spędzonym z dżentelmenem o staroświeckich manierach takie zachowanie było zdecydowanie nie na miejscu, ale po prostu nie mogłam oderwać wzroku i... zafascynowana potknęłam się na ostatnim stopniu, po czym runęłam do przodu, wprost na górną cześć jego ud.

Na szczęście się roześmiał.

– Chyba nie masz dzisiaj dobrego dnia, co? Nie dość, że obrzuciłaś mnie wyzwiskami, to jeszcze na mnie napadłaś.

Czy wspomniałam o fantazjowaniu na temat molestowania seksualnego?

Otworzył drzwi do swojego gabinetu i zaprosił mnie do środka. To miejsce było przeciwieństwem miejsca pracy Zary: monochromatyczne, minimalistyczne, z ogromną, białą, skórzaną kanapą pod oknem i białymi biurowymi szafkami ustawionymi wzdłuż jednej ze ścian, naprzeciwko skórzanego krzesła w kolorze kremowym i szklanego biurka, stojących pod przeciwległą ścianą. Oryginalne deski podłogowe były zabejcowane na ciemny heban, pasujący do polakierowanych listew przypodłogowych i drzwi. Gdybym miała poetycką naturę (Colin byłby ze mnie dumny), porównałabym ten pokój do samego Conna: siła i zdecydowanie na tyle uderzające, że nie wymagają żadnych dopowiedzeń.

– Usiądź.

Wskazał mi gestem sofę, więc nerwowo przemierzyłam pokój i klapnęłam. Nagle zdałam sobie sprawę, że Conn ma zamiar usiąść obok mnie. Robiłam, co mogłam, żeby nie pokazać po sobie, jak bardzo jestem tym speszona, jednak prawdopodobnie domyślił się prawdy, ponieważ z mojej twarzy emanowała temperatura bliska tej, jaką osiągają rakiety kosmiczne podczas wchodzenia w ziemską atmosferę.

Usiadł w rogu kanapy, wyciągając długie nogi, i jego stopy znalazły się kilka centymetrów od moich. Zaczęłam się tak potężnie pocić, że musiałam rozpocząć modlitwę do boga skórzanych kanap: „Święty boże, jestem zupełnie mokra i błagam, błagam spraw, żebym nie przykleiła się do tej wołowej skóry na zawsze".

Mów. No, dalej, mów. Proszę. Zanim pot zacznie spływać mi po twarzy i kapać na meble. Powiem wam szczerze, że Archie Botham i jego spłuczka nigdy nie wprawili mnie w podobny stan. Posiadanie tak atrakcyjnego szefa powinno być zabronione przez prawo pracy. Posiadanie tak atrakcyjnego szefa – który w dodatku siedzi kilkadziesiąt centymetrów ode mnie, patrzy ciemnotopazowymi oczami z niewymuszonym uśmiechem, a pod wpływem jego feromonów moja macica kurczy się do rozmiarów orzecha włoskiego – powinno być wręcz nielegalne.

– Jestem ciekaw, jak przebiega projekt. Przepraszam cię, zawsze się spieszę i nigdy nie udaje mi się usiąść z tobą i pogadać, więc pomyślałem, że porwę cię na pięć minut, żeby się dowiedzieć, jak tam sprawy.

Och.

Włączyłam wymuszony uśmieszek, co robię automatycznie w sytuacjach stresujących, albo gdy mam zakazane myśli o przedstawicielach płci przeciwnej. Szczerze mówiąc, czasami wydaje mi się, że żyję w innym świecie, w którym moja dojrzałość emocjonalna zatrzymała się gdzieś około walentynek w 1992 roku, kiedy to wrzuciłam anonimową kartkę do skrzynki w domu chłopca, który mi się podobał, i uciekłam jak wicher, żeby nie dowiedział się, że ta kartka jest ode mnie.

– Wszystko idzie... eee, dobrze. Byłam już na siedmiu randkach, więc przede mną jeszcze pięć.

– Taaa, czytałem raporty. Mam wrażenie, że spotkałaś kilku nietuzinkowych osobników.

Uwielbiam sposób, w jaki Conn bezwiednie przeczesuje palcami włosy, gdy mówi.

– Mniej więcej siedmiu, no, powiedzmy sześciu, bo ten Bliźnięta był dosyć normalny.

Prawdę mówiąc, bardziej niż normalny. Uroczy. Miły. Szczery.

– Wspaniale, to wspaniale. Wiesz, posłuchaj, chciałem ci powiedzieć, że naprawdę doceniamy to, co robisz, bo odwalasz kawał dobrej roboty. I zdaję sobie sprawę, że to nie jest łatwe...

– Tak. Prawdę mówiąc, czasami zastanawiam się, jak to się stało, że w ogóle w to weszłam.

Lekko zmrużył oczy.

– Naprawdę?

– Tylko czasami – podkreśliłam.

Cholera! Po co ja to powiedziałam? Nic już nie mów. Nic już nie mów.

– Czy wobec tego rozważasz rezygnację udziału w projekcie?

Tak!

To powiedziałam w myślach. Za to głośno i żarliwie wyjąkałam:

– Nieee, oczywiście, że nie. Absolutnie nie. Nie ma takiej możliwości.

– Genialnie. Ulżyło mi, bo to bardzo ważna część naszych planów na ten rok i chcemy, żebyś wiedziała, iż bardzo doceniamy twój wkład w to przedsięwzięcie. Jesteś ważnym członkiem zespołu i jesteśmy ci wdzięczni. Trochę goni nas czas – dostaliśmy ponad sześć tysięcy zamówień, a wydawca chce to wydać jak najszybciej, więc postaraj się następne pięć randek upchać jakoś w ciągu najbliższego miesiąca. I Leni, jeśli tylko masz jakieś problemy albo coś cię niepokoi, pamiętaj, że zawsze możesz ze mną pogadać. Po to tu jestem.

Z jego tonu i ze sposobu, w jaki zaszkliły mu się oczy, wywnioskowałam, że nasze tête à tête dobiega końca. Dlaczego? Poświęciłam całe serce, duszę i siedem długich wieczorów temu projektowi, i do tego ma się ograniczyć nasze lepsze poznanie?

– Aaa i jeszcze jedno…

Dla ciebie wszystko. Szczególnie jeśli tylko ma to związek z nagością. Nie osądzajcie mnie. Gdzieś czytałam, że kobiety myślą o seksie co piętnaście minut – moje piętnaście minut jest zarezerwowane na czas, kiedy Conn znajduje się w pobliżu. Poza tym, jakie mam opcje? Zrealizować moje romantyczne mrzonki? Na pewno nie. Wspomnienie pielęgniarza Dave'a i opieki ginekologicznej, jaką mnie otoczył, wciąż budziły we mnie smutek i wściekłość. Obecnie jestem na etapie związków niedojrzałych i tych z gatunku „wszystko to dzieje się tylko w mojej głowie".

– …dział prawny uaktualniał nasze umowy dotyczące dotrzymywania tajemnicy zawodowej, czy możesz podpisać ostatnią wersję?

Szybko przeleciałam ją wzrokiem i jakimś cudem udało mi się utrzymać długopis w śliskiej od potu ręce, kiedy podpisywałam się w wyznaczonym miejscu.

– Dzięki, Leni. I pamiętaj, gdybyś miała jakikolwiek problem, przyjdź i powiedz mi o tym. Wiem, moja matka jest trochę nieprzewidywalna, i zgadzam się, że nieco odbiega od normy, ale mimo że tego nie okazuje, uważa, że wykonujesz fantastyczną robotę…

Tak uważa?

– …i ja też jestem tego zdania.

Włączyłam wymuszony uśmieszek. Skłamałabym, gdybym twierdziła, że moje ego odrobinę nie urosło. Praca dla Zary jest zwariowana, a ona sama bez ustanku daje mi odczuć, że nie jestem tak kompetentna/sprawna/interesująca, jak by sobie tego życzyła, ale teraz Conn mówi mi coś innego, co sprawia, że czuję się wspaniale. Zara jest zadowolona z mojej pracy. Docenia mnie. Nie mogę wycofać się z tego projektu, ponieważ zespół na mnie polega.

Jakby była jasnowidzem, Zara właśnie w tym momencie wpadła do biura Conna, bosa, w różowym turbanie i w długim do ziemi fioletowym kaftanie obszytym stokrotkami. Przemierzając pokój, zostawiała na drewnianej podłodze ślady mokrych stóp. Jak wspaniale wygląda, moja szefowa, moja mentorka, kobieta, która docenia mnie jako członka wąskiego grona współpracowników. Przez moment żałowałam tych wszystkich chwil, w których na nią narzekałam (oczywiście kiedy znajdowałam się poza polem jej jasnowidzenia). Jak mogłam być tak krytyczna? Ta kobieta to odnosząca sukcesy bizneswoman. Żyje pod ogromną presją. To zrozumiałe, że czasami bywa wykończona nerwowo i działa bez zastanowienia. I jest ostra. Niegrzeczna. Szorstka. Egocentryczna. To odpowiednia chwila, żeby się trochę podlizać i okazać jej trochę zrozumienia i współczucia. I pomyśl o czymś miłym. O czymś miłym...

– Leni, cieszę się, że cię złapałam – oznajmiła.

Niewiarygodne! Ona też ma zamiar mi pogratulować, żeby trochę mnie zmotywować. Dzisiaj chyba jest Międzynarodowy Dzień Team Buildingu.

– Właśnie miałam spotkanie z księgowym…

Podwyżka! Jeszcze do tego dostanę podwyżkę! Co za szczęśliwy dzień! Może nadszedł czas, żeby na poważnie związać się z Drużyną Zary? Albo Drużyną Delta. Albo Drużyną...

– I powiedział mi, że zażądałaś pięćdziesięciu czterech funtów za kolację z jednym z kandydatów, który przecież wcześniej pobrał już sto funtów na wydatki związane z randką.

Byłam tak zaskoczona, że mnie zatkało. A co z pochwałami? A co z podwyżką?

– Tak, ale on nie zapłacił i…

– Leni, nie zarabiam pieniędzy po to, żebyś ty je wyrzucała. Tym razem ci daruję, ale jeżeli jeszcze raz zdarzy się takie rażące nadużycie ustalonego sposobu wydawania pieniędzy, zostanie ci to potrącone z pensji. Czy wyrażam się jasno?

Conn z przyzwoitości unikał kontaktu wzrokowego i kontemplował podłogę.

– Tak – odpowiedziałam sucho, czując narastające uczucie niechęci, kiedy patrzyłam na osobę stojącą na czele Drużyny Wstrętnych Suk.

Wszystkie miłe myśli natychmiast wyparowały z mojej głowy.

E-mail
Do: Leni Lomond
Od: Jon Belmont
Temat: Myślę o tobie, Gwiezdna Panienko

Hej, Leni,
wolisz najpierw dobrą wiadomość czy złą? Dobrze, najpierw złe wiadomości: dzisiaj rano przegapiłem pierwsze dziesięć minut sesji, ponieważ potwornie się śmiałem z Twojego e-maila. Myślę, że zarobiłabyś kupę kasy w tej branży. I bezczelność tego typa – to nie do wiary, że nawet nie podziękował Ci za uratowanie życia! W każdym razie za to, że mnie tak rozbawiłaś, zapomnijmy o tych tysiącach funtów prowizji, które straciłem, nie kupując akcji pewnego informatycznego giganta.
Dobra wiadomość jest taka, że zamierzam Ci to wybaczyć. Myślę, iż w nagrodę możesz mnie jak najszybciej dobrze nakarmić i odpowiednio napoić. Żartowałem! Tak naprawdę myślałem tylko o Tobie, o sobie i o moich fantastycznych umiejętnościach kulinarnych. Mówię poważnie. Chcę ugotować dla ciebie kolację, moglibyśmy poznać się bliżej przy lampce dobrego wina i przy jakiejś naszej ulubionej rozrywce z górnej półki: cały siódmy sezon *Kryminalnych zagadek Las Vegas*.
Ale to nie wszystko. Oczywiście będzie jeszcze ogromna paczka czipsów o smaku sosu worcester. Czy już zemdlałaś z zachwytu? Nie mogę się doczekać, kiedy znowu Cię zobaczę, Leni, więc kiedy uwolnisz się od swoich bardzo kłopotliwych obowiązków zawodowych? Według mojego rozeznania masz jeszcze pięć randek.

POŚPIESZ SIĘ I ODWAL JE, zanim stracę wrodzoną cierpliwość, wszystkie pieniądze i pracę...
Miłego dnia, mój mały komiku.
Jxxx

24
Randka z Rakiem

Gregory, 26 lat, Rak. Wybrany z całej sterty zgłoszeń, tym razem z pomocą Zary, która rzuciwszy okiem na czterech kandydatów, nad którymi się zastanawiałam, powiedziała, że zauważyła mistyczną aurę, kiedy tylko rzuciła okiem na jego zdjęcie. Mam wrażenie, że jej wybór zależał tylko i wyłącznie od widzimisię. Albo może miała na to wpływ niestrawność. Mogę z całą odpowiedzialnością stwierdzić, że w jego wizerunku nie dostrzegałam niczego mistycznego. W rzeczywistości od momentu, kiedy szedł powoli w moją stronę przed pubem Parliamentary Arms był troszeczkę, powiedzmy, przytłumiony. Troskliwy – tak. Grzeczny – tak. Mrukliwy – owszem.

Możliwe, że zobojętniałam. Zdarzyły się pocące się dłonie, kolana z waty, żołądek podchodzący do gardła i dwa ataki paniki wymagające użycia technik oddychania i papierowej torby – tak, ale w gruncie rzeczy byłam swobodna i beztroska. Uznałam za powiew nowości to, że nie tracąc czasu na zawiłe prezentacje, burknął po prostu „Leni?", po czym wskazał głową najbliższy bar. Otworzył drzwi, a panujący we wnętrzu gwar wykluczył jakiekolwiek głębokie rozmowy na przykład o zaletach recyklingu czy problemach związanych z globalnym ociepleniem. Był to widok budzący grozę: falująca masa w przeważającej mierze osobników płci męskiej, młodych i starych, i tak ogromna ilość łysych głów, że wydawało się, iż jest to wieczór ku czci Kojaka. Gregory był jednak w posiadaniu pełnego owłosienia. W latach dziewięćdziesiątych mógłby być chłopakiem z plakatów britpopu, wysoki tyczkowaty, z brązowymi zaniedbanymi włosami do ramion, w dżinsach i czarnej kurtce z kapturem, z kształtnym podbródkiem i oczach tak zielonych jak światła na skrzyżowaniu. Wyglądał jak ładniejszy i młodszy brat Liama Gallaghera, niefrasobliwy, tajemniczy i intrygujący.

Przedarliśmy się przez tłum facetów stojących między nami a barem, którzy jak jeden mąż patrzyli w róg sali, gdzie, jak przypuszczałam, był albo telewizor, albo jakiś kulący się ze strachu biedak. Przez ułamek sekundy żałowałam, że nie mam wysokich obcasów, bo mogłabym wtedy coś zobaczyć, ale po chwili stwierdziłam, że moje półbuty, dżinsy i stara, sfatygowana, czarna, zamszowa, niezbyt szykowna kurtka są najodpowiedniejsze. Mimo że jestem do niej zdecydowanie przywiązana, nie będzie mi żal, jeśli zostanie zniszczona albo ukradziona.

– Napijesz się czegoś? – spytał Gregory, kiedy wreszcie dopchaliśmy się do baru.

Pozostałam obojętna na fakt, że moja głowa jest niezbyt wygodnie wciśnięta pod pachę łysego typa z tak wydętym brzuchem, że mogłoby się wydawać, iż pod niebieskim podkoszulkiem ukrywa któregoś Oompa Loompa, jednego z mieszkańców Loompalandii.

Nie potrzebowałąm zdolności parapsychicznych Zary, żeby wywnioskować, iż w tym miejscu kieliszek idealnie schłodzonego sauvignon blanc może być lekkim przegięciem.

– Butelka jakiegokolwiek piwa! – wrzasnęłam, przekrzykując harmider.

Kiedy Gregory wywrzaskiwał zamówienie, uwolniłam się od sąsiedztwa dżentelmena tuż obok mnie, pewna, że nie testował dezodorantów dla producenta, i dotarłam do ostatniego wolnego skrawka podłogi, znajdującego się dogodnie obok wejścia do damskiej toalety. Gregory zdołał do mnie dołączyć po dwudziestu minutach, niosąc dwie butelki piwa.

– Dlaczego tu jest taki tłok? – spytałam.

Właściwie nie zapytałam, a wrzasnęłam najgłośniej, jak tylko mogłam, i nawet wtedy Gregory musiał przybliżyć ucho do moich warg, żeby mnie usłyszeć.

– Chelsea! – ryknął.

Dotarło do mnie, że taki jest jego normalny sposób komunikowania się, a wtedy obecni w barze zaintonowali chóralnie klasyczną wersję *Ashley Cole stary chuj, doo-da, doo-da*. Chwileczkę – to są kibice Chelsea, a on jest jednym z nich. O mój Boże, to sportowy odpowiednik kanibalistycznych plemion, które pożerają swoich.

– Czy idziemy na mecz? – spytałam.

Gregory odpowiedział głośnym, rozwlekłym bardzo szczegółowym skinięciem głowy.

Dobra, rozumiem. To zadziwiające, ile można się domyślić, spędzając czas z facetem nienadużywającym słów. Gregory czuje się w środowisku kibiców jak ryba w wodzie, co wskazuje na siłę charakteru i umiejętność zachowania spokoju w każdej sytuacji. Chelsea gra dzisiaj na własnym boisku i to tłumaczy, dlaczego pub mieszczący się w konserwatywnej części Londynu jest pełny w środowy wieczór. Gregory z całą pewnością nie należy do ludzi, którzy udają kogoś, kim nie są, i dlatego przyprowadził mnie w miejsce, w którym najlepiej się czuje. No i Ashley Cole to stary chuj.

Tak, i to by było na tyle.

Rozmowa była niemożliwa, więc staliśmy przez dziesięć minut w dziwnie przyjemnym milczeniu, a ciszę od czasu do czasu przerywały nasze zażenowane zsynchronizowane uśmiechy.

– Musimy iść – oznajmił Gregory, zanim zdążyłam wypić pierwszą butelkę piwa.

Prawdę mówiąc, nie oznajmił, a raczej pokazał, starając się przekrzyczeć popową wersję *Arsenal, Arsenal banda chujów*.

Wzięłam piwo i zrobiłam pytającą minę. W odpowiedzi pokazał mi na migi, co mam zrobić, i w ten sposób opuściłam londyńską oberżę z butelką budweisera w spodniach. To nawet podniecające. Nie butelka w spodniach, lecz atmosfera i dreszczyk oczekiwania. Szłam na pierwszy w życiu mecz. Dobra, ten wieczór nie rozpieszcza mnie luksusem, ale przynajmniej jest inny. Po raz pierwszy nie myślałam o tym, w co jestem ubrana, albo co mam powiedzieć. To odświeżająca odmiana, nie musieć się przejmować takimi nieistotnymi rzeczami, jak bycie stratowanym na śmierć przez hordę naćpanych skinheadów. Miałam tylko nadzieję, że trauma spowodowana wizytą w kostnicy w celu identyfikacji ciała nie wpędzi Stu w śpiączkę wywołaną stresem, z której się nigdy nie obudzi.

Towarzyszące mi przeczucie śmierci przez uduszenie sprawiało, że cała przygoda dostarczała mi potężnej dawki adrenaliny. Ruszyliśmy ulicą wraz z bandą skandujących niebiesko-biało-łysych. Gregory przez całą drogę opiekuńczo trzymał mnie za łokieć. W kolejce do obrotowych bramek wreszcie odzyskał głos.

– Mam nadzieję, że to jest w porzo, że tutaj przyszliśmy. Powiedzieli, że to powinna być moja wymarzona randka, i to właśnie jest… eee… moja wymarzona randka.

Ach, dzięki, że jest taki nieśmiały. Z pewnością pożyczył ode mnie na ten wieczór speszenie i zakłopotanie.

– Nie, nie, jest super, naprawdę. Nie mogę się już doczekać.

Nagle nie wiadomo skąd pojawił się łokieć i przed ciosem uratował mnie błyskawiczny refleks i gromkie „auuu!". Łysy facet w średnim wieku i w niebieskim dresie został stosownie ochrzaniony.

– Przepraszam, kochana, nie zauważyłem cię.

– Nic ci nie jest? – spytał Gregory szczerze zatroskany.

Miał rzeczywiście wielkie szanse na zdobycie tytułu „Mówcy Roku", a przy tym jego obecność działała w jakiś sposób uspokajająco, jakby złożył zakonne śluby milczenia.

– Wszystko w porządku, naprawdę.

Zostało nam jeszcze około pięciu metrów do bramki, więc przez następne pięć minut zadawałam Gregory'emu podstawowe pytania na temat randki.

– Więc co cię skłoniło do wysłania zgłoszenia?

– Nie wysłałem go.

– Nie wysłałeś zgłoszenia?

– Nie.

Wycofuję wcześniejsze twierdzenie, że jego niekomunikatywność to zaleta – kontakt z nim przypominał wysysanie krwi z ogromnego głazu ubranego w kurtkę z kapturem.

– Ale ja przecież widziałam twoje podanie, napisane ręcznie i ze zdjęciem.

– Moja mama je wysłała – powiedział, wzruszając ramionami.

Z pewnością Zara odczuła mistyczną aurę jego matki.

– Twoja matka przysłała zgłoszenie?

Skinął głową.

– Bo chciała zorganizować ci randkę?

Kolejne skinienie. Cholera, mecz się skończy, zanim zajarzę, o co chodzi. Ale nagle Gregory zrobił coś niezwykłego: po raz pierwszy tego wieczoru wygłosił zdanie podrzędnie złożone.

– Ale także dlatego, że chciała spotkać Zarę. Myśli, że Zara będzie potrafiła skontaktować ją z moją babcią. Babcia umarła parę miesięcy temu. Atak serca na wyścigach konnych w Aintree.

Postanowiłam nie pogłębiać jego bolesnych wspomnień, pytając, czy koń babci wygrał.

– Czy ty w ogóle jesteś singlem?

Udzielił kolejnego rozwlekłego wyjaśnienia, kiwając głową. Tym razem dwukrotnie.

Dotarcie do metalowej bramki przerwało nawiązujące się między nami porozumienie dusz. Gregory wyjął dwa karnety na cały sezon i podał mi jeden z komentarzem: „Ten jest mojej babci", po czym przytknął swój do czujnika i przeszedł przez bramkę. A ja za nim. Ruszyliśmy długim betonowym korytarzem. Zmówiłam po cichu modlitwę dziękczynną, że nie mam klaustrofobii i nie założyłam sześciocalowych obcasów, kiedy wspinaliśmy się kilkanaście pięter po schodach, potem znowu szliśmy jakimś korytarzem, potem alejką pełną budek oferujących jedzenie, picie i inne towary, potem musieliśmy pokonać kolejnych kilka pięter, by w końcu dotrzeć na koronę stadionu. Nie byłam pewna, co powoduje największy ryk – tysiące podnieconych kibiców, czy moje ścięgna kolanowe, które zostały narażone na największy wysiłek od czasu, gdy byłam czwarta na sto metrów przez płotki na wuefie, na trzecim roku studiów.

Przeciskanie się krok za krokiem wzdłuż długiego rzędu niebieskich foteli, potrącając ludzi, wstających, żeby nas przepuścić, to idealny moment, żeby sobie przypomnieć, iż powinnam była najpierw pójść do toalety.

Wreszcie Gregory zatrzymał się i skinął głową obydwu sąsiadom naszych wolnych miejsc. Kiedy usiadłam, zdałam sobie sprawę, że, na siedzeniu tuż obok mnie siedzi tęga kobieta po pięćdziesiątce z platynowymi włosami związanymi w koński ogon, z oczami obwiedzionymi czarnym ołówkiem, różowymi ustami i w obcisłym podkoszulku kibiców Chelsea z nadrukiem MRS LAMPARD z przodu i z tyłu.

Uśmiechnęłam się do niej przepraszająco, nie mając zielonego pojęcia, za co przepraszam, ale byłam trochę przestraszona i nie chciałam dawać jej powodów, żeby się na mnie wkurzyła.

„Rooney palant, Rooney palant!" – śpiewał tłum, dzięki czemu dowiedziałam się, że drużyna Manchester United właśnie weszła na boisko. Jak należy się zachować w takiej sytuacji? Czy powinnam śpiewać ze wszystkimi? I czy powinnam kibicować drużynie, której kibicują siedzący obok mnie? Tylko że jestem od lat trochę zakochana w Christiano Ronaldo i wątpię, czy będę w stanie powstrzymać okrzyki radości, gdy strzeli gola i obnaży jakąś część ciała w trakcie tańca radości.

– Wszystko w porządku, kochanie? – spytała przerażająca kobieta obok mnie.

– T... tak. Dzięki.

Wszelkie próby zwierzeń i nawiązania bliskiej przyjaźni zostały zduszone w zarodku, kiedy słabowity starszawy gentleman, siedzący z drugiej strony mojej sąsiadki, zaczął wrzeszczeć w stronę boiska: „Giggsy! Ty pieprzony pedale!".

Utuczona babunia Marilyn Monroe zasunęła mu szybkiego prostego pod żebra.

– Dosyć pieprzonych przekleństw, stary capie, obok nas siedzi młoda dama.

Uznałam, że mówi o mnie, i poczułam się naprawdę doceniona i zaszczycona, szczególnie kiedy promiennie się do mnie uśmiechnęła. Brak zębów nie miał w tym momencie znaczenia.

Podczas tej wymiany zdań Gregory śledził akcję na boisku. Ryk osiągnął apogeum, kiedy sędzia zagwizdał, a Ronaldo przejął piłkę i dryblując, ominął trzech zawodników, dobiegł prawie pod bramkę przeciwnika, gdzie został zablokowany przez czarnowłosego rosłego faceta, i padł jak trafiony przez snajpera.

– Karny! – wrzasnęłam.

Wyrwało mi się to, zanim pomyślałam, co mówię. Dwadzieścia tysięcy głów odwróciło się w moją stronę. Albo może tak mi się tylko wydawało. Jednak wszyscy z rzędu przed nami i za nami, łącznie z tęgą przerażającą damą, przyglądali mi się z pogardą w oczach.

– Przepraszam, nie powinnam była tego robić – wyszeptałam do Gregory'ego, który zignorował moje faux pas.

– Nie przejmuj się, olej to – mruknął, wzruszając ramionami.

– Ale myślę, że średnia długość życia kobiet może się dzięki mnie skrócić. To babsko obok tak groźnie na mnie patrzy.

– Ona jest w porządku.

– Gregory, ona ma na rękach wytatuowane „MIŁOŚĆ" i „NIENAWIŚĆ".

– Jest niegroźna.

– Skąd wiesz?

Mój sceniczny szept był coraz bardziej nabrzmiały paniką.

– Bo jest.

– Jesteś pewny? Bo wiesz, jeżeli zacznę teraz uciekać, to nigdy mnie nie dogoni.

– Wszystko w porządku, kochana? – usłyszałam z mojej drugiej strony. Głos był tak samo przyjacielski jak wcześniej.

Powoli, z wahaniem, odwróciłam się w stronę przerażającej damy. Znowu się do mnie uśmiechała. Uff. Egzekucja odroczona. Jeżeli przez następne dziewięćdziesiąt minut będę trzymała buzię na kłódkę, może wyjdę z tego żywa.

– Jak masz na imię? – spytała.

O Boże, ona chce pogadać. Jest dwudziesta, w środę, siedzę na stadionie piłkarskim z sześćdziesięcioma tysiącami hałaśliwych, nabuzowanych adrenaliną kibiców, obok bezzębnej, wytatuowanej kobiety, która chce się ze mną zaprzyjaźnić. Witajcie na Planecie Szaleńców, nazywam się Leni i będę dzisiaj waszym przewodnikiem.

– Le… Leni – wyjąkałam.

– Gdzie mieszkasz?

Czy chodzi jej o mój adres, czy tak ogólnie? Może mieszka w tej samej okolicy i będzie chciała, żebyśmy razem chodziły na zajęcia jogi albo kurs układania kwiatów. W końcu mój małomówny mężczyzna zdecydował się interweniować. I dobrze, bo był to ostatni moment. Wychylił się i wyrzucił z siebie bardzo długie zdanie: szczerze ochrzanił babunię Marilyn Monroe.

– Posłuchaj, mamuśka, możesz się uspokoić i oglądać mecz?!

25
Kobiety są z Wenus

– Chyba żartujesz? – sapnął Stu.

– Bardzo bym chciała. Poproszę więcej pary.

Uniósł się na drewnianej ławie i wstał, prezentując idealnie ukształtowane ciało lśniące od potu. Dobrze rozumiałam, dlaczego mój kumpel podoba się Verity: mięśnie brzucha jak kaloryfer, szerokie ramiona, a biodra tak wąskie, że wystarczył mu najmniejszy ręcznik, żeby je przysłonić. Był jak prosto od Armaniego. A ja prosto z sieciówki – muszę tak dobierać bieliznę, żeby nie wylewał się z niej zadek.

Stu nabrał chochlą wody z wiadra i chlusnął na rozgrzane kamienie.

– No więc, co się potem stało?

– Wróciliśmy do Parliamentary Arms, piliśmy piwo i śpiewaliśmy karaoke aż do zamknięcia pubu. Dziadek Gregory'ego, Jack, najlepiej ze wszystkich zaśpiewał *King of the Road*, to było najlepsze wykonanie, jakie kiedykolwiek słyszałam, a wersja jego matki *Shoop Shoop Shoop* powaliła wszystkich na kolana. Nie śmiałam się tak od czasu, kiedy Trish pękły skórzane spodnie, gdy schylała się przed Cherie Blair w *Cudownym Poranku TV!*

– Boże, szkoda, że mnie tam nie było! Na karaoke, a nie wtedy, kiedy Trish świeciła dupskiem. Chociaż tak naprawdę to nie żałuję

– wydaje mi się, że Parliamentary Arms jest istną wylęgarnią grypy, botulizmu i grafiozy.

– Ta ostatnia atakuje tylko drzewa, a konkretnie wiązy – zripostowałam, przewracając oczami.

– Moja szkoła, dobre dziecko – zaśmiał się Stu.

Spojrzałam na zegarek.

– Dobra, mamy dziesięć minut, dopóki Trish i Verity nie skończą zajęć tae bo. Masz ochotę wskoczyć do jacuzzi?

Zapytałam tylko dlatego, żeby móc się pośmiać z jego reakcji. Chodzenie do spa ze Stu, nawet do tak szpanerskiego jak to, przypominało szybki kurs ochrony przed bakteriami. Jacuzzi jest oczywiście pełne śmiertelnie groźnych bakterii, w saunie para wysysa tłuszcz z ciał, który wnika w otwarte przez gorąco pory skóry wszystkich wkoło, można też nabawić się wrzodów przez samo patrzenie na podłogę bez butów na nogach. Doszłam do wniosku, że Stu chyba naprawdę zakochał się w Verity, skoro zgodził się tutaj z nami przyjść, albo może zgodził się, bo zrobiło mu się przykro, kiedy wyznałam, że wolałabym się powiesić niż iść na zajęcia z Trish i Verity. Zmusiłam go do wejścia do sauny, ale najpierw musiał wyszorować ławki płynem antybakteryjnym.

Stu leżał naprzeciwko mnie z rękami pod głową.

– Nie, nie złapię tej przynęty, Lomond. Masz chore poczucie humoru. No dobra, ale co się potem stało z Johnem Boyem i resztą Waltonsów?

– Nic. No nie, tak naprawdę to dużo się działo, ale niczego dokładnie nie pamiętam... Dobrze zapamiętałam śpiewanie *Islands in the Stream* z dziadkiem Jackiem, gdzieś między jedenastym a dwunastym piwem. Szczerze mówiąc, to był najwspanialszy wieczór, jaki spędziłam od lat. Zapowiedziałam im, że przyjdę tam z tobą i Trish w przyszłym tygodniu.

– Taa, no dobra, ale będziesz musiała poczekać, aż sprawdzę, czy moje szczepienia wymagane w rejonach Trzeciego Świata są aktualne. I co, spotkasz się z nim znowu?

– Niee! Bo jest jeszcze jedna najdziwniejsza rzecz...

Bo to rzeczywiście było dziwne. Odtwarzałam w głowie wydarzenia ostatniej nocy. Matka Gregory'ego, która nalegała, żebym mówiła do niej po imieniu, ponieważ według niej byliśmy już właściwie zaręczeni, stała na scenie i śpiewała w duecie *Endless Love*, imponująco naśladując głosy Diany Ross i Lionela Ritchiego. Gregory kołysał się lekko na krześle, a ja zastanawiałam się, czy kołysze się w rytm muzyki, czy to rezultat ilości wypitych piw. Po chwili pochylił się w moją stronę. Byłam przerażona. Czy będę musiała mu delikatnie odmówić? Czy zbliża się ten koszmarny moment, kiedy będę zmuszona odrzucić jego zaloty, a on wpadnie szał i zrobi się straszny pasztet?

– Wcześniej cię okłamałem – wymamrotał.

Biorąc pod uwagę, że w ciągu całego wieczoru wypowiedział do mnie nie więcej niż dwa tuziny słów, zachodziłam w głowę, o którą z monosylabicznych wypowiedzi chodziło.

– Nie jestem singlem – wyznał.

Ludzie w pubie wybuchnęli śmiechem, kiedy Glenda zwróciła swoje muzyczne obietnice niekończącego się oddania do dwóch maleńkich starszych panów siedzących w kącie i grających w domino. Gdyby im nie odpuściła, wieczór skończyłby się dla nich w szpitalu.

– Hej, to super – ucieszyłam się.

Mimo zamroczenia alkoholowego zdawałam sobie sprawę, że to wiadomość, która z pewnością ucieszy jego matkę. Przynajmniej dwadzieścia razy powiedziała mi, że jest bardzo podniecona, iż między mną a Gregorym zaiskrzyło, i że to ona sprawiła, iż się spotkaliśmy. Po czym przechyliła głowę, zupełnie jakby już wybierała kolor sukienek dla druhen i zastanawiała się, ile będzie potrzebowała kiełbasek na przyjęcie weselne.

Było jasne, że życiową misją Glendy jest ożenienie nieśmiałego syna i ciąganie ośmiorga wnucząt na każdy mecz Chelsea. Poświęcić życie na ich wykształcenie i rozwój, tak by móc pękać z dumy, kiedy już w wieku trzech lat zaśpiewają na stadionie *Ferdynand głupek*.

– To kto to jest ta szczęśliwa dziewczyna i dlaczego nie powiedziałeś o niej mamie, Gregory? Ona koniecznie chce, żebyś kogoś poznał. Będzie uradowana.

– Nie będzie.

– Będzie.

– Nie będzie.

– Dobra, możemy tak sobie gadać całą noc. Dlaczego twoja mama miałaby się nie ucieszyć? Czy coś z twoją dziewczyną jest nie tak? Jak ona ma na imię?

– Alex.

– Imię spoko. Więc wracając do mojego pytania: czy coś z nią jest nie tak?

– Z nim.

Potrzebowałam dobrej chwili, żeby dotarło do mnie, o co chodzi.

– Co?

Gregory nawet nie odpowiedział, natomiast wskazał głową najmłodszego z facetów, którzy zostali jeszcze w pubie. Był niemal wierną kopią Gregory'ego, z potarganymi kasztanowymi włosami i w starym podkoszulku zespołu Stone Roses.

Przypomniałam sobie, że zauważyłam tego chłopaka wcześniej, jak się na nas gapił, ale pomyślałam, że to kolejny niedowartościowany palant.

– Jesteś gejem, Gregory?

– Ciii – zgromił mnie, rozglądając się nerwowo z nadzieją, że matka niczego nie usłyszała. Nie musiał się martwić. Była bardzo zajęta, bo pytała barmana o paracetamol dla jednego ze staruszków, którego praktycznie sparaliżowała.

– Ale, Gregory, ona jest miłą kobietą. I bardzo cię kocha, więc zrozumie.

– Nie zrozumie.

– Zrozumie.

– Nie zrozumie.

– Na miłość boską, Gregory, zrozumie. Bycie gejem to nie jest nic złego.

– Wiem...

Nic z tego nie rozumiałam.

– Więc czego się w takim razie boisz?

Gregory jeszcze raz wskazał głową swojego przyjaciela.
– On jest kibicem Arsenalu.

~

Stu skręcał się ze śmiechu, kiedy drzwi się otworzyły i stanęły w nich Verity i Trish. Trish, zawsze praktyczna, miała na sobie jednoczęściowy kostium firmy Speedo, za to Verity przykrywała swoją nagość wielkim kąpielowym ręcznikiem... który upuściła, ukazując maleńkie stringi w cętki. Stało się bardziej niż oczywiste, dlaczego tysiące facetów (i kilka kobiet) w całym kraju z radością wydają ciężko zarobione pieniądze na kalendarze z Verity Fox. Była boska. Miała pośladki jak ze stali, idealne ciało bez grama tłuszczu, płaski brzuch, na którym poniżej pępka zwisała diamentowa łezka, a nagie, przeciwstawiające się sile ciążenia piersi sterczały w stronę sufitu niczym niepodtrzymywane. Gdyby te cycki mogły razić głowicami nuklearnymi, Verity w ciągu minuty mogłaby unieszkodliwić siły powietrzne sporego państwa.

Trish jęknęła.

– Verity, schowaj to, zanim wybijesz komuś oko.

Ale jej uwaga sprawiła tylko, że niespeszona modelka zachichotała.

Wzniosłam oczy do nieba. Dobry Boże, czy w przyszłym życiu mogłabym wyglądać tak jak ona?

Verity wdrapała się na górną ławkę i usiadła obok Stu, prezentując się przede mną i Trish jak dziewczyna z rozkładówki.

– Łee, zakryj że się – jęknęła Trish.

Stu objął Verity i pocałował w łabędzią szyję, zamieniając saunę z przyjaciółmi w reklamę Calvina Kleina.

– Czas na plotki – ogłosiła Trish, przyciągając nasze spojrzenia. – Ale to jest ściśle tajne, więc muszę się upewnić, że nikt nie ma dyktafonu.

Wszystkie oczy równocześnie skierowały się na majtki Verity, zdecydowanie mniejsze od naszych.

– Jeżeli masz tam ośmiomilimetrowy magnetofon szpulowy, to będę udupiona – powiedziała ze śmiertelną powagą Trish. – Wiecie, że Goldie Gilmartin ma młodego kochanka, który jest striptizerem?

Wszyscy przytaknęliśmy wyczekująco.

– Teraz to się rozwinęło w trójkąt, do którego dołączyła piękna, zdecydowanie rodzaju żeńskiego prawniczka znad Amazonki.

– Noo! – wykrzyknęłam zdumiona.

Byłoby lepiej, gdybym w tym momencie wyszła, ale nie było to możliwe, ponieważ byłam w szoku, zdziwiona, spocona i oślizła, i kiedy wychyliłam się z mojego legowiska, straciłam równowagę, zsunęłam się z ławki i walnęłam jak długa zaledwie parę centymetrów od rozgrzanych kamieni. Upłynęło dobrych parę sekund, zanim zdałam sobie sprawę, co sprawiło mi ból. Rozwiązanie zagadki przyniósł widok przewróconego wiadra z wodą leżącego na mojej stopie. O Boże, co za ból! Trzy złamane palce! Dobra, trzy stłuczone i posiniaczone palce, ale wtędy wydawało mi się, że jedynym ratunkiem będzie amputacja.

Potem było jeszcze gorzej. Poczułam w ustach mdławy smak, który mógł być tylko smakiem krwi, i w trakcie dociekliwego dochodzenia stwierdziłam, że gdy upadałam, przygryzłam sobie dolną wargę.

Jedynym pocieszeniem był widok zatroskanych min moich przyjaciół, ale tylko do czasu, kiedy zdali sobie sprawę, że żyję i nie jestem poważnie ranna. Wszystko wróciło do normy i ryknęli głupkowatym śmiechem. I trudno mi powiedzieć, co było bardziej denerwujące: ich reakcja, mój ból, czy to, że Verity rzuciła mi się na pomoc, a ja bałam się, że podbije mi swoimi sterczącymi piersiami oczy. Była to scena żywcem wyjęta z filmu *Atak morderczych cycków.*

❧

Godzinę później wchodziłam po schodach do mojego mieszkania i dziwiłam się, że są tak strome i męczące. Dwadzieścia cztery. Dwadzieścia pięć. Dwadzieścia sześć... Zatrzymałam się, żeby złapać oddech.

Byłam odwodniona przez saunę, miałam ogromny bandaż na stopie i pewność, że straciłam przynajmniej osiemdziesiąt procent krwi przez ranę na dolnej wardze. Dwadzieścia siedem. Dwadzieścia osiem. Dwadzieścia dziewięć... Odwróciłam oczy od lustra wiszącego na półpiętrze. Z powodu mojego nieszczęścia i dotkliwego bólu zbojkotowałam prysznic w spa i poszłam prosto do domu, żeby wziąć długą kojącą kąpiel. Włosy zaczesane do tyłu odsłaniały spuchniętą czerwoną twarz.

Dzięki Bogu nie spotkałam nikogo znajomego.

– Cześć, kochanie, co tu robisz? O Boże, co ci się stało? Czy potknęłaś się na tej cholernej dziurze przed bramą? Koniec z tym, trzeba zaskarżyć władze miasta.

– Nie, nie, to nie przez to – odpowiedziałam przez kiełbaskę wieprzową, w którą zamieniła się moja dolna warga. Pani Naismith. Mogłabym przysiąc, że w którymś momencie naszej znajomości wszczepiła mi czip z nawigacją satelitarną, zawiadamiający ją, że nadchodzę, dzięki czemu mogła wyskoczyć na schody na króciutką pogawędkę za każdym razem, kiedy wracałam do domu.

– To pses...

Moje słowa zawisły w próżni, zakłócone przez głośny i wyraźny hałas dobiegający z mojego mieszkania.

Potrzebowałyśmy paru sekund, żeby ocenić sytuację, po czym oczy pani Naismith się rozszerzyły, zniknęła w swoim mieszkaniu, by błyskawicznie wrócić, z kamerą wideo i laską Aborygenów, którą córka przywiozła jej ze swojej ostatniej wyprawy na Wielką Rafę Koralową. Jej oczy były czujnie otwarte, a z postawy emanowało uniesienie, zupełnie jakby miała brać udział w jednym z odcinków *Na tropie zbrodni*.

Jasna cholera. Kim jest ten gnojek? Jestem wrakiem, miałam piekielny dzień i jedyne, czego pragnę, to cholerna kąpiel, natomiast mam właśnie szansę stanąć twarzą w twarz z potencjalnie uzbrojonymi kryminalistami, mając do obrony australijski przedmiot kultury materialnej, kamerę wideo i emerytkę, która na tę okazję uczesała włosy i pomalowała usta szminką.

Naśladując podpatrzone w *Rambo* gesty, pokazała mi, że mam otworzyć drzwi. Powoli wsunęłam klucz do zamka. Odgłos przekręcania klucza został zagłuszony przez czyjeś kroki, przemierzające przedpokój i zbliżające się coraz bardziej do drzwi. Coraz bliżej, coraz bliżej aż... Dobra, przyznaję, spanikowałam. Jedną ręką gwałtownie przekręciłam klucz w zamku, a drugą nacisnęłam malutki osobisty alarm wiszący na mojej szyi: wydał przenikliwy pisk, zagłuszający nasz ryk, który wydałyśmy, gotowe do ujęcia bandytów. Albo przynajmniej do zarejestrowania ich kamerą, zanim nas zwiążą, splądrują dom i umkną z całym moim dobytkiem. Taki był plan, ale wszystko potoczyło się inaczej. Mój bandaż w kształcie ogórka zahaczył o próg, powodując, że straciłam równowagę. Runęłam, a pani Naismith upadła na mnie z głuchym łoskotem. Na szczęście nie nadziała mnie na metrowej długości ostro zakończoną aborygeńską laskę.

Byłam unieruchomiona, uwięziona pod leciwą sąsiadką, alarm wył tak, że pękały mi bębenki, jednak rozum nie całkiem mnie opuścił. To jest szkoła przetrwania! Otworzyłam oczy zdecydowana na nowo ocenić nasze możliwości i zaplanować akcję, pozwalającą wyjść z opresji z jak najmniejszymi stratami w ludności cywilnej – myślę, że ja też naoglądałam się *Rambo*. I wtedy zobaczyłam wielki czarny but. Zbliżał się, zbliżał, skóra skrzypiała, sznurówki były naprężone, grube podeszwy zostawiały ślady na dywanie. O nie. Dobry Boże, nie. Tylko nie to.

Zbliżał się, zbliżał się, aż zatrzymał się parę centymetrów od mojej głowy. Nie mogłam na to patrzeć. Widziałam go już wcześniej, a ostatnim razem trauma prawie zniszczyła mi życie.

But cofnął się, a jego właściciel ukląkł na jednym kolanie. Zanim zdążyłam jakoś zareagować, jego ręka dotykała mojej twarzy, a na policzku poczułam jego oddech.

– Leni! Leni! Wszystko w porządku?! Cholera, odezwij się, Leni, wszystko w porządku?

Odsunęłam jego rękę, zdecydowana uciekać, wiedząc jednak, że to niemożliwe – pani Naismith ma taki artretyzm, że potrzeba co najmniej tygodnia, by ze mnie zlazła.

Westchnęłam i zamknęłam oczy, godząc się ze swoim losem
– Wszystko w porządku. Po prostu fantastycznie. Ale… co ty tutaj robisz, Ben?

26

Waga

Wszystko wróciło do normy: osobisty alarm w końcu został wyłączony, pani Naismith wróciła do swojego mieszkania, aborygeński zabytek zawisł na ścianie, a ja leżałam na kanapie z filiżanką herbaty. Zupełnie zwyczajna sytuacja… gdybym nie wyglądała jak ofiara kolizji z autobusem i gdybym nie piła herbaty przez słomkę, i gdyby mój ex-bardzo żonaty-kłamliwy-chłopak nie siedział na podłodze naprzeciwko mnie.

– Czy teraz już mogę cię przeprosić? – spytał żałośnie.

– Ale za fo fonfrednie?

Zastanawiał się przez chwilę.

– Za wszystko.

Mieliśmy poważne problemy z komunikacją. On nie mógł mnie zrozumieć z powodu mojej opuchniętej wargi, a ja ledwo go słyszałam z powodu dudnienia mojego serca, trzęsących się nóg i szumu krwi uderzającej mi do głowy.

Ben. Od jego zdrady upłynęły dwa lata i byłam pewna, że już zupełnie mi przeszedł. Bo przecież przeszedł. Już czuję się dobrze. Zapomniałam o żalu. Pozbyłam się goryczy.

– Nie potrafię wyrazić, jak bardzo mi przykro, Leni.

– To spróbuj – prychnęłam jadowicie.

Dobra, wygląda na to, że nie jestem gotowa wciągnąć go na listę moich „Najulubieńszych kumpli".

Moje emocje szalały. Z jednej strony byłam wściekła i chciałam, żeby się natychmiast wyniósł, a z drugiej pragnęłam wyjaśnień. Jedna część mnie zastanawiała się, ile można dostać za napad z użyciem tępego narzędzia, podczas gdy druga… Przyznaję jego obłędny wygląd działał na mnie odurzająco, sprawiał, że nie mogłam racjonalnie myśleć. Miał skórę koloru czekolady ogorzałą od słońca, włosy ostrzyżone przy samej skórze, ramiona szerokości co najmniej mojego stolika do kawy ciasno opięte podkoszulkiem khaki, a mięśnie ud dobrze widoczne pod bojówkami. Był niewiarygodnie przystojny i fantastycznie zbudowany i mógłby być prototypem Action Mana Nieuczciwego Sukinsyna. Ku mojej wielkiej irytacji jego głos, jego uśmiech wciąż działały na mnie niemal hipnotycznie. Każdy jego ruch, każdy gest przywoływał wspomnienia z przeszłości i powodował fizyczny ból większy, niż czułam, gdy spadałam z ławki w saunie.

Kiedyś Ben był dla mnie wszystkim. Pomijając Trish i Stu, byłam z nim związana jak z nikim innym, akceptował mnie taką, jaką byłam, z moimi wadami, wpadkami, brakiem pewności siebie, niepraktycznością i wszystkim innym.

Godzinami gadaliśmy o wszystkim i o niczym.

A teraz? Cisza!

– Przepraszam – wyszeptał w końcu.

– Brawo. Strasznie się wysiliłeś. Teraz już wiem, dlaczego przygotowanie mowy obronnej zajęło ci dwa lata.

Przyzwoitość nakazywała mu wyglądać na skruszonego przez następne trzy i pół minuty ciszy, zakłócanej jedynie odgłosem, jaki wydawał zamek błyskawiczny mojej bluzy, który bezwiednie przesuwałam w górę i w dół. Gdybyśmy nadal trwali w tej ciszy, pani Naismith byłaby zmuszona oddać swój aparat słuchowy do reklamacji.

– Nie chciałem, żeby tak to wypadło. Kiedy cię pierwszy raz spotkałem, byłaś taka urocza, taka bezbronna i zabawna, że odleciałem. Chciałem ci powiedzieć od samego początku, ale wiedziałem, co wtedy zrobisz, a ja po prostu... nie chciałem... cię stracić.

– Chyba rozumiem, co masz na myśli.

– Tak? – spytał z błyskiem zaskoczenia w oczach.

– Byłeś po prostu skończonym, kłamliwym dupkiem.

Dwa lata bólu i opuszczenia wylewały się teraz ze mnie złośliwym jadem.

– Byłem dupkiem, ale cię kochałem. I wciąż cię kocham.

Głos w mojej głowie wołał: „Niee, nie mów tego! NIE MÓW TEGO! Nie zjawiaj się, kiedy jestem w emocjonalnym i fizycznym dołku, mówiąc te wszystkie piękne słówka". Mimo gwałtownego oporu ze strony części mojego mózgu odpowiedzialnej za dumę i godność, czułam, że serce Królowej Śniegu zaczyna powoli topnieć, ponieważ mimo że wyglądałam jak przejechana przez samochód, on był, patrzył mi w oczy i mówił, że mnie kocha.

Ku mojemu przerażeniu w całym tym emocjonalnym zamieszaniu magnetyzm i pożądanie zaczynały brać górę. Nagle na nowo zrozumiałam znaczenie stwierdzenia, że wszystko dzieje się z jakiegoś powodu, stało się bowiem jasne, że Bóg pokarał mnie wargą wyglądającą jak dmuchany materac, żebym nie poddała się niewytłumaczalnemu, całkowicie absurdalnemu, pierwotnemu pragnieniu wycałowania Bena od czubka po żołniersku ogolonej głowy aż do przydziałowych wojskowych butów.

Próbowałam wzniecić w sobie ślepą, wściekłą furię.

– A twoja żona?

Westchnął i wbił wzrok w podłogę.

– Wszystko skończone. Odeszła. Życie wojskowego nie jest łatwe dla rodziny i zdecydowała, że nie ma już na nie ochoty.

Z obrzydzeniem odnotowałam, że jedna z komór mojego serca zaintonowała triumfalne „hip, hip, hura!".

– Wciąż mieszka niedaleko bazy, więc mogę widywać się z córką, kiedy wracam do domu. Ma teraz siedem lat. Jest cudowna, zabawna, wyjątkowa.

– Jak ma na imię?

Nie mam pojęcia, dlaczego chciałam się tego dowiedzieć.

– Christy – mówiąc to, uśmiechnął się.

Westchnęłam ciężko i aż się skrzywiłam, bo zimne powietrze uraziło moją rozciętą wargę.

Nastąpiła kolejna długa chwila ciszy. Wyobraziłam sobie panią Naismith, która panikuje po drugiej stronie ściany, ponieważ nie może zobaczyć, co się dzieje. Postanowiłam, że nadszedł czas, by przejść do sedna sprawy i ją zakończyć, tak żeby pani Naismith mogła wrócić do oglądania powtórek odcinków *Coronation Street*.

– Dlaczego tu przyszedłeś, Ben?

– Bo wciąż cię kocham. I chcę wiedzieć, czy jest już dla nas za późno. Czy jest tak, Leni? Zrobię, co tylko zechcesz, chcę wszystko naprawić, bo nie mogę już dłużej bez ciebie żyć. Po prostu powiedz, Leni! Zrobię, co chcesz!

Na jego szczęście nie usłyszał głuchych odgłosów dobiegających zza ściany.

Jak to się mogło stać? Wracając do domu, myślałam o kąpieli, o jakiejś płynnej przekąsce, którą można skonsumować przez słomkę, i o obejrzeniu w telewizji *Prawa i porządku*. Zamiast tego włosy ciągle lepiące mi się do twarzy po saunie, zjeżyły się, podczas gdy moje uczucia ktoś systematycznie ładował do niszczarki.

Natychmiast po odkryciu jego rozdzierającej serce zdrady – ups, to brzmi jak tytuł z pierwszej strony tabloidu – przeszłam wszystkie fazy żałoby: zaprzeczenie, gniew, szok, i tak dalej, po czym odizolowałam się od świata i oddałam oglądaniu bzdurnych programów telewizyjnych i czytaniu książkowego chłamu. Każdego wieczoru, po powrocie z męczącego i przyprawiającego o zawrót głowy świata spłuczek toaletowych, wracałam do domu, wyłączałam telefon, żeby mieć spokój, wmuszałam w siebie tosta z serem i czytałam takie arcydzieła, jak na przykład *Jak poradzić sobie ze złamanym sercem – jak pokonać ból* i *Jak rozpoznać sukinsyna – tajny przewodnik byłej dziewczyny*, aż pokonałam bezsenność, spowodowaną złamanym sercem, i zapadłam w wielogodzinny sen.

Naprawdę miałam złamane serce. Rozbite na drobne kawałki. I nawet teraz, kiedy Ben siedział naprzeciwko mnie, czule udając, że nie zauważa, iż moja twarz przypomina piłkę do skakania, nie wiedziałam, czy uda się poskładać wszystko do kupy.

Poczułam, że po moich policzkach spływają dwie potężne łzy. Fantastycznie. Po prostu fantastycznie. Do listy najatrakcyjniejszych części mojej twarzy można będzie teraz dopisać przekrwione oczy i opuchnięte powieki.

Ben przysunął się i otarł mi łzy.

– Tak strasznie, tak strasznie mi przykro, Leni.

I na tym powinnam była poprzestać, wziąć to, co mówi za dobrą monetę i przyjąć jego przeprosiny, ale ja chciałam dowiedzieć się więcej. Chciałam zrozumieć, jak to możliwe, że mężczyzna, o którym myślałam, że spędzę z nim resztę życia, potrafił tak długo bezkarnie mnie okłamywać.

Wzruszył ramionami.

– Musiałem. Jeżeli powiedziałbym ci prawdę, wszystko między nami by się skończyło – powtórzył. – Posłuchaj, wiem, że byłem egoistycznym palantem i jeżeli nie będziesz potrafiła mi wybaczyć, zrozumiem, ale musiałem wrócić i spróbować.

Odwaga – oto, co najbardziej mnie w nim pociągało. Unieszkodliwił chuligana w pociągu, uwielbia służbę w marines i cieszy go każda misja, nie waha się przed niczym i kiedy byliśmy razem, rozpraszał wszystkie moje zmartwienia i obawy, i cokolwiek się wydarzyło, mogłam mieć pewność, że on się tym zajmie i załatwi. Oczywiście fakt, że wiódł podwójne życiem nie pasuje do tego wizerunku.

Otwierałam i zamykałam usta, ale nie mogłam wypowiedzieć słowa, ponieważ nie miałam zielonego pojęcia, jakie to miałoby być słowo. Czy mam mu powiedzieć, żeby się wynosił? A może coś innego? Wypaść z mieszkania w porywie ślepego gniewu?

Ogarnęła mnie bezsilność, a zważywszy, że jestem kobietą, która zazwyczaj przez dwadzieścia minut zastanawia się, czy zjeść tosta z fasolką, czy spaghetti, byłam zagubiona.

– Nie musisz decydować teraz. Posłuchaj, może pójdziesz się wykąpać, a ja w tym czasie zamówię coś do jedzenia i jeszcze porozmawiamy.

Idąc do łazienki, wyjęłam z zamrażalnika paczkę mrożonego groszku. Po zanurzeniu się w letniej wodzie z pianą przyłożyłam worek z groszkiem do opuchniętej wargi. Dwadzieścia minut później opuchlizna trochę zmalała, więc sięgnęłam po telefon.

– Stu, to ja. Możesz rozmawiać?

– Jasne, Verity jest zajęta rozdawaniem autografów. Otoczono nas, kiedy szliśmy do pubu Ivy. Siedzę przy barze i czekam na nią. Co to za hałas?

– Woda. Jestem w wannie.

– Uuu, możesz sobie darować szczegóły, Lomond – zaśmiał się.

– Zamknij się, sprawa jest poważna

– Czy używasz słuchawek, które ci kupiłem, czy masz telefon przy uchu?

– Przy uchu.

– Leni, podłącz słuchawki! Ile razy mam ci mówić, że istnieją poważne przesłanki świadczące o tym, że telefony komórkowe mogą powodować raka mózgu?

Nie mogłam powstrzymać westchnienia. Chcę porozmawiać o moim nieudanym życiu, a Stu wygłasza medyczne teorie, których nikt nie spodziewałby się po fryzjerze z Notting Hill.

– Jest tutaj Ben – wyznałam.

Zatkało go.

– Co? W wannie z tobą?

Przez jedną upiorną chwilę myślałam, że zrobi mi wykład na temat statystycznego prawdopodobieństwa, że dwie osoby uprawiające seks w wannie mogą się zaklinować, umrzeć z głodu, a ich ciała zostaną odkryte dopiero, kiedy sąsiedzi zaczną narzekać na przykry zapach.

A jednak nie.

– Czy jest z nim jego żona? – spytał z nietypowym dla niego jadem.

Co się dzieje? Stu jest łagodny, zabawny, neurotyczny, ale bardzo rzadko napastliwy i złośliwy. To niezrozumiałe dla mnie zjawisko dziwacznej osmozy: oboje ze Stu nadajemy dziś na częstotliwości Trish.

– Nie, oni się rozstali, a on chce wrócić.

– I?

– I… nie wiem. Nie mam pojęcia. Stu, wiesz, ile czasu minęło, zanim się odkochałam, i nie myślę, żebym chciała jeszcze raz przez to wszystko przechodzić i …

– … i nie myślisz, że mogłabyś kiedykolwiek mu zaufać?

– Nie, ja…

– … i już ci przeszedł i już go nie kochasz?

– Nie, ja…

– … i wyszłaś na prostą i nie ma już dla niego miejsca w twoim życiu?

– POZWÓL MI COŚ POWIEDZIEĆ!

Ach, on jest jak siostrzyczka Stu, jak ciotunia lub redaktorka rubryki porad sercowych z gotowym banałem na każdą okazję. Wreszcie usłyszałam w słuchawce stłumione: „Przepraszam, mów dalej".

– Chciałam powiedzieć, że przysięgałam, że mu nigdy nie wybaczę, ale teraz, kiedy go zobaczyłam, nie jestem już tego taka pewna. On był miłością mojego życia, Stu.

Jak widać banały są zaraźliwe.

– Kochanie, nie mogę ci pomóc. Pamiętaj tylko, że cokolwiek zrobisz, będziemy cię wspierali. Jeżeli go odrzucisz, będziemy z tobą, a jeżeli go przyjmiesz, także. Leni, i muszę ci powiedzieć coś od serca…

Emocje nie pozwalały mu mówić.

– Wiesz, że po tym, co ci zrobił…

W oczekiwaniu na dalszy ciąg rozbolał mnie żołądek, ponieważ jego głos był tak stanowczy i nabrzmiały uczuciem.

– … najchętniej skopałbym mu tyłek, gdyby nie służył w piechocie morskiej.

Śmiałam się tak bardzo, że upuściłam do wanny mrożony groszek, który natychmiast schłodził wodę o kilkanaście stopni. Co ja bym zrobiła bez Stu? Potrafił w ciągu sekundy przywrócić mi radość i optymizm nawet w największych kłopotach, chwilach bólu i w momentach rozczulania się nad sobą.

W słuchawce słychać było odgłosy hałaśliwego zamieszania.

– Czy to nadchodzi Verity? Słyszę jakiś straszny harmider? Idź już do niej.

– Jesteś pewna? Mogę z tobą rozmawiać, jak długo zechcesz.

– Nie, nie szalej. Chodzisz z najbardziej pożądaną kobietą w kraju! Idź, zapewnij ją o swoich uczuciach i obiecaj szalony seks.

– Niee, nic z tego. Mógłbym sobie naciągnąć mięśnie albo dostać przepukliny, albo hemoroidów – zażartował.

– Dobranoc, Stu!

– Zadzwoń, jeżeli tylko będziesz chciała pogadać, dziecinko – dodał łagodnie.

Jaki kochany.

W czasie, jakiego potrzebowałam, żeby wysuszyć włosy, wyleźć z wanny, wytrzeć się i dotrzeć do sypialni po czyste ubrania mój plan działania wahał się jak pośladki Verity na wybiegu. Powinnam mu powiedzieć, żeby sobie poszedł. Powinnam mu powiedzieć, żeby został. Powinnam pójść na herbatę z ciasteczkami do pani Naismith i spytać ją, co ona o tym myśli.

Działając jak automat, wysuszyłam włosy i włożyłam sprane dżinsy (dopasowane do mojego stanu emocjonalnego) i biały podkoszulek.

Zanim weszłam do salonu, uderzył mnie smakowity zapach. Moje zmysły zaatakował aromat smażonych w głębokim tłuszczu wontonek, kruchej wieprzowiny i makaronu sojowego. Zastanawiałam się, jak ze spuchniętą wargą będę wsysała makaron. Może trzeba go będzie zmiksować?

Ben bardzo się postarał. Nakrył stolik z Ikea bambusowymi podkładkami z Ikea, postawił duże kieliszki do wina z Ikea i położył sztućce, które nie były z Ikea. Moja babcia kupiła je dla mnie w telezakupach jako prezent na nowe życie, kiedy wyjeżdżałam do college'u (tego samego dnia kupiła jeszcze odkurzacz bezprzewodowy, torebkę w panterkę, wkładki do powiększania biustu, spa dla stóp i koc dla psa – mimo że nie miała psa; musieliśmy zabronić jej oglądania tego programu. Brakowało połowy kompletu, ale nie miałam serca wyrzucić reszty.

Wszystko było idealne. Pamiętał, jakie jedzenie lubię najbardziej, jakie jest moje ulubione wino, a na środku stołu w wąskim wysokim wazonie pojawiła się biała lilia, mój ulubiony kwiat.

W połączeniu z faktem, że przez długi czas Ben był moim najulubieńszym facetem, stanowiło to pakiet nie do pogardzenia.

Usiadłam na podłodze z jedną nogą wyprostowaną, żeby chronić moje teraz niezabandażowane palce.

– Opuchlizna trochę zeszła – zauważył z uśmiechem, wskazując moją wargę.

– Wiem. Jeszcze godzina, a z poważnie opuchniętej zamienię się w Angelinę Jolie. Niektóre kobiety płacą fortunę za taki wygląd. Ja przynajmniej oszczędzę na wizycie u chirurga plastycznego…

Podczas najważniejszego wieczoru w moim życiu zaczynam pleść głupoty.

– Kocham cię.

Powiedział to ni z tego, ni z owego, przerywając moje ględzenie.

– Przepraszam, po prostu musiałem to znowu powiedzieć. – Żebyś wiedziała.

Co on ze mną wyprawia? Jakby ustawił w szeregu wszystkie moje zahamowania, bariery i zastrzeżenia i unicestwiał je za pomocą kałasznikowa.

– Wybacz, Ben, ale to wszystko jest dla mnie bardzo dziwne. Czy moglibyśmy… Czy moglibyśmy przez chwilę porozmawiać o czymś zwyczajnym? O czymkolwiek. O głupotach. O czymś mądrym. Wszystko jedno. O wszystkim tylko nie o nas.

Ktoś inny poczułby się niekomfortowo albo przyjął postawę obronną, ale nie Ben. Wyłożył wieprzowinę z foliowego pojemnika na talerze, obok makaron, a chrupiące wontonki zostawił w misce, żebyśmy mogli je sobie brać w trakcie posiłku – wszystko było tak, jak zwykle to robiliśmy.

Mój kieliszek nie zagrzał długo miejsca na stole. Warga piekła niemiłosiernie, ale tylko przy pierwszych paru łykach. W połowie butelki czułam już tylko nieznaczne ukłucia.

– A jak się miewa Trish? Czy wciąż terroryzuje cały świat, czy wreszcie jakiś rozsądny sędzia dał jej dożywocie?

– Przestań, przecież ją uwielbiałeś!

W chwilach najczarniejszej rozpaczy i zwątpienia, i rozważań „jak mogłam tego nie zauważyć", bardzo pomógł mi fakt, że Trish, oficjalnie nominowana do *Księgi Rekordów Guinessa* w kategorii „Najbardziej cyniczna kobieta świata", była tak samo zszokowana jak ja, gdy sprawa wyszła na jaw. Teraz nienawidziła Bena szczerze i z pasją, co wynikało z lojalności wobec mnie.

– Tak, lubiłem ją. Nadal ją lubię. Ale myślę, że teraz nie mogę do niej podejść bliżej niż na odległość stu metrów bez uzbrojonego oddziału.

– Inteligentne taktyczne posunięcie.

– A co słychać u Stu. Czy wreszcie jesteście razem?

Powiedział to z uśmiechem, jaki na filmach mają czarne charaktery tuż przed próbą obcięcia jaj głównemu bohaterowi. Mój związek ze Stu był piętą achillesową Bena – jedyna sytuacja, w której czuł się niepewnie. O ironio, przez cały ten czas sam żył z kimś innym. Ups, jakie to przykre.

– Jak możesz myśleć w ten sposób? To związek PLATONICZNY! Nie wiesz, co to takiego?

– Nie – odpowiedział, wzruszając ramionami. – Ty jesteś cudowna, on jest cudowny... Zawsze uważałem, że bylibyście wspaniałą parą. Ale jestem bardzo zadowolony, że nie jesteście.

– Nie jesteśmy.

– Poznałaś kogoś?

Wzruszyłam ramionami.

– Nie.

Desperacko usiłując uniknąć kontaktu wzrokowego, wzięłam jednego wontona.

– Nikogo nie poznałaś? – powtórzył zaszokowany.

– Miałam kilka drobnych przygód, ale nic szczególnego.

Moje policzki płonęły i to wcale nie z powodu rekordowej ilości wina, które spożyłam. Jeszcze jeden kieliszek i będę mogła znaleźć się w „Daily Mail" opisana jako pijak.

– O tym też nie chcesz rozmawiać, co?

Jego obserwacje były wyjątkowo trafne, jak zawsze.

Pokręciłam głową.

– Nie chcę rozmawiać o nas, o tym, co się stało, o tobie, o twojej rodzinie, ani o niczym, co było w przeszłości.

Kiedy się śmiał, jego identyfikator pobrzękiwał.

– To niewiele tematów nam zostało, co?

– Nie.

Przerwaliśmy na chwilę jedzenie i przyglądaliśmy się sobie z głupimi uśmieszkami.

– No więc... – odezwałam się w końcu – obiłeś ostatnio jakichś oprychów w pociągu?

To nie było śmieszne, ale sytuacja z surrealistycznej stała się nawet zabawna. Oboje wybuchnęliśmy głośnym śmiechem z gatunku tych, który zaczyna żyć własnym życiem, tak że zapomina się, jaki był jego powód. Zaczęły mnie boleć szczęki, żołądek, ochrypłam, a po policzkach ciekły mi łzy. I nagle poczułam, że łzy radości zamieniają się w przejmujące szlochanie: narastający, rozdzierający krzyk bólu, którego nie mogłam powstrzymać.

Ben oprzytomniał, jego radość zamieniła się w przerażenie, kiedy obszedł stół i mnie objął.

– Leni, Leni, ja…

Coś we mnie pękło. Dwa lata poczucia krzywdy i bólu sprawiły, że teraz nastąpił wybuch żalu i pierwszy raz od wielu lat wpadłam we wściekłość. W furię. Odepchnęłam go, strącając jego ręce z moich ramion.

– Jak mogłeś mi to zrobić?! – krzyczałam mu prosto w twarz, cały czas szlochając. – Jak mogłeś, Ben? Jak mogłeś mnie tak okłamywać? Co sobie myślałeś? Jak mogłeś planować ze mną życie, rozmawiać o dzieciach, które mieliśmy mieć i o tym, gdzie będziemy mieszkali i co będziemy robili, kiedy będziemy starzy, cały czas będąc z kimś innym? Jak mogłeś mi to zrobić?

– Bo nie chciałem cię stracić!

– To nie jest wystarczający powód!

Wrzeszczeliśmy na siebie, moja twarz była wykrzywiona gniewem, a jego błagała o wyrozumiałość. Nie zastanawiając się, wyszarpnęłam lilię z wazonu i uderzyłam go w policzek.

I na co mi przyszło? Czy naprawdę tak nisko upadłam? Zachowywałam się jak histeryczka na granicy szaleństwa i próbowałam pastwić się nad sierżantem piechoty morskiej Jej Królewskiej Mości, używając ciętych kwiatów.

Ben złapał mnie za nadgarstki.

– Leni, proszę nie rób, nie rób tego. Leni, tak mi przykro, tak mi przykro…

Znowu nastąpił zwrot akcji, który skierował naszą kłótnię na inne tory. Spirala ślepej furii osiągnęła apogeum, by gwałtownie opaść, i zanim zdążyłam uruchomić racjonalne myślenie, Ben leżał na podłodze, ja na nim i całowałam go z zaskakującą energią, a ból w wardze ustąpił całkowicie z powodu uśmierzającej mieszaniny adrenaliny i merlota.

Ben. Wrócił, a ja pragnęłam z całego serca unieważnić wszystko, co działo się od czasu, kiedy odszedł, i skupić się na tu i teraz. Uuu... z całą pewnością była to dozwolona od lat osiemnastu wersja tu i teraz.

Ściągnęłam mu podkoszulek przez głowę, oddychaliśmy coraz szybciej, z trudem łapiąc powietrze, a jakaś przemożna siła pchała nas ku sobie. Widziałam coś takiego tylko na filmach. Wiedziałam, że wściekły, szalony, bezrozumny seks nie jest naprawdę, naprawdę, NAPRAWDĘ dobrym pomysłem, ale w tej chwili w ogóle mnie to nie obchodziło. Moje ręce nerwowo szukały guzika jego spodni. Odpięłam go jednym palcem i rozsunęłam zamek. Nasze usta wciąż były złączone, jego ręce powędrowały pod moją bluzkę i uwolniły moje piersi z biustonosza. Objął mnie w pasie i zaczął ssać moje sutki, błyskawicznymi ruchami języka pieszcząc ich czubki, sprawiając, że przechodził mnie dreszcz od stóp do głów.

Ale...

Uniosłam się, odrywając od jego ust, przesuwałam się w dół jego ciała, całując, kąsając, liżąc każdy twardy jak kamień centymetr jego piersi, brzucha, bioder. Usiadłam na nim okrakiem, wsunęłam ręce pod pasek jego spodni i ściągnęłam je, a on jak zwykle wykazał się męstwem, tylko lekko krzywiąc się z bólu, kiedy jego sterczący w stronę sufitu w pełnej erekcji kutas został przyszczypnięty zamkiem błyskawicznym. Mięśnie mojej miednicy skurczyły się na widok jego penisa prezentującego się w całej okazałości, lśniącego i wiecznie nienasyconego. Od czasu naszego rozstania zdążyłam już zagłuszyć w sobie wspomnienie o tym, jak hojnie obdarzyła go natura.

Wciąż leżąc pode mną, pozbył się spodni, a ja na czworakach lizałam wnętrze jego ud. Centymetr po centymetrze posuwałam się wyżej i wyżej, aż dotarłam do nasady jego członka. Z długich leniwych ruchów przeszłam na coraz krótsze i krótsze, bardziej precyzyjne, powolne, liźnięcia od nasady do samego czubka, każde z nich nagrodzone jękiem rozkoszy. W końcu, kiedy jęki przeszły w desperacki szept: „kochanie och, kochanie", cholera, wsunęłam jego kutasa głęboko do gardła.

Zobaczyłam wszystkie gwiazdy, ale nie przypominały tych, które przewidywał poradnik pod tytułem *Seks oralny od A-Z*. Moja głowa odskoczyła do tyłu z powodu straszliwego bólu w pękniętej wardze, która już zaczynała się goić, ale właśnie doznała kolejnego urazu w trakcie spotkania z trzydziestocentymetrowym penisem.

Dzięki Bogu udało mi się dokończyć dzieła, nie uszkadzając jego męskości. Dobra, seks oralny mamy z głowy, więc to oznacza, że... Cholera, a ja wciąż mam na sobie dżinsy. Ku zaskoczeniu Bena wróciłam do lizania, pieszcząc go jedną ręką, a drugą gorączkowo usiłując ściągnąć spodnie.

Sukces! Teraz muszę tylko przesunąć się trochę do przodu, żeby znaleźć się dokładnie nad nim, zniżyć się i wsunąć go w siebie...

Nie ma prezerwatywy. Nawet w stanie zamroczenia i hormonalnego szału docierał do mnie głos Stu, pouczającego mnie na temat zagrożeń wynikających z braku zabezpieczeń podczas uprawiania seksu i każącego mi przysiąc na „Cosmopolitana – Specjalne Wydanie Świąteczne", że nigdy, przenigdy nie zgodzę się na seks bez prezerwatywy z mężczyzną, który nie będzie miał przy sobie zaświadczenia lekarskiego podpisanego najpóźniej godzinę wcześniej przez wybitnego lekarza specjalistę.

Nie, nie mogłam tego zrobić. Ale równocześnie byłam prawie pewna, że po spotkaniu z Pielęgniarzem Dave'em nie widziałam już żadnych prezerwatyw.

Inny sposób.

Zmieniłam pozycję i kutas Bena znalazł się między moimi piersiami, podczas gdy językiem gwałtownie pieściłam jego czubek. W górę i w dół, w górę i w dół, szybciej i szybciej i...

– Leni, przestań, dochodzę i chciałbym być w tobie.

Głos Stu spokojnie i oficjalnie szeptał mi do ucha statystyki: „Przypadki chlamydii wzrosły w UK o trzydzieści trzy procent w roku ubiegłym...".

O nie! To jak uprawianie seksu na oczach nieprzychylnej publiczności.

Ben ścisnął mnie za ramiona, starając się delikatnie podciągnąć mnie, żebyśmy znaleźli się twarzą w twarz, żeby nasze piersi i intymne części ciała ściśle do siebie przylegały, ale się oparłam.

Było tylko jedno wyjście z sytuacji. Ścisnęłam jego kutasa jeszcze mocniej między piersiami i zaczęłam falować coraz szybciej i szybciej i – cholera jasna, zaraz wysiądą mi mięśnie ud – szybciej i szybciej, aż wyjęczał moje imię, kiedy doszedł.

Z każdym innym facetem to byłby koniec, ale nie z Benem.

– Wstań – wyszeptał.

Zrobiłam to. Widziałam, że patrzy na moje niebotyczne platformy, które miałam na nogach podczas randki z prawnikiem Colinem. Jedną po drugiej założył mi je na stopy, dzięki cienkim paseczkom omijając spuchnięte palce. Stałam na środku salonu z rozstawionymi nogami, zażenowana swoją nagością, bo miałam na sobie tylko przeczące grawitacji obuwie, a przede mną klęczał najcudowniejszy mężczyzna, jakiego kiedykolwiek widziałam. Uznałam, że to nie jest odpowiedni moment, żeby go spytać, gdzie i kiedy nauczył się tych nowych sztuczek, zwłaszcza że kłębiły się we mnie zażenowanie, pożądanie i cholernie silne podniecenie.

Ujął moje ręce i położył je na moich piersiach.

– Pieść je – wyszeptał.

Na zewnątrz: tylko odgłos mojego przyspieszonego oddechu.

Wewnątrz: głos piszczący niepewne, speszone, zdziwione „uua"!

Westchnęłam głęboko, mocno zacisnęłam powieki, pragnąc, żeby język Bena nie przestawał pieścić mojej cipki.

Ściskał moje pośladki z twarzą wtuloną w łono, jego kark lśnił od potu, a język penetrował coraz gorliwiej, gorliwiej i coraz bardziej nieustępliwie i gorliwiej, i coraz bardziej...

Zaczęłam tak drżeć, że o mało nie spadłam z platform. Hm, o to ostatnie nigdy bym się nie posądzała.

Osunęłam się na kolana prosto w ramiona Bena, przyciskając policzek do jego policzka. Po paru minutach, wciąż spleceni, runęliśmy na podłogę i leżeliśmy w milczeniu, wydawało się, że bez końca.

W końcu Ben się odezwał:

– Leni, tak bardzo za tobą tęskniłem.

Położyłam mu rękę na ustach, żeby opóźnić nieuchronne rozmowy i wzajemne oskarżenia, i jak najdłużej się da nie wracać do rzeczywistości. Poruszyłam się dopiero, kiedy zaczęłam trząść się z zimna. Uniosłam się i delikatnie całując jego oczy, obudziłam go z drzemki. Kiedyś zrobiłabym dla niego wszystko. Ale teraz?

– Chodź, Ben – wyszeptałam, budząc go i ciągnąc w stronę łóżka. Weszliśmy pod kołdrę, przytuliliśmy się do siebie, chcąc się ogrzać, a ja dodatkowo pragnęłam potwierdzenia, że on naprawdę jest przy mnie i że nie jest to erotyczny sen spowodowany niewykrytym wstrząśnieniem mózgu po upadku w saunie.

Spróbowałam podsumować sytuację w zwięzłych podpunktach. Wrócił. Kocha mnie. Tęskniłam za nim. Moglibyśmy być razem. Jest tak dobrze. Jest cholernie fantastyczny w łóżku, a ja nigdy z nikim nie chciałam być tak bardzo jak z nim.

Więc to oznacza...

Jego ręka przestała delikatnie gładzić moją twarz i zanurzyła się pod kołdrę. Znów znalazła się na moich wymęczonych i wrażliwych cyckach, drażniąc je i pieszcząc, a na udzie poczułam ucisk twardego, napiętego i oczekującego członka.

Żartobliwie pacnęłam go w rękę.

– Ogierze, nie masz prezerwatywy, to się odsuń.

Wtulony w moją szyję, czule skubał moje ucho i całował skroń, więc nie usłyszałam odpowiedzi.

– Co powiedziałeś? – spytałam głosem nabrzmiałym rozkoszą.

– Powiedziałem, żebyś się nie martwiła... mam kilka.

~

– Wyjdź za mnie.

– Co?

– Wyjdź za mnie. Popatrz, co dla ciebie mam.

Przestałam gryźć, a mój policzek wydął się z powodu nieprzeżutego tosta.

Ben sięgnął do kieszeni bojówek złożonych równo na podłodze koło łóżka i wyjął z niej małe, czerwone, skórzane pudełeczko. Taca ze śniadaniem, którą powitał mnie, kiedy tylko pierwsze promienie słońca wpadły do pokoju, zaczęła się chwiać. Sok pomarańczowy wychlapywał się ze szklanki, a wąski wazonik drżał nad tostem i bekonem.

W samą porę uświadomiłam sobie, że opadła mi szczęka i szybko zamknęłam usta, przerażona, że widok na wpół skonsumowanego śniadania może powstrzymać Bena od zrobienia tego, co, byłam pewna, właśnie ma zamiar zrobić.

Ben odwrócił się w moją stronę z lękiem malującym się na twarzy, a niepewny głos wzruszająco podkreślał jego zdenerwowanie. Kiedy jego przestraszony wzrok spotkał się z moim, zdałam sobie sprawę, że nigdy nie wyglądał tak pięknie.

– Leni, już raz prawie cię straciłem i jest mi tak strasznie, strasznie przykro, że cię zraniłem, ale przysięgam na moje życie, że już nigdy więcej cię nie zranię. Wyjdź za mnie, Leni. Proszę. I zapewniam cię, że do końca życia nie będziesz żałowała, że dałaś mi jeszcze jedną szansę.

Po moim policzku spłynęła potężna łza. Kocham go. Mogę próbować udawać, że już mi przeszedł i że potrafię być szczęśliwa z kimś innym, że jakiś inny facet sprawi, iż będę czuła się jak z Benem, ale oszukiwałabym samą siebie, ponieważ prawda jest taka, że Ben to jedyny mężczyzna, którego kiedykolwiek pragnęłam.

Moja głowa połączona niewidzialnymi sznurkami z sercem już miała zamiar przytaknąć. Otworzył pudełeczko, w którym znajdował się olśniewający pierścionek z brylantem bez skazy osadzonym na prostej złotej obrączce.

Wyjął pierścionek z pudełeczka i wsunął mi go na palec. Patrzyliśmy, jak idealnie pasuje. Łzy płynęły mi po twarzy, kiedy zarzuciłam mu ręce na szyję i... ŁUBUDU!!!???

Przez kilka sekund nie zdawałam sobie sprawy, co się dzieje. Taca ze śniadaniem musiała spaść na ziemię i... ale poczekajcie, na zewnątrz ciągle jest ciemno.

Nagle zapaliło się światło, a ja próbowałam zrozumieć, co się stało. Jest u mnie Ben, jest noc, a może wczesny ranek. Szafka nocna leży na boku. Nie ma żadnej tacy ze śniadaniem. Żadnego pierścionka. Więc, czy to oznacza, że…

– Przepraszam, kochanie, nie chciałem cię obudzić. Ale przewróciłem…

Zauważyłam leżącą szafkę.

– Widzę.

To wszystko mi się przyśniło. Nie, tylko nie to! Dlaczego mnie to spotyka? Dlaczego w ostatnich miesiącach wszystkie najcudowniejsze chwile w moim życiu są wytworami mojej wyobraźni?

– Muszę już iść. Dzisiaj odpływamy i za dwadzieścia minut mam pociąg, żeby zdążyć do koszar.

– Dokąd odpływasz?

– Do Kosowa na misję pokojową.

Zmrużyłam oczy, co, byłam pewna, nie wyglądało zbyt miło w połączeniu z opuchniętą wargą, która zupełnie inaczej niż w moim śnie wyglądała teraz jak średnich rozmiarów ziemniak.

– Na jak długo?

– Piętnaście tygodni.

Gwałtownie powrócił stary, dobrze znany strach. Afganistan. Irak. Belize. Kosowo. Wszystko to już było, ale niepokój nigdy mnie nie opuścił.

Prawie ubrany, Ben siedział na brzegu łóżka i zakładał buty. Za parę minut już go nie będzie, bez rozmowy, bez żadnego postanowienia, co dalej z naszym związkiem.

Zanim wstał, pocałował mnie po raz ostatni.

– Zadzwonię – obiecał. – Jeszcze dzisiaj, zanim odpłyniemy.

Czy nasz związek ma wyglądać tak samo? Listy, telefony, paczki, żona… Żona.

Położył rękę na klamce. Za ułamek sekundy go nie będzie, ale jest nadzieja, że wróci i odbudujemy nasz związek. Może dlatego, że byłam zaspana, albo może dlatego, że to wszystko było takie dziwne, ale słyszałam gdzieś z boku komentarz o tym, co się właśnie dzieje, wypowiadany przez faceta podkładającego głos do

Domu nie do poznania. Kategorycznie powinnam oglądać mniej telewizji.

Otworzył drzwi, zrobił krok, prawie już wyszedł, kiedy Leni, lat 27, która zawsze miała świadomość, że ma duży nos, niskie czoło i opadający biust, nagle wyskoczyła z pytaniem:

– Kiedy odeszła twoja żona?

Zatrzymał się, ale nie odpowiedział.

– Kiedy odeszła, Ben? I powiedz mi prawdę, ponieważ jeżeli mamy być razem, i tak się tego dowiem. Kiedy odeszła?

Zapadła długa, pełna napięcia cisza, po czym wreszcie wykrztusił dwa najbardziej bolesne słowa:

– Rok temu.

Rok. Temu.

Doznałam nagłego i bolesnego olśnienia.

Nie wrócił dlatego, że nie mógł beze mnie żyć, bo wtedy zjawiłby się na progu mojego domu natychmiast po tym, jak odeszła żona.

Nieubłagana prawda była taka, że sierżant Ben Mathers pojawił się u mnie, ponieważ żona nie chciała do niego wrócić albo znudziło go skakanie z kwiatka na kwiatek, albo po prostu miał ochotę na szybki numerek przed wyjazdem. Kurcze, przyniósł nawet prezerwatywy! Jakie to cholernie bezczelne! Egoistyczny, pewny siebie pacan!

– Ależ, Leni…

– Wyjdź!

Spojrzał na zegarek i zdał sobie sprawę, że nie ma takiej opcji, żeby zostać i się ze mną kłócić.

– Ja… eee… zadzwonię do ciebie wieczorem.

Kiedy zamknęły się za nim drzwi, opadłam na poduszkę z obolałą twarzą, pulsującą stopą, złamanym sercem i z furią narastającą z każdą sekundą.

Rok temu.

Pieprzyć go. Dostałam lekcję i wiem, że zasługuję na kogoś lepszego niż on. Nie pozwolę mu zranić się po raz kolejny. Za żadne skarby świata. Nie ma takiej cholernej możliwości. Jestem ponad to. Jestem zdecydowanie ponad to.

– Stuu – szlochałam do słuchawki trzydzieści sekund później.

– Jadę do ciebie, kochanie – rzucił.

27
Supergwiazda

– Jasna dupa, wyglądasz, jakbyś wracała z wojny! – wykrzyknęła Millie dyplomatycznie i taktownie, jak tylko ona potrafi. Trzeba jej jednak przyznać, że zaraz dodała:

– Wszystko z tobą dobrze, kochanie? Mogę ci jakoś pomóc?

– Masz może broń palną?

Pokręciła głową.

– Więc niestety nie, nic nie możesz dla mnie zrobić.

Udało mi się pokonać zespół odstawienia Bena, ale niestety tylko na kilka minut zeszłego wieczoru, kiedy Trish oświadczyła, że go znajdzie i założy mu na jądra zaciski stolarskie. Teraz znowu byłam na dnie doliny rozpaczy dręczona depresją, pogłębioną przez pogardę do siebie i całkowitą dezorientację.

Zabrałam pocztę i ruszyłam ospale po schodach, przy wtórze pokrzepiających słów Millie:

– Wszystko będzie dobrze, przecież wiesz. Minie jakiś czas i wszystko się ułoży i będzie nawet lepiej niż dotąd.

Niezwyciężona jest potęga optymizmu.

– A, Zara jest u siebie w biurze, a Conna jeszcze nie ma. Bajgiel z łososiem i topionym serem.

– Pewnie masz rację – mruknęłam, nie mając siły podjąć wyzwania. To żałosne, wiem, ale chciałam mieć ten dzień za sobą i znów pogrążyć się w metodycznym rozdrapywaniu ran duszy, samobiczując się za niedawne oralne ekscesy.

Ku mojej uldze i zaskoczeniu oprócz rybek w akwarium i trzydziestu trzech roślin doniczkowych (z których wszystkie nosiły imiona: Paprotka Piotrek, Zielistka Zenon, Bambus Bob – na tym skończę na wypadek, gdyby zbierało wam się na wymioty) w biurze nie było nikogo. O, beztrosko! Mam zatem jeszcze parę chwil na zadręczanie się, zanim otworzę pocztę. Zaproszenia na wytworne imprezy na lewo. Listy od fanów na prawo. Prośby o korespondencyjną wróżbę na stertę w kącie. Prośby o konsultacje w cztery oczy do drugiego kąta. Listy od sławnych klientów na specjalny stos z VIP-ami. Rachunki na duży stos dla księgowej.

Zary wciąż nie było. Wyjęłam jej grafik – za pół godziny ma spotkanie w cztery oczy ze Stephenem Knightem, rozrabiaką, entuzjastą białego proszku, miłośnikiem ekskluzywnych prostytutek, ale przede wszystkimi czołowym gwiazdorem kasowego kina.

Łee.

Może zbiera siły, medytując gdzieś w szufladzie?

Łeee.

Lub chodzi nerwowo po korytarzach przepełniona złym napięciem seksualnym.

Łee.

Albo... Co to za hałas? Brzmiał jak okrzyk wojenny ludów pierwotnych. Albo odgłos, jaki towarzyszy odksztuszaniu uporczywej flegmy. Bez wątpienia dobiegał gdzieś z bliska.

Wstałam zza biurka i sprawdziłam szafki. Nic. Przesunęłam poduszki w poszukiwaniu zwierzęcia pogrzebanego żywcem pod nietypowymi meblami. Też nic.

Okno. Dźwięk dochodził zza otwartego okna. Przecisnęłam się koło biurka Zary i bujnych zarośli, wychyliłam i, tak, ujrzałam moją szefową łapiącą odrobinę świeżego powietrza. Zachowanie to nie byłoby wcale dziwne, gdyby nie fakt, że robiła to, wisząc w skórzanej uprzęży z ogromnymi kłódkami, przymocowanej do stalowego pręta w ścianie. Dyndała swobodnie piętnaście metrów nad ziemią.

Ramiona miała rozrzucone, jakby była ukrzyżowana, oczy zamknięte, usta otwarte i...

Łee.

– Zaro!

Otworzyła gwałtownie oczy, drgnęła i zahuśtała się jak od podmuchu wiatru. Przerażona wychyliłam się i wyciągnęłam rękę z zamiarem jej złapania, jednak szeroki parapet i opatrzność stanęły mi na przeszkodzie.

– Co się dzieje? – zapytałam głosem o trzy oktawy wyższym niż zazwyczaj.

– Nowa forma terapii. Pochłaniam energię powietrza – obwieściła Zara rzeczowo, sugerując tym samym, że wiszenie za oknem biura jest jak najbardziej normalne.

– Nie mogłaś po prostu wyjść przed budynek?

– Tutaj powietrze jest czystsze. Jestem w objęciach żywiołów.

Szczerze mówiąc, podejrzewałam, że jest w objęciach czegoś zupełnie innego. Zanotowałam w myślach, żeby sprawdzić, czy na liście jej spotkań figuruje ktoś, kto może być kolumbijskim baronem narkotykowym.

– Czas na mnie, muszę wracać. Podaj mi rękę.

Ze zręcznością gimnastyczki, mającej w pogardzie moje bezpieczeństwo, użyła mnie jako poręczy, po której wgramoliła się do środka.

– Możesz podać mi klucze do tych wszystkich kłódek? Leżą na moim biurku.

Podałam jej spore kółko z dużą ilością kluczy, potrącając przy okazji jej laptop i wyłączając wygaszacz ekranu. Google. Potrzebowałam ułamka sekundy, by się zorientować, że w oknie wyszukiwarki widnieje „Stephen Knight". Aha, w ten sposób Zara przygotowuje się do spotkania. Jak widać moce jasnowidzenia i wiedzy nadprzyrodzonej od czasu do czasu potrzebują technicznego wsparcia.

Błyskawicznie przeczesała swoje długie brązowe włosy, udekorowała usta rdzawoczerwoną szminką, zrzuciła podkoszulek i legginsy, wbiła się w kaftan ze srebrną nitką i była gotowa do działania dokładnie w chwili, gdy Millie dała znać, że kierowca Stephena Knighta właśnie zadzwonił, że będzie ze swoim szefem za pięć minut.

– Mam zejść i go tu przyprowadzić? – zapytałam, z trudem ukrywając entuzjazm. Pod względem fizycznym Stephen Knight był prawdziwym bogiem. Jasne, prowadzi na tyle niepospolite życie erotyczne, że dotknięcie go nawet bez gumowych rękawic podwójnej grubości i zapasu penicyliny nie wchodzi w rachubę, jednak samo spotkanie go to coś, o czym mogłabym opowiadać wnukom. Jeśli kiedykolwiek będę miała wnuki. Albo na przykład dzieci. Lub męża. Nie mówiąc o... Nadeszła potężna chmura po-Benowej depresji i poczułam się, jakbym stała w ulewie, chłostana żalem i smutkiem. Hej, zaraz jednak spotkam Stephe...

– Wykluczone – ucięła Zara. – Sława tej klasy musi być witana osobiście przez moją osobę. Wiesz, Leni, czasem brakuje ci profesjonalizmu, jakiego wymaga twoja praca.

Każdego innego dnia trzymałabym język za zębami, krytycznie przyjrzała się swojemu postępowaniu i być może wyraziła skruchę, dziś jednak byłam eksdziewczyną Action Mana Nieuczciwego Sukinsyna – Leni Bezlitosną.

– Co? O czym ty pieprzysz?

Jej usta otworzyły się jak wrota w wyrazie zdumienia z powodu zupełnie nietypowego dla mnie wybuchu. Uległą sekretarką, dotychczas znaną jako Leni, zawładnęły demony furii, dezaprobaty i najświętszego oburzenia. Myśleć o czymś przyjemnym? Nie ma mowy! Całe miesiące poniżania, frustracji i poświęcenia zakipiały i wylały się ze mnie gwałtowną falą.

– To znaczy... ee, ja.. – wybąkała Zara, przyglądając mi się z bezgranicznym zdumieniem.

– Brakuje mi profesjonalizmu? Wszystko, co robię, jest zajebiście, kurwa, profesjonalne.

Słów, które wyskoczyły z moich ust, nie dało się już cofnąć, i nawet tuzin zawodowych poskramiaczy bestii, uzbrojonych w odpowiednie narzędzia, nie byłby w stanie zagonić ich z powrotem.

– Poniżenia, jakich doświadczyłam w tej pracy tysiąc razy przekraczają to, co Ministerstwo Pracy uznaje za normalne, mimo to pochyliłam głowę i pracowałam... W JAK NAJBARDZIEJ PROFESJONALNY SPOSÓB!

Zara przestawiła ramiona z pozycji obrony na atak i syknęła jak żmija:

– Och, na miłość boską, Leni, przestań dramatyzować. Miałaś trochę niepowodzeń na randkach, ale przynajmniej coś się w twoim życiu dzieje, co jest sporą odmianą w porównaniu do twojego życia z czasu, zanim przyszłaś do mnie do pracy.

Oż ty wredna, podstępna su…

– I bądźmy szczerzy, daleko ci do ideału efektywności. Mijają miesiące, a ty jeszcze nie ukończyłaś. Czas to pieniądz, Leni, czas to pieniądz i im szybciej zdasz sobie z tego sprawę, tym prędzej uda ci się cokolwiek w życiu osiągnąć... Na przykład wykonać powierzone ci zadanie!

Jej wściekła twarz była zaledwie kilka centymetrów od mojej i musiałam użyć rękawa, by wytrzeć ślinę, którą przy okazji ostatniej wypowiedzi mnie spryskała.

Kiedy przychodziłam do pracy u Zary wiedziałam, że jest wybuchowa, nieracjonalna i miewa wariackie napady, ale to było zupełnie co innego. Była to pierwsza liga wciskania kitu, a bycie jego nieoczekiwanym odbiorcą sprawiło, że bąbel agresji pękł i wróciłam do swojej zasadniczej postawy wyrażającej napięcie i defensywę.

– Prawie skończyłam – wykrztusiłam, zanim rozum i prawda miały okazję nadążyć za wypowiedzianym właśnie niezaprzeczalnym kłamstwem.

– Jesteś dopiero przy numerze ósmym, w dwóch trzecich drogi, Leni, to nie wystarczy. Potrzebuję twoich wyników, i to szybko. Wiesz, mamy coś takiego, jak ostateczny termin i upływa on ostatniego dnia maja, a to za mniej niż trzy tygodnie. I chcę, żebyś to wiedziała, droga panno. Jeśli wszystkie raporty nie znajdą się na moim biurku na czas, odbiorę ci każdy dodatek, który ci wypłaciłam.

Dotarłam do ściany. Jak zwierzę zagonione przez drapieżnika, z tym że drapieżnik nosił kolorowy kaftan i japonki. Myśl. Myśl. Myśl. Kłam.

– Jestem dużo dalej. Zeszłej nocy byłam na randce z...

Spod jakiego znaku jest Ben? Jaki to znak? Umysł milczał. Zaraz... przecież... urodziny ma dwudziestego dziewiątego września, trzy tygodnie przed moimi, ale jesteśmy spod tego samego znaku zodiaku! To jedyne, co nas łączy.

– Waga! – wykrzyknęłam. – A ponadto umówiłam się na spotkanie z...

Czas odwołać się do pomysłowości, taktycznego sprytu i autentycznej przebiegłości, którymi się odznaczam, a które inaczej można nazwać chwytaniem się brzytwy z jednoczesnym zdecydowanym rozmijaniem się z faktami. Stu – jaki jest znak Stu?

– Z Bykiem! Za weekend spotykam się z Bykiem. – To poniekąd prawda, ponieważ od dawna byliśmy umówieni na *Dirty Dancing* w Aldwych Theatre.

– Co oznacza, że zostają mi... e... a...

Cholera! Powinnam była nauczyć się tego na pamięć.

– Panna i Strzelec – dokończyła Zara wyniośle. Zawiesiła głos, unosząc jedną brew, co miało być cyniczne. – A czy wybrałaś już kandydatów i zorganizowałaś z nimi spotkanie?

– Miałam ich obdzwonić dziś rano.

Zkuliłam się w sobie, kiedy patrzyła na mnie z ewidentnym niedowierzaniem. Co ja sobie wyobrażam? Właśnie kłamię w żywe oczy wróżce! To tak, jakby kłócić się z astronautą o to, jak wygląda kosmos z bliska. Albo próbować zaskoczyć Stu wiedzą o zarazkach.

Bez dwóch zdań, zaraz mnie wyleje... Albo, w najlepszym przypadku, zamorduje i popiołem z moich spalonych zwłok użyźni swój ogródek bonsai.

– Gdzie są podania do tych dwóch randek, o których nic nie wiedziałam? – zapytała śmiertelnie groźnym tonem.

– U mnie na biurku.

Jej detektor kłamstw zawył wniebogłosy. Chociaż nie, to był tylko telefon. Millie uratowała mój tyłek wiadomością, że Stephen dotarł i czeka w recepcji.

– Rzucę na nie okiem, gdy tylko skończę – oznajmiła oschle, odraczając najwyraźniej pozbawienie mnie zatrudnienia i spopielenie moich zwłok na po spotkaniu z hollywoodzkim gwiazdorem, tak, by nie zepsuć sobie fryzury i nie rozmazać makijażu.

Moja niechęć zepchnęła strach na drugi plan i pozwoliła mi odwzajemnić jej lodowate spojrzenie.

– W porządku – powiedziałam dumnie.

Była to wspaniała, imponująca demonstracja mojej asertywności i poczucia własnej wartości, która całkowicie uszła jej uwagi, bo Zara była właśnie w połowie schodów.

Ja jej pokażę! Nieprofesjonalna? Nie wydaje mi się! Mój profesjonalizm wraz z niebywałą inteligencją pokażą, kto tu rządzi – niech tylko minie mi ochota na płacz i opuści obezwładniająca panika.

Jak, do cholery, doszło do tego, że moje życie przypomina operę mydlaną? Grzebałam w telefonie w poszukiwaniu starego zdjęcia Bena. Udało się. Właściwie nie było to zdjęcie Bena – zawsze unikał obiektywu, co, jak się domyślam, miało nie tyle coś wspólnego z wrodzoną skromnością, ile z chęcią zminimalizowania ilości dowodów, które mogłyby wpaść w ręce żony – udało mi się po prostu kiedyś zrobić zdjęcie jego twarzy widniejącej na legitymacji wojskowej. O to chodzi! Z niewielkim udziałem Photoshopa z całą pewnością uda mi się zrobić z tego klasyczne zdjęcie portretowe.

Sfałszowanie jego podania nie będzie stanowiło żadnego problemu. Pominę po prostu adres i podam fałszywy numer telefonu. Jeśli ktoś będzie dociekał, powiem, że musiał go po prostu przejąć ktoś inny. Nie dbałam o to, bo całe badanie i tak miało pozostać anonimowe.

Dobra, Ben załatwiony, teraz kolej na Stu. Resztki adrenaliny uwolnionej podczas ostatniego starcia sprawiały, że moje ręce drżały w chwili, gdy wybierałam jego numer. Odebrał po drugim sygnale. To naprawdę cudownie z jego strony, że ma do mnie choć odrobinę cierpliwości po tym, jak spędziłam całą sobotę, szlochając w jego koszulę od Gucciego.

– Stu, spotkajmy się w sobotę wieczorem. Masz coś przeciwko pójściu na randkę ze mną?

– Ach, kotku, myślałem, że nigdy się nie doczekam. Ale jeśli Verity dowie się o twojej propozycji, gotowa jest zmieść cię z powierzchni ziemi celnym uderzeniem jednego z frędzli, które nosi czasem zamiast biustonosza.

– To randka na niby, sieroto. Muszę po prostu odwalić kolejny znak zodiaku i został mi jeszcze Byk, więc pomyślałam o tobie.

Dam ci szansę wygrać w losowaniu, jeśli tylko wyślesz mi e-mail ze zdjęciem, które zaraz cykniesz sobie komórką.

– Naturalnie. Mam być nagi czy ubrany?

– Ubrany, ty zboczku.

Jego śmiech zadudnił pogodnie.

– Nie umiesz czasem pójść na całość, Leni, co?

– Jesteś chorym człowiekiem. Ale krótko: będzie randka czy nie?

– Będzie. Ale nie wiń mnie, jeśli dostaniesz cięgi od zagniewanej ulubienicy mas. Wcierasz w wargę ten krem, który ci dałem? Obrzęk ustępuje? Bo wiesz, może utworzyć się blizna i...

– Przykro mi, Stu, muszę lecieć. Całuski.

Moje palce wystukały zręcznie na klawiaturze dwa wdzięczne i zachęcające podania. Wydrukowałam zdjęcie Stu i przypięłam je do podania Byka, całość wrzuciłam do segregatora z bieżącymi papierami. Zdjęcie Bena dołączyłam do podania Wagi, a następnie stworzyłam pełny i wyczerpujący opis naszego wspólnego wieczoru. Ilość kłamstw aż kłuła w oczy. Stworzyłam fikcyjny świat, w którym Ben uraczył mnie dobrym winem i wykwintną kolacją, a następnie odwiózł do domu, cały czas bawiąc mnie subtelnym humorem i zjednując wdziękiem. Sukinsyn.

Udało mi się właśnie postawić ostatnią kropkę, kiedy do pokoju wpadła Zara i zatrzymała się tuż przed moim biurkiem.

– Podania – zażądała, udowadniając, iż żar naszego starcia wcale nie wygasł. Spokojnie podałam jej owoc mojej energicznej pracy podczas jej godzinnej nieobecności. Przestudiowała je słowo po słowie, by na koniec, niemal z pretensją, rzucić podania na moje biurko z rozdrażnionym:

– W porządku! Załatw te dwie pozostałe randki w tym tygodniu i może uda nam się skończyć ten temat. Oby. Staraj się pamiętać, Leni, że profesjonalizm jest tutaj kluczem do wszystkiego. To powiedziawszy, odwróciła się i odmaszerowała do swojego biurka.

I wtedy ujrzałam Zarę Deltę od tyłu w całej okazałości: jej mocną i dumną sylwetkę, długie ponętne loki podskakujące w rytm kroków oraz długi jedwabny kaftan... wciśnięty naprędce z tyłu w doskonale widoczne majtki.

W pełni profesjonalnie, rzecz jasna.

E-mail
Do: Jon Belmont
Od: Leni Lomond
Temat: Postępy

Na początek dobre czy złe wieści?
Zacznę od dobrych. Zostały mi tylko dwie randki i w następną niedzielę powinnam mieć to za sobą. Jeśli chodzi o złe... najprawdopodobniej kłamię nałogowo i prawdopodobnie będę bez pracy w chwili, gdy wreszcie uda nam się spędzić razem wieczór.
Zazwyczaj nie kłamię (możesz w to wierzyć lub nie, ale mogę dostarczyć ci solenne przysięgi moich przyjaciół zapewniające o mojej prawdomówności), ale kilka kolejnych randek po prostu „zmyśliłam". Hm, mówiąc „zmyśliłam", mam na myśli to, że tylko odrobinę zniekształciłam prawdę.
Staję teraz przed następującym problemem: jeśli Zara jest tak dobra, jak twierdzi, czy nie domyśli się, jak było w rzeczywistości? Czekam zatem chwili, kiedy wyrzuci mnie z hukiem z pracy.
Szczerze mówiąc, jedyną rzeczą, która mnie uspokaja, jest to, iż Zarę absorbuje chwilowo osoba pewnego niesfornego gwiazdora z pierwszej ligi Hollywood, któremu codziennie stawia horoskop.
Tak czy siak, mój zasiłek powinien spokojnie pokryć koszty dwóch sporych koktajli i paczki chrupek, więc do zobaczenia wkrótce.

Xx
L

E-mail
Do: Leni Lomond
Od: Jon Belmont
Temat: Odp: Postępy

Droga Nałogowo Kłamiąca,
zatem jesteśmy umówieni – ja, ty i twój zasiłek na lunch w przyszłą niedzielę. Nie mogę się doczekać, kiedy to się skończy. Jest mi napraaaawdę ciężko, gdy wiem, że jesteś niedaleko, a ja nie mogę się z tobą spotkać. Tak więc zacząłem rozmyślać (przerwij mi, jeśli nieco się zagalopowałem) i wymyśliłem kilka rzeczy, które moglibyśmy zrobić razem: wyjechać za miasto, wyskoczyć do teatru (ale tylko na komedię – nie byłbym chyba w stanie znieść cierpienia kobiety!) albo nawet wsiąść w pociąg Eurostar i pojechać do Paryża (ale uwaga, moja siostra chce nam towarzyszyć – mówi coś o Louisie Vuittonie i niskich cenach! Twierdzi, że jestem jej coś winien za umówienie nas ze sobą... W sumie może mieć rację!).
Czyżbym się rozklejał? Natychmiast staję się na powrót stanowczym finansistą.
A może jeszcze nie...
Czy zdajesz sobie sprawę, jak bardzo nie mogę się doczekać spotkania z Tobą? Ogromnie. Wysoce. Bardzo znacząco.
A ja nigdy nie kłamię.

J xx

28
Gwiazda przyszłości

– Pierdziel to, rzuć tę pracę i spadaj. To wariatka!

Déjà vu. Moje oczy automatycznie zwróciły się ku niebu.

– Czy mogłabyś zająć jakieś konkretne stanowisko i doradzać w zgodzie z nim? Jak na razie kazałaś mi rzucić tę robotę, potem zostać, znowu rzucić, znowu zostać... Jeśli wisiałabym nad przepaścią, trzymając się koniuszkami palców krawędzi, i słuchała twoich rad, nie obeszłoby się bez liny do bungee.

– Nic na to nie poradzę. Rozwaliło mnie, że ten kawał kutasa Ben znowu się pojawił i że zadzwoniłaś do Stu zamiast do mnie. Co, myślałaś, że kupiłam uzi na eBayu?

Siedziałyśmy, ja i Trish, na zapleczu studia *Cudowny Poranek TV!*, przyglądając się ogólnemu zamieszaniu i temu, jak gwiazdy relaksują się na sofie w czasie przerwy na reklamę. Nawet poza ekranem telewizora i mimo czterdziestki na karku Goldie emanowała powabem: twarz idealnie gładka, sylwetka jak u nastolatki. Jej szkarłatna marynarka prosto od krawca wdzięcznie kontrastowała z miedzianą fryzurą na chłopaka. Zara z kolei wspinała się na kolejny poziom ekscentryczności z fryzurą składającą się z warkoczyków i kucyków w takiej ilości i tak osobliwych, że całość sprawiała wrażenie czegoś w połowie drogi między gigantyczną paprocią a Wyclefem Jeanem. A, i była to ta bardziej konserwatywna część jej prezencji. Miejsce kaftanów zajęła piękna, lecz zupełnie nieuzasadniona celtycka suknia ślubna. Tak, najwyraźniej z punktu widzenia planety Zara wydawało się całkiem prawdopodobnym, że nosicielka tej szaty niebawem wpadnie na swego wybranka oraz stosownego kapłana i nastąpi ceremonia ślubna zgodna ze starożytnym szkockim rytuałem... szczególnie że wszystko, co Zara ma wspólnego ze Szkocją, to szaleńczy pociąg do Ewana McGregora.

Sukienka sama w sobie była zachwycająca: luźna, z delikatnego jedwabiu, z długimi rękawami i głębokim dekoltem. Lekko opinała piersi Zary, by rozszerzyć się nieco poniżej talii i opaść swobodnie aż do samej ziemi. Na biodrach miała złoty łańcuch spięty z przodu wielkim złotym medalionem ze szmaragdowym kamieniem w środku. Do sceny zaślubin w *Walecznym sercu* pasowałaby idealnie. Na sofie w *Cudownym Poranku TV!* kłuła w oczy.

Miałam cichą nadzieję, że nie przesłała jakiejś podprogowej wiadomości do swego (rzekomego) oblubieńca. A swoją drogą, byłam w stu procentach pewna, że niebawem okaże się, iż Stephen Knight opuścił pośpiesznie kraj.

Zagadnienia związane z Zarą przesunęłam na drugi plan i skoncentrowałam się na uspokajaniu przyjaciółki.

– Dobra, przepraszam, że nie do ciebie pierwszej zadzwoniłam. Grey miał wtedy wolny weekend i pomyślałam, że zależy ci, by spędzić z nim czas bez gadania rozhisteryzowanych kumpeli.

– I tu masz rację. Byliśmy sobą zajęci od soboty rano aż do niedzieli w nocy.

Wolałam nie pytać. Gdybym usłyszała te słowa od normalnej istoty ludzkiej, mogłabym przypuszczać, że zajmowały ich na przykład tysiące drobnych spraw, jakie tworzą obraz normalnego życia. Kiedy mówiła to Trish, było bardziej niż oczywiste, że w rachubę wchodzą seksualne dewiacje, łańcuchy i skórzane maski na suwak.

– Trzy, dwa, jeden, wchodzi Goldie.

– Witam was ponownie. Ci, którzy właśnie teraz zaczęli nas oglądać na pewno z radością dowiedzą się, że jest z nami doktor Craft, który opowie jak radzić sobie z kłopotliwą kwestią wypadania różnych organów. Ale zanim to nastąpi, powitajmy kobietę, która wie, co przydarzy wam się w ciągu nadchodzącego weekendu. Zara Delta! Dzień dobry, Zaro, cudownie cię znowu gościć, jak zwykle...

Trish nachyliła się i wyszeptała mi do ucha:

– Nie może jej ścierpieć, wiesz.

– Kto?

– Goldie. Nie znosi Zary. Wczoraj powiedziała producentom, że chce na jej miejsce Mistyczną Meg albo Russella Granta i to nie później niż przed końcem miesiąca.

O nieee! To nie są dobre wiadomości! Zara będzie wściekła! Telewizja śniadaniowa to koło zamachowe jej kariery i bez tego jej prestiż będzie poważnie nadszarpnięty. Bez cotygodniowej reklamy na małym ekranie popyt na jej usługi się skurczy, wiarygodność spadnie, a ego dostanie bolesnego kopniaka. Zdarzyło mi się kiedyś podsłuchać, że chętniej wskoczy do łóżka jakiegoś oligarchy, niż wróci do urządzania domów według zasad feng-shui znudzonym i majętnym gospodyniom z bogatych dzielnic

Londynu. Menedżer Zary, Conn, się załamie, i jeśli będą musieli ciąć koszty, być może zwiną biuro, Millie straci pracę i... oż jasna cholera, bezrobocie nie ominie i mnie. O, nie, nie mogę do tego dopuścić.

– Trish, musisz coś zrobić – jęknęłam, drżąc. – Jeśli pozbędą się Zary, ona na pewno pozbędzie się mnie...

– Zdajesz sobie sprawę, że odkąd porzuciłam stanowisko dyrektora tej stacji na rzecz nieco mniej atrakcyjnej pracy w cateringu, nie mam wpływu na politykę kadrową?

Każda głoska jej wypowiedzi ociekała sarkazmem.

– Ale nie martw się. Producenci zawetowali tę zmianę. Uważają, że Zara ma największą ilość fanów, a dla nich liczy się przede wszystkim oglądalność. Goldie dostała szału. Pewnie musiała spędzić całą noc w miłosnym trójkącie, aby jakoś podreperować psyche.

Mój niekontrolowany śmiech przypominający chrumknięcie ściągnął na mnie karcące spojrzenie realizatora i gest nakazujący ciszę. Jeśli miałabym kiedykolwiek stracić tę pracę, najbardziej będzie mi brakować tej właśnie części: emocji, chwil spędzonych w studiu telewizyjnym i uroku niezobowiązującego ocierania się o gwiazdy. Tkwienie w biurze i oglądanie codziennie tych samych czterech ścian ani trochę się do tego nie umywało.

Zara była w połowie referowania horoskopu, gestykulując energicznie i używając dramatycznego i ekspresyjnego tonu. Goldie kiwała głową z uśmiechem przyklejonym do twarzy, mogącym oznaczać albo: „Tak, całkowicie się z tobą zgadzam", lub: „Zastanawiam się, ile mógłby kosztować płatny morderca".

– Hej, mam nowinę, która przebije skłonności do trójkątów twojej prowadzącej – powiedziałam.

– Jesteś w ciąży?

– Nie.

– Ja jestem w ciąży?

– Nie.

Aaaa! Trish jest taka niedojrzała i irytująca – u przyjaciół najbardziej lubię właśnie te cechy.

– Stu jest w cią…

– Zamknij się! – Kolejne gromiące spojrzenie realizatora. – Słuchaj, chcesz się dowiedzieć czy nie? – spytałam, po czym natychmiast się skrzywiłam. Wydęcie ust w wyrazie dezaprobaty sprawiło jedynie, że zabolała niezagojona do końca warga.

– Chcę – powiedziała z nieszczerą powagą.

– Wygląda na to, że Zara posuwa Stephena Knighta.

Oczy Trish urosły do rozmiarów spodków, złapała mnie za rękę, wywlokła ze studia, korytarzem, aż do swojego biura, zamknęła drzwi i ryknęła:

– ROBISZ SOBIE ZE MNIE JAJA!

– Nie robię – odparłam nonszalancko, zdecydowana napawać się każdą sekundą bycia – co prawda chwilowo – tą bardziej fascynującą kumpelą.

– Z czego to wnosisz?

– W poniedziałek wpadł po wróżbę. Zara wyszła mu na spotkanie nienagannie ubrana, a wróciła z kaftanem wciśniętym w majtki.

Ryki Trish były tak głośne, że oczami wyobraźni widziałam realizatora skręcającego się w furii.

– Od tamtego czasu dzwoni codziennie. Udaje nieudolnie kogoś innego, przedstawia się jako niejaki pan DeLongun, ale wiem, że to on.

– Mizerny z niego aktorzyna – przyznała Trish.

– A ona wymyka się chyłkiem przynajmniej raz dziennie. Wczoraj nawet poprosiła mnie, żebym skłamała Connowi, dokąd poszła. Mam nadzieję, że nie uzna tego za podejrzane, iż poleciała zrobić sobie drugą cytologię w ciągu sześciu tygodni.

Na twarzy Trish malował się niesmak.

– Nie mogłaś wymyślić nic innego?

Wzruszyłam ramionami.

– Nie jestem stworzona do wymyślania kłamstw. Zaskoczył mnie.

Kręciła głową przez kilka sekund, pogwizdując i chłonąc nową wiedzę. Wiadomość była elektryzująca z kilku powodów. Po pierwsze, oboje są sławni. Po drugie, temperament Stephena i jego pociąg do używek legendarne. Po trzecie, Zara jest starsza od niego o dobre dziesięć lat. Media byłyby zachwycone. Nie żeby miały się o tym dowiedzieć. Bohaterowie tej historii dokładają wszelkich starań, aby ich wzajemne... hm... stosunki pozostawały niejawne.

– Taak... Wiesz, co to oznacza? – odezwała się w końcu Trish. – Nie możesz teraz rzucić tej pracy. Nawet gdyby Zara miała zacząć okładać cię pejczem. Musisz tam być i gromadzić materiał do plotek.

Uważam, że kiedy Lennon i McCartney pisali słynny hymn chwalący przyjaźń, *A Little Help from My Friends*, nie mieli na myśli kumpli takich jak Trish.

– Czy wiesz, że Zara Delta stuka się ze Stephenem Knightem?

Takie pytanie Trish zadała Stu w chwili, gdy ten wszedł do baru.

Od czasu mojego spotkania z Trish minęło w telewizji dziesięć godzin i spotkałyśmy się ponownie, celem wsparcia mnie przed nadchodzącą randką.

– Ciiicho! Ktoś cię usłyszy! – zbeształam ją. Zatoczyła ręką krąg, chcąc nam dać do zrozumienia, że jeśli tylko w pobliskiej paprotce nie umieszczono podsłuchu, nie ma nikogo, kto mógłby nas usłyszeć.

Siedzieliśmy w winiarni, w której ja i Millie spotkałyśmy się przed randką z Colinem. Gdy pojawi się kolejny randkowicz i ja z nim wyjdę, obsługa z całą pewnością dojdzie do wniosku, że uprawiam najstarszy zawód świata.

– Istotnie, obiło mi się to o uszy – odparł Stu oficjalnie. – Panna Lomond przekazała mi tę informację kilka dni temu w czasie ściśle poufnego spotkania zawodowego. Twoje pasemka wyglądają super, tak przy okazji.

Te ostatnie słowa były skierowane do mnie. I nie mijały się z prawdą: delikatne blond akcenty między rudymi lokami sprawiły, że moje włosy aż płonęły. Dzięki talentowi Stu przynajmniej jedna rzecz we mnie była odważna i śmiała.

Stu też nie prezentował się byle jak. Od chwili, gdy wszedł, uważnie przyglądały mu się trzy kobiety w garsonkach siedzące w rogu, najwyraźniej oczarowane jego wysokimi butami Diesela w kolorze czarnym, wytartymi dżinsami i czarnym podkoszulkiem tak obcisłym, że mięśnie brzucha Stu było widać wyraźnie jak na greckim posągu.

Trish jaśniała zielonożółtą sukienką z krepy zestawioną z fioletowymi butami na koturnie (co nie było najbardziej narzucającą się kombinacją, jednak efekt finalny był olśniewający) i gderała:

– Nienawidzę dowiadywać się ostatnia. Tak jest, rozwodzę się z Greyem i wracam w objęcia singielstwa, by móc nadążać za wami, cholerne sukinkoty. Może już nigdy nie będę uprawiała seksu, ale plotki są tego warte.

Przechodząca kelnerka rzuciła na nasz stolik dużą miskę czipsów. Trish chwyciła ją i oddała kelnerce, wyraźnie ją zaskakując.

– Przykro mi, ale jest tu dziś z nami nasz żywieniowy faszysta – wyjaśniła, wskazując Stu. – Według jego opinii, jeśli zdarzy nam się coś zjeść w publicznym miejscu, nie minie godzina, a padniemy trupem, co, tak przy okazji, zdecydowanie nie przysporzy waszemu lokalowi dobrej sławy.

Kelnerka wycofała się powoli, trzymając czipsy przed sobą jak próbkę niebezpiecznego plutonu.

– Pewnego dnia mi podziękujecie – powiedział Stu, uśmiechając się szeroko i jednocześnie dając Trish kuksańca.

– Już ci dziękuję – odparła Trish sucho. – Gdyby nie twoje uporczywe, neurotyczne ględzenie, mój tyłek byłby o kilka centymetrów szerszy.

Do baru wpadł tłum karierowiczów w garniturach w prążki z wypchanymi portfelami i poziom hałasu podniósł się o sześć decybeli, kiedy wrzaskiem domagali się szampana i co kilka sekund wybuchali aroganckim, zwracającym uwagę śmiechem.

– Kurde, mogłam kupić to uzi – westchnęła Trish.

Czy to rodzaj facetów, z którymi pracuje Jon? Nic dziwnego, że bez trudu znajduje chwilę, by napisać do mnie e-mail, mając za towarzystwo stado hałaśliwych, uciążliwych typów, których życiowym celem jest doładowanie ego i zachowywanie się jak rozpieszczone niedojrzałe dupki. Jeszcze mniej więcej tydzień i będę mogła sama go o to spytać. Dziś wieczorem czeka mnie randka (Panna), kolejna jutro (Strzelec), a na koniec *Dirty Dancing* ze Stu w sobotę wieczorem. A potem... ta daa! Misja zakończona! Żegnajcie randki, *hasta la vista* niezręczne minuty ciszy i upokorzenia początków znajomości, żegnajcie zmartwienia i stres, witaj początku nowego życia. I może jeszcze... Nie miałam nawet bladego pojęcia, czy między mną a Jonem jest coś więcej niż zaczątki wspaniałej przyjaźni, ale jego e-maile naprawdę mnie rozśmieszają i to naprawdę cudowna odmiana mieć kogoś, kto interesuje się mną i tym, co robię. Dwa lub trzy razy dzienne skrzynka dawała mi sygnał, że przyszło coś od niego, i mimo że ostatnie doświadczenia przekonały mnie, że marzę o nowym związku mniej więcej tak samo jak o opryszczce, był to przynajmniej dobry sposób, żeby na dobre zapomnieć o Benie. Znowu. Mój żołądek aż podskoczył i coś ścisnęło mnie w gardle. Nie! Nie pozwolę mu na to po raz drugi. Nie będę płakała. Nie będę.

– Oż, jasna cholera, ona znowu beczy. – Trish, mamrocząc, wyjęła z torebki paczkę chusteczek i pchnęła ją w moim kierunku. – Mówiłam ci, żebyś o nim nie myślała!

– Wiem, ale nic na to nie poradzę. On po prostu pojawia się w moich myślach, a moje gruczoły łzowe dostają amoku.

Wysmarkałam nos tak głośno, że nawet ekipa w prążki zaczęła się na mnie gapić.

– Wszystko będzie dobrze, po prostu... wszystko było ostatnio takie zwariowane. Muszę tylko obrobić się z tymi randkami, napisać raporty i odbyć dziesięcioletnią terapię, która wykasuje mi pamięć.

– Któż więc jest dzisiejszym szczęściarzem? – zapytała Trish, odciągając mnie od rozpaczy w stronę nieuchronnie rozpaczliwego wieczoru.

– Kurt, pisany przez K, lat dwadzieścia pięć, urodzony pod znakiem Panny, pochodzi z Brighton, aktualnie mieszka w Camden, w rubryce zatrudnienie napisał „DJ i student medioznawstwa", przez telefon wydawał się na luzie, ale zainteresowany. Nie mam pojęcia, dokąd się wybierzemy.

– Alarm osobisty i spray pieprzowy są? – zapytał Stu.

– Tak jest.

– Komórka naładowana?

– Tak jest.

– Obiecujesz przez cały czas być w miejscach publicznych?

– Oczywiście. Powiadomiłam także policję, Interpol i tajne służby. O, i jeszcze straż przybrzeżną, na wypadek gdybyśmy mieli udać się na najbliższą plażę i tam wpaść w tarapaty podczas kąpieli w morzu.

Stu zwinnie złapał mojego „Cosmopolitana" i pacnął mnie nim w twarz.

– Jak śmiesz niszczyć mi makijaż – zaśmiałam się. – Doniosę na ciebie Millie.

Tego dnia miałyśmy biuro tylko dla siebie, ponieważ Conn był na spotkaniu i negocjował umowę o wspieraniu pewnej marki, a Zary nie było, pewnie była zajęta tym, przez co jej kaftan lądował w majtkach. Nie miałam pojęcia, co tak naprawdę dzieje się między nią a Stephenem Knightem, ale byłam mu dozgonnie wdzięczna za nieobecność Zary w biurze i zmniejszenie średniej liczby incydentów związanych z jej wariactwem. W tym tygodniu nie odbywały się żadne rytuały rebirthingu rodem z Trzeciego Świata, nie było terapii krzyku w duchu New Age ani nawet jednej ofiary z żywego zwierzęcia.

W błogim spokoju spędziłam całe popołudnie, siedząc z Millie w recepcji, pozwalając jej zrobić mi włosy i makijaż. Wynik był zdecydowanie mniej przerażający, niż się spodziewałam – jednolity odcień cery, blade usta i oczy w nieco bardziej umiarkowanej wersji Amy Winehouse. Od Millie pożyczyłam też na dzisiejszy wieczór bluzkę z wymiętego szarego jedwabiu w kolorze szarym, idealnie pasującą do moich obcisłych dżinsów i czarnych wysokich butów. Ten jeden raz wyglądałam jak zadbana, światowa kobieta odnosząca sukcesy... Co oznaczało najpewniej, że najwyższy czas złamać sobie obcas, wpaść do kałuży, lub doznać gwałtownego zatrucia pokarmowego, które zmusi mnie do opróżnienia zawartości żołądka w miejscu publicznym.

Moje rozważania przerwała Trish nagłym napadem religijności:

– Boże, jeśli istniejesz, spraw, żeby to z tym facetem miała randkę – wyszeptała.

Obejrzałam się, bardziej niż trochę przerażona, by sprawdzić, kogo miała na myśli. Kurt (przez K) w białej koszuli i starych levisach. Zaraz, przepraszam, takie ciuchy miał na zdjęciu dołączonym do listu. Widoczny tutaj Kurt (przez K) zrobił zakupy w najbardziej jaskrawej części hipermarketu odzieżowego. Od czego tu zacząć? Aksamitne spodnie w odcieniu ciemnego błękitu były jeszcze do przyjęcia w słabo oświetlonym pomieszczeniu, ale koszula? Krzyczała: „Ubiegam się o pracę w salonie Bingo w popularnym parku rozrywki!".

Stu zagwizdał nisko i przeciągle.

– Kto by powiedział? Jedwabna lama żyje i czuje się świetnie na jego grzbiecie – mruknął.

Nieee, to nie może być prawda. To nie może być Kurt (przez K), tylko jego demoniczny brat bliźniak.

– Leni? Bez dwóch zdań! Fantastycznie, kotku, fantastycznie!

– Powiesz mu, czy mam go jeszcze bardziej ozdobić i przykleić do koszuli kartkę z ważną wiadomością? – zapytała Trish, ignorując wyciągniętą w jej stronę rękę.

– To ja jestem Leni – powiedziałam, rzucając Trish nienawistne spojrzenie. Dlaczego faceci ciągle mylą mnie z moimi przyjaciółkami? Czy to może wyraz ich podświadomych żądz? Nie ulegało wątpliwości, że Trish emanuje urokiem złej dziewczyny z filmu o Bondzie, takiej, która potrafi skruszyć orzechy szpiega, zaciskając szczęki, ale, na miłość boską, ja mam tusz na rzęsach, lakier na włosach i to coś, co piecze jak jasna cholera, ale dzięki czemu moje wargi są erotycznie wydęte. Czy to w ogóle się nie liczy?

Kurt odwrócił się w moją stronę, nie tracąc ani sekundy.

– Oczywiście, jasne. Fantastycznie, kotku, fantastycznie!

Miałam okropne przeczucie, że bierze w tym wszystkim udział Ashton Kutcher wraz z ekipą filmową. To musi być podpucha. Tacy mężczyźni nie zdarzają się w prawdziwym życiu. Kurt miał nieco ponad dwadzieścia lat, ale już wygłaszał żenującym tonem kwestie prezentera teleturnieju w średnim wieku. I nosił stosowną odzież.

Kiedy uścisnął mi rękę, moje gruczoły łzowe podrażniła chmura aromatycznego płynu po goleniu. Będąc poza zasięgiem jego wzroku, Trish zacisnęła sobie ręce wokół szyi, wybałuszyła oczy i udawała, że się dusi. Rzuciłam jej kolejne mroczne spojrzenie.

Zeszłam z barowego stołka, starając się ignorować zaszokowane spojrzenia trzech bab w żakietach siedzących w rogu, stado upierdliwych maklerów, obsługę baru, innych klientów i dwoje moich najlepszych przyjaciół, z których jedno niebawem zginie, jeśli nie przestanie robić ze mnie idiotki w miejscu publicznym.

– A zatem – zagaiłam śpiewnie, głosem osoby prowadzącej program dla dzieci, jakim zdarza mi się mówić, gdy jestem zdenerwowana. – Dokąd się wybieramy?

– Kotku, spędzisz ze mną niezapomniany wieczór – obiecał, również zmienionym głosem, to znaczy takim, jakim informuje się gospodynię domową z Macclesfield, że wygrała mikrofalówkę w popularnym konkursie telefonicznym. Wyciągnął rękę. – Zapewniam cię, Leni, że rozbujam twoją łódkę!

– To w sumie dobrze, że dała znać straży przybrzeżnej – syknęła Trish do Stu.

Odeszliśmy już kilka metrów, kierując się w stronę schodów, kiedy mnie zawołała.

– Przepraszam na chwilkę – rzuciłam i wróciłam do stolika, gdzie moja przyjaciółka nerwowo szukała czegoś w torebce. Wreszcie wyjęła z triumfem ogromne okulary Cavalli, złapała mnie za bluzkę i przyciągnęła do siebie.

– Masz, weź je – wyszeptała.

– Po co? Po cholerę mi te okulary w nocy?

– Ponieważ po kilku godzinach gapienia się w jego koszulę twoje siatkówki mogą być nieodwracalnie zniszczone.

Odskoczyłam oburzona, nie wiadomo dlaczego stając w obronie Kurta. Koszula nie jest taka zła. Należy zapomnieć o cieniach i spojrzeć na blaski tej sytuacji – jeśli na przykład kosmici mieliby wylądować w zachodnim Londynie, moglibyśmy za pomocą koszuli Kurta odbijać ich ataki laserowe.

Podniosłam wysoko głowę, wzięłam Kurta pod ramię i dumnie wymaszerowałam z klubu. Dopiero za rogiem ucichł śmiech, którym nas pożegnano...

I rozległo się nieludzkie wycie.

29
Randka z Panną

Kto wymyślił karaoke? Ktokolwiek to był, mam nadzieję, że zostawiła go żona (tak, to musiał być facet – jeśli wynalazczynią byłaby kobieta, z całą pewnością wydałaby zakaz śpiewania *My Way* podpitym facetom w średnim wieku), dzieci się go wyrzekły i został sam, stary i bezradny – czyli mniej więcej w takim stanie, w jakim byłam ja po kilku minutach spędzonych w tym miejscu.

Chociaż, mówiąc ściśle, nie było to karaoke w tradycyjnym ujęciu, czyli takie, jakie można spotkać w pubach na przykład podczas wieczorów panieńskich, i które u niewłaściwych ludzi (fanów Chelsea, takich jak Glenda), mogło stać się zawołaniem wojennym grupy emerytów. Kurt (przez K) zabrał mnie na noc otwartego mikrofonu dla początkujących gwiazd estrady w klubie na West Endzie. W tej właśnie chwili dwójka gotów wykonywała na scenie bardzo niepokojącą wersję *Tainted Love* w wydaniu pełnym, z inscenizowaniem rękoczynów z użyciem noża i ze sztuczną krwią.

– To dla ciebie, misiaczku – słodził Kurt, stawiając przede mną drinka i paczkę czipsów Quavers. Zaczynałam mieć co do niego wątpliwości. Składając w całość jego odzież, ogólną tandetność, drażniący głos i zachowanie w ciągu ostatnich dwudziestu minut, wyłaniał się obraz pracownika biura podróży na amfie.

Po tym, jak rozstaliśmy się z Trish i Stu, zaczął wykonywać żywiołowo *I've Got You Under My Skin*, potem zbombardował mnie dowcipami, aż poczułam zamęt w głowie, zeszłam z chodnika i wkroczyłam na ulicę, błądząc niebezpiecznie blisko samochodów w nadziei, że jeden z nich przyniesie mi wybawienie i mnie zabije.

W kolejce przed klubem zabawiał mnie pokazem stepowania, a następnie powitał wszystkich w środku, jakby byli odnalezionym po latach rodzeństwem. Zadziwiło mnie to, że też byli bardzo wylewni. To było jak jakaś osobliwa wyprawa do Krainy Przesadnej Serdeczności. Lub teatru muzycznego. O, to było to! W odwecie za niedawną sprzeczkę, Zara z całą pewnością użyła swych nadprzyrodzonych mocy i uwięziła mnie we współczesnej wersji hollywoodzkiego musicalu z lat pięćdziesiątych, i tak długo, jak wszyscy śpiewali, klaskali i witali się z przesadną emfazą, byliśmy bezpieczni.

– Głodniutka? – zapytał Kurt po tym, jak wciągnęłam wszystkie czipsy, nie z głodu, a żeby się uspokoić. Jeśli Stu by to widział, dostałby na bank udaru, ale uznałam, że dopóki moje ręce mają zajęcie, wchodząc do i wychodząc z paczki z czipsami, szansa na to, że Kurt każe mi tańczyć na stole, do wtóru rzadkiej kolekcji hitów Doris Day, jest minimalna.

By skomplikować wszystko jeszcze bardziej – wyłączając zęby wyszczerzone w obłąkańczym uśmiechu i odzież prosto z krajowego konkursu tańca latynoamerykańskiego – Kurt naprawdę był przystojny. Ani nazbyt wysoki, ani żenująco niski, miał mniej więcej tyle samo wzrostu, co ja w szpilkach, więc niecałe metr osiemdziesiąt. Krótkie blond włosy z delikatnymi pasemkami zaczesał do tyłu w stylu Brada Pita z *Ocean's Eleven* i podobnie jak tamten mógł pochwalić się wyraźnie zarysowaną żuchwą. Tak, jego uroda miała w sobie coś z Jordan (modelki, nie szczoteczki do zębów): miał ciało szczupłe, ale nie chude, twarz smukłą, a zęby idealnie równie i oślepiająco białe. Był typem wymuskanego faceta, którego widuje się w katalogach reklamowych firm wysyłkowych i reklamach napojów energetycznych.

Zlustrowałam salę, ukrywając pod pozorem zapoznawania się z otoczeniem próbę ustalenia, gdzie znajdują się wyjścia ewakuacyjne na wypadek konieczności nagłego dania nogi. Lokal przypominał stary amerykański klub jazzowy, stylizacja była jednak przerysowana do przesady. Ściany pokrywała karbowana tapeta koloru miedzi, dywan był w najciemniejszym odcieniu brązu, a kelnerzy nosili białe koszule i kamizelki. W głównej sali rozrzuconych było mniej więcej pięćdziesiąt małych okrągłych stolików, każdy z małą złotą lampką pośrodku blatu i dwoma wiekowymi krzesłami po bokach. Bywalcy (choć niezbyt liczni) stanowili mieszankę podstarzałych par, które przyszły tu w poszukiwaniu rozrywki (wjazd za piątkę w tym kubełek kurczaka) oraz samotnych osobników obojga płci, którzy, wnioskując z makijażu i postawy niespokojnego wyczekiwania, zamierzali niebawem objawić swoje talenty i przeżyć chwile glorii w świetle jupiterów. Tuż przed nami znajdowała się scena, mniej więcej półtora na trzy metry, na której w tym momencie wykonawczyni, niekoniecznie urodzona jako kobieta, ubrana przez osobistego stylistę Shirley Bassey, dudniącym głosem wykonywała *The Man with the Golden Gun*, podkreślając każdą linijkę piosenki zarzucaniem sięgającymi do pasa lokami.

Po kilku chwilach przypatrywania się z niedowierzaniem przestałam się wykrzywiać i postanowiłam podjąć dialog z moim tymczasowym towarzyszem.

– Ty... często tu bywasz? – Naprawdę chciałabym móc powiedzieć, że to Kurt zadał to pytanie, ale niestety byłam to ja. Za mój wyskok obwiniam blask jego złotej koszuli. Najwyraźniej wysyłała informacje bezpośrednio do mojego mózgu i narządu mowy, pomijając „zajmującą rozmowę" i „konwenanse podrywu".

Co trzeba mu przyznać, Kurt nie skomentował mojego tandetnego pytania, z drugiej jednak strony, dlaczego miałby to zrobić? Był to facet, który puszczał do mnie oko za każdym razem, kiedy napotykał mój wzrok.

– Taa, dość często – odparł.

Nasze pogłębione rozważania o sensie życia przerwał głos dochodzący z estrady. Obejrzeliśmy się, by zobaczyć człowieka w garniturze, z którym Kurt wcześniej gawędził przy barze.

– Panie i panowie – oznajmił garnitur – to dla mnie ogromna przyjemność móc zapowiedzieć ulubieńca Łowców Gwiazd. Przed wami Kurt Cabana!

Cabana? Jestem pewna, że na podaniu widniało Kurt Cobb. Tak oto noc ujawniła mi kolejną niespodziankę. I gratulacje dla mnie, ufającej swoim zdolnościom odsiewania poszukiwaczy sławy i rozgłosu. Jedyny sposób, by sprawić, żeby ten facet wyglądał na cichego i spokojnego, to posadzić go między Paris Hilton a Kanye Westem.

Pośród aplauzu około dwudziestoosobowej publiczności Kurt wyszedł na scenę. Do stojącego z boku sceny odtwarzacza wsunął płytę CD i kiedy popłynęła muzyka, wyszedł na środek. W ciągu kilku taktów *Mackie Majchra* przeistoczył się z zagadkowego dziwaka w Robbiego Williamsa z jego swingującego okresu. Jak się okazało, radził sobie naprawdę bardzo, bardzo dobrze i jeśli mnie wzrok nie mylił, dwie kobiety w średnim wieku siedzące przy stoliku w rogu rzuciły coś w kierunku sceny. Modliłam się w duchu, by, jeśli to są części ich intymnej garderoby, były to rzeczy nowe albo co najmniej wyprane w wysokiej temperaturze.

Kiedy piosenka się skończyła, Cabana (przez C) zademonstrował swoją wszechstronność, przechodząc bez wysiłku do następnego utworu: namiętnego, bezbłędnie zaśpiewanego *Sexy Back* Justina Timberlake'a. Z pełną choreografią.

Jeszcze kilka minut i ja sama rzuciłabym mu swoje majtki. Był fantastyczny, trafiał idealnie w każdy dźwięk, na scenie było go pełno, potrafił zafascynować publiczność i na koniec wywołać aplauz pod niebiosa.

Jasna cholera, on naprawdę ma talent. Gdybym była jurorką w *Mam talent*, dostałabym nerwowego tiku i oznajmiła, że Kurt ma „to, co mieć trzeba".

Zeskoczył ze sceny zarumieniony, szczerząc się jak dynia w Halloween, i skierował się w moją stronę. Świadoma tego, że gadam jak bezrozumna fanka, przyznaję, że widziałam go teraz w zupełnie nowym świetle. Może ta noc wcale nie będzie porażką.

– Byłeś fantastyczny! – zapiałam. – Naprawdę świetny!

– Tak myślisz? – Jego oczy błyszczały z podniecenia.

– Absolutnie!

– Dzięki – odparł, najwyraźniej zadowolony, że oczarował mnie i moje majtki. Mówiąc metaforycznie, rzecz jasna.

Dobra, więc nareszcie coś zaczęło się dziać, przełamaliśmy lody, coś między nami zaiskrzyło i... Cisza. Długa cisza. I jeszcze dłuższa. Wolałam trzymać gębę na kłódkę. Przecież wygłosiłam już: „Czy często tu bywasz?", więc teraz jego kolej na wykazanie się w rozmowie. Wreszcie zrozumiał aluzję.

– Słuchaj, mam nadzieję, że nie uznasz tego za dziwne, ale przyniosłem swoje zdjęcie. Na wypadek, gdyby... wiesz, na wszelki wypadek.

Niestety nie wiedziałam.

– Na wypadek? Jaki wypadek?

Moje pytanie zawisło w powietrzu i miałam nadzieję, że Kurt podejmie w końcu temat i go pociągnie. W końcu podjął.

– No wiesz, no... na potrzeby mediów i tak dalej.

Do plusów należało zaliczyć to, że pozbył się głosu prezentera. Do minusów, że właśnie otrzymałam ustne potwierdzenie, jaki cel przyświecał całemu dzisiejszemu show.

Dla Kurta to nie była randka, to był casting. Tak, randka numer dwa z Mattem, jego kapelą i (niebezpośrednio) dziewczyną, była moim pierwszym zetknięciem z poszukiwaczem sławy, a teraz miałam do czynienia z kolejnym. Jednak podczas gdy Matt był bezlitośnie wyrachowany, podejrzewałam, że chęć olśnienia mnie przez dzisiejszego randkowicza podyktowana była raczej rozpaczliwym dążeniem do tego, by w końcu zostać zauważonym.

Nie mogłam patrzeć w jego niebieskie szkła kontaktowe, kiedy mówiłam mu słowa prawdy:

– Słuchaj, Kurt, myślę, że nastąpił tutaj konflikt interesów. Nie będę potrzebowała twojego zdjęcia. Nie obraź się, super z ciebie facet, ale powiem ci szczerze: ta randka nie doprowadzi cię do kariery w rozrywce. Nie przyniesie ci nawet minimalnego rozgłosu, jako że przypadki zostaną omówione w książce jako anonimowe. Nie mam też żadnego punktu zaczepienia w show-biznesie, więc dzisiejszy wieczór ani trochę nie przysłuży się twojej karierze. Naprawdę mi przykro.

Kurt, trzeba przyznać, nie zmienił się w kupkę nieszczęścia. Ten człowiek ma także potencjał aktorski! Minęło kilka chwil nieznośnej ciszy, a potem Kurt obdarzył mnie rozczarowanym uśmiechem.

– Jasne, nieważne.

Te słowa miały oznaczać: „Jasne, w porządku, nic się nie stało", przebijało jednak przez nie: „Jaki jest numer do telefonu zaufania?".

– Zdołowałam cię? – Przysięgam, że jeśli miałabym w tym momencie taką możliwość, obdarowałabym go wielomilionowym kontraktem płytowym i występem w popularnym programie rozrywkowym.

– W porzo. Dostałem się do kolejnej tury brytyjskiego *Mam talent*, jestem statystą w następnym odcinku *Żądzy krwi* i czekam na telefon, czy udało mi się zostać supportem Westlife podczas ich następnej trasy.

– Ekstra!

Znowu zawisła między nami ciężka cisza.

– Więc to naprawdę miała być tylko randka?

Przytaknęłam.

– W tym wszystkim chodzi o znaki zodiaku – wyjaśniłam. – Szczerze mówiąc, nie za bardzo to rozumiem. Jestem tylko nieistotnym trybem w machinie Zary, i często nie mam pojęcia, o co chodzi.

Od razu było widać, że stracił całe zainteresowanie. Jego spojrzenie zdradzało dekoncentrację, i chociaż nie mogę przysiąc na sto procent, rozglądał się za drzwiami wyjściowymi. Po tym, jak sprawdził godzinę na zegarku po raz czwarty w ciągu trzech milczących minut, przełamałam się i postanowiłam zbuntować się przeciwko zasadom projektu Zary, numer nieistotny. *Każde spotkanie musi trwać kilka godzin, jego przebieg ma zależeć wyłącznie od kandydata.*

– Kurt, mogę coś zaproponować?

– Jasne.

– Jestem wykończona, miałam ciężki dzień i właśnie przypomniałam sobie, że na Sky Plus za dwadzieścia minut zaczyna się *Szklana Pułapka Dwa*. Jestem więc za tym, by skrócić dzisiejszy wieczór, jeśli nie masz nic przeciwko temu. W raporcie napiszę, że przez całą noc tańczyliśmy salsę w klubie niedaleko stąd. Mam rację, że pisałeś o salsie w swoim CV? Jasne, że mam. Więc, jeśli ktoś cię zapyta, to to właśnie robiliśmy. A tak w ogóle, to możesz zatrzymać te sto funtów i iść na imprezę z kumplami. Co ty na to?

Na jego twarzy odmalowała się zgryzota i załamanie... Ale tylko przez ułamek sekundy. Błyskawicznie się rozpromienił, pochylił i pocałował mnie w policzek.

– Nie masz nic przeciwko temu?

– Och, oczywiście, naprawdę będzie dobrze.

– W takim razie dzięki, jestem twoim dłużnikiem. – Znów spojrzał na zegarek. – Wieść gminna niesie, że w klubie Embassy pojawił się łowca talentów do nowego programu tanecznego. Jeśli wskoczę zaraz w taksówkę, to powinienem zdążyć.

Odwzajemniłam pocałunek.

– A zatem leć, przyszła gwiazdo, pędź jak burza.

Zeskoczyłam z krzesła, wyszłam na dwór i wsiadłam do taksówki. Dwadzieścia minut później, kiedy klucz trafiał do zamka, usłyszałam szmer za drzwiami sąsiadki: pani Naismith upewniała się przez judasza, że wszystko ze mną w porządku. Nachyliłam się i przycisnęłam do niego oko, co wywołało wybuch radości z drugiej strony. Drzwi otworzyły się szeroko.

– Tylko upewniam się, czy wszystko w porządku, kochanie. Nie spędzałaś dziś wieczoru z jednym z tych chłopców z gwiazd?

– Owszem, spędzałam, ale dziś było krótko.

– Tak, jasne, skarbie. Byleby tylko wszystko było u ciebie w porządku.

– Jest w porządku.

Obdarowała mnie szerokim uśmiechem i zaczęła wycofywać się do mieszkania. Już miała zamknąć drzwi, kiedy...

– Pani Naismith, zamierzam wypić kieliszek wina i obejrzeć film z Bruce'em Willisem. Może chciałaby mi pani potowarzyszyć?

Jak na kobietę po siedemdziesiątce, miała wyjątkowo szybki refleks. Trzy sekundy później stała ze mną przy moich drzwiach z pokaźną paczką maltesersów i ogromną tabliczką czekolady z orzechami i rodzynkami.

– Mówię ci, gdybym miała trzydzieści lat mniej już deptałabym po piętach temu Bruce'owi Willisowi. Wygląda dużo lepiej, odkąd nie ma włosów.

– To prawda – zaśmiałam się, otwierając drzwi. Hurra, żadnych żołnierzy w zasięgu wzroku. Dobra nasza.

Dwie godziny później, kiedy świat był już ocalony dzięki sprytowi, wdziękowi i brutalnej sile łysego bohatera, przykryłam śpiącą panią Naismith kocem i wsunęłam jej pod głowę poduszkę, wzięłam resztkę wina i podreptałam do sypialni. Moja randka w teatrze ze Stu w sobotę tak naprawdę się nie liczy, bo wiem, czego się spodziewać, więc następna noc będzie ostatnią nocą projektu Zary. Jeszcze jeden wieczór. Kilka godzin w teatrze mojego życia. Cóż złego może mnie spotkać? Mogę zupełnie szczerze powiedzieć, że nie istnieje nic, co może mi się przydarzyć i z czym nie potrafię się uporać. Może z wyjątkiem osobnika, który stawi się na randkę nago, z balonikiem napełnionym helem przymocowanym do swojego małego, jestem gotowa poradzić sobie ze wszystkim i nic mnie nie zaskoczy. Nic.

Nic, oprócz...

PROJEKT RANDKOWY *WSZYSTKO JEST W GWIAZDACH* – PODSUMOWANIE

Lew	Harry Henshall	niezdrowa fascynacja komputerową przemocą
Skorpion	Matt Warden	lider zespołu, kłamliwy dupek
Baran	Daniel Jones	bez szans na karierę jako trener asertywności
Koziorożec	Craig Cunningham	terapeuta związków, wzbudza gwałtowną agresję
Bliźnięta	Jon Belmont	zdecydowany potencjał – potajemne plany na spotkanie w przyszłości
Ryby	pielęgniarz Dave Canning	na przyszłość: należy unikać pracowników służby zdrowia.
Wodnik	Colin Bilson-Smythe	prawnik, śmieje się jak robot kuchenny
Rak	Gregory Smith	nieśmiały kibic mężczyzn
Waga	Ben Maters	nie znam
Panna	Kurt Cobb/Cabana	wschodząca gwiazda, pilnie potrzebuje dobrego stylisty

E-mail
Do: Trish; Stu
Od: Leni Lomond
Odp: Gdyby ostatnią randkę opisać w formie ogłoszenia towarzyskiego, brzmiałoby mniej więcej tak...

Pozwól mi cię rozbawić! Rozmowny prawie sobowtór Brada Pitta, lat 25, spod znaku Panny, pragnie pokazać szczęśliwej wybrance świat gwiazd! Wszechstronnie uzdolniony w zakresie rozrywki poleca się na wieczorki przy świecach, potańcówki, bar micwy i do pracy w korporacji. Poszukuję wyrozumiałej damy, która chętnie go wesprze (lat 19-25) i potowarzyszy w czasie tournée i przesłuchań. Musi być urocza, krzepka, i gotowa uczestniczyć w estradowych show – koniecznie muzykalna. Opanowanie w warunkach latających noży i furgonetka na chodzie mile widziane. Musi też orientować

się w kwestiach administracyjnych, jestem bowiem aktualnym prezesem NSWLJ – Narodowego Stowarzyszenia Wspierania Lamy Jedwabnej.
Proszę stawić się osobiście, przynosząc CV i taśmę demo do Kurta Cabany oczekującego w kolejce do *Mam talent* z numerem 3432 na stadionie O2.

30
Randka ze Strzelcem

Gavin West, lat 25, organizator imprez w nocnych klubach. Na tyle, na ile mogłam to ocenić, nie był ani poszukiwaczem sławy, ani wschodzącą gwiazdą szukającą publiczności. Conn jednak, kiedy wcześniej zerknął na zdjęcie dołączone do podania leżącego na moim biurku, stwierdził, że twarz Gavina wydaje mu się znajoma. Biorąc jednak pod uwagę, że Conn spędza większość swoich wieczorów w nocnych klubach Londynu, nie było to dziwne.

Teraz, kiedy wreszcie przestałam wyobrażać go sobie nago, zaczęłam postrzegać go jako mojego własnego faceta z reklamy dietetycznej coli. Kiedy nie był zajęty spotkaniami, zaglądał najpierw do biura Zary, uśmiechał się i puszczał do mnie oko «chwała bogu, nie „oko" w stylu Kurta (przez K)». Robił to po prostu naturalnie, ujmująco i w sposób nieskłaniający do wymiotów. Zabierał pocztę Zary, przesłuchiwał jej pocztę głosową i prosił mnie o zrobienie rezerwacji na wieczór w takiej to a takiej restauracji/klubie czy hotelu, relacjonował mi, co zorganizował dla Zary i ściągał jej plan dnia z mojego komputera na swój blackberry przez Bluetooth. A tak przy okazji, po wielu latach spędzonych w zacofanych technologicznie biurach świata zaopatrzenia sanitarnego czułam dumę, rozumiejąc, o co chodzi w tej ostatniej czynności.

Czasami, kiedy Zary nie było, przysiadał się i gawędził ze mną przez kilka minut o miłych błahostkach. Oddawałam się tym pogaduszkom dość chętnie, dbając o to, by wypaść możliwie najbardziej czarująco i ponętnie.

Nieprawda. Tkwiłam po prostu na fotelu z twarzą w kolorze buraczków, nie mogąc znaleźć języka w gębie, i dopiero kiedy opuszczał biuro, wsiadał do samochodu i odjeżdżał, przychodziły mi do głowy zabawne i zajmujące rzeczy, o których mogłabym mówić. Byłam beznadziejna. Kompletnie beznadziejna. Wystarczyło, że Conn spojrzał na mnie tym swoim przenikliwym wzrokiem, a natychmiast budziły się wszystkie moje kompleksy, i zamierałam. I, rzecz jasna, wolałabym spędzić miesiąc w balonie oczyszczającym Zary niż omówić z nim ten problem.

Nie licząc fantazji z magazynu środków czystości, Conn pozostawał dla mnie zagadką i nie miałam bladego pojęcia o jego życiu poza murami biura, oprócz może tego, że spędza znaczną jego część w najlepszych lokalach w mieście, a następnie wysyła bukiety kwiatów sporej grupie niewiast.

Jakich ma przyjaciół? Co lubi robić? Jaką herbatę pije i jak podaną? I jakie kobiety mu się podobają? To ostatnie pytanie wynikało rzecz jasna z pobudek czysto naukowych, chociaż miałam silne przeczucie, że kobieta w typie Conna zawsze pojawia się w towarzystwie dwóch przyjaciółek, tak rozwiązłych jak ona, nosi tylko ciuchy topowych marek, i takież staniki i majtki, i nigdy, przenigdy, nie opuszcza domu, jeśli okolice jej bikini nie są idealnie gładkie. Innymi słowy, stanowi odwrotność mnie. Cóż, takie jest życie. Byłoby niezwykłe stworzyć związek z kimś, z kim mogę zamienić tylko zdanie typu: „Jasne, Conn, a te rezerwacje chciałeś na siódmą czy ósmą wieczorem?". A nawet to mogłam wypowiedzieć tylko ze spoconymi dłońmi i czerwoną twarzą.

Czekając teraz na Gavina, zdałam sobie sprawę, że to dla mnie typowe. Przeciągnęłam kciukiem po wnętrzu dłoni. Owszem, mokra. Czułam też, jak moje gruczoły potowe na czole zabierają się energicznie do roboty. Mogłam poprzysiąc na wszystkie moje meble z Ikea, że moja twarz ma delikatny odcień buraczków. Czy byłabym skłonna umówić się jeszcze kiedyś na randkę z nieznajomym? Tylko pod warunkiem, że na koniec będę miała zagwarantowaną gorącą noc z Johnnym Deppem.

Organizator imprez Gavin się spóźniał, zadzwoniłam więc szybko do Stu, chcąc przy okazji zapewnić przechodniów, którzy mijali mnie stojącą przed Charlotte Street tego sobotniego wieczoru, że nie znajduję się tam w celu uprawiania nierządu. Stu w słuchawce zaskrzeczał niezrozumiale:

– Ej, skarbie, masz dziwny głos. – Coś z tobą nie tak? – zaniepokoiłam się.

– Nie wiem. To chyba coś poważnego, Leni. Sprawdziłem w Internecie symptomy i w najlepszym przypadku to bronchit, a w najgorszym rak płuc – wyjaśnił, a każde wypowiadane z trudem słowo brzmiało jak zgrzyt.

– A może to tylko zapalenie krtani? – zasugerowałam z uśmiechem, a typ stojący nieopodal (o różowej cerze, nikczemnego wzrostu i w garniturze, który pod napiętym materiałem ukrywał obfite kształty) skierował się w moją stronę, szczerząc zęby. Wykonał zwrot o sto osiemdziesiąt stopni, kiedy zdał sobie sprawę, że rozmawiam przez telefon, a mój uśmiech z reklamy Colgate nie jest adresowany do niego.

– Jest zdecydowanie gorzej, Leni. Naprawdę, czuję się, jakbym miał zdechnąć.

– Czy mam przyjść później i wytrzeć twoje spocone czółko?

– A mogłabyś? Verity jest przez tydzień na sesji zdjęciowej na Bermudach, więc jeśli umrę w czasie snu, nie będzie nikogo, kto zamknie mi oczy i zadzwoni do kostnicy.

Czasem najlepiej po prostu nie opuszczać neurotycznej częstotliwości, na której nadaje Stu.

– Dobrze, wpadnę, gdy tylko skończę ze Strzelcem. A, Stu, i nie mam klucza, więc postaraj się nie kopnąć w kalendarz, zanim przyjdę.

– Postaram się, ale nie mogę niczego obiecać. Jeśli nie zareaguję na pukanie w ciągu pięciu minut, dzwoń na policję, ale postaraj się i tak wejść jako pierwsza na wypadek, gdybym oddał ducha jak Elvis. Śmierć na kiblu byłaby strasznym poniżeniem.

– Cóż by cię to obchodziło? I tak byłbyś trupem! Za to ja miałabym kłopot z...

Dwie rzeczy uderzyły mnie jednocześnie: absurdalność tej rozmowy i obraz Stu na sedesie ze spodniami na wysokości kostek.

– Stu, kocham cię i przez wzgląd na to się rozłączam. Do później.

Zamknęłam klapkę telefonu i wrzuciłam go do kieszeni czarnej skórzanej kurtki. Chociaż poprawniej byłoby powiedzieć: czarnej skórzanej kurtki, którą zarekwirowałam na tę noc z magazynów mojej aktualnie ulubionej marki odzieżowej House of Millie. Czarne obcisłe dżinsy, czarny golf i moje ulubione czarne buty dopełniały całości. Do wyglądu konspiratorki z czasów drugiej wojny światowej brakowało mi tylko beretu.

Huk elektronicznej muzyki z dudniącym bitem oznajmił przybycie czarnego BMW X5. Moje czujniki natychmiast zareagowały na przyciemnione szyby. Ooo, czyżby jakaś sława? A może piłkarz? Zacisnęłam rękę na telefonie, gotowa natychmiast uruchomić aparat fotograficzny. Jeśli to ktoś, kogo lubię, chcę mieć zdjęcie, które mogłabym ustawić jako tapetę i na które będę się gapiła całymi dniami. Jude Law byłby ekstra. Matt Damon, fantastycznie. Josh Duhamel, moje serce się weseli. Jednak całą trójkę mógłby przebić tylko Tom Jones. Pani Naismith wielbiła go i kiedyś wyznała, że nadal ma nadzieję, iż Tom ją odnajdzie (tak, w kawalerce na granicy Slough i Windsoru), zabierze do swojej willi w Los Angeles i (przysięgam, to jej własne słowa – możecie nie czytać, jeśli łatwo dostajecie mdłości) „pokaże jej swoją seksmaszynę". Jeśli udałoby mi się sfilmować, jak Tom przekazuje jej parę słów, zapewniłaby mi dostawy herbatników Garibaldi do końca moich dni.

Szyba po stronie pasażera zjechała z elektrycznym szumem i z ciemności wydobył się głos:

– Hej! Leni?

Niestety. Nie mówił jak Walijczyk, miał głos o mniej więcej cztery oktawy wyższy niż Tom i znał moje imię. Pani Naismith będzie musiała jeszcze poczekać na spełnienie swoich marzeń.

Kucnęłam na tyle, by móc dojrzeć choć zarys twarzy we wnętrzu samochodu.

– Ehm, tak.

– Wskakuj.

Wskakuj. Oczami wyobraźni zobaczyłam Stu ubranego w szaty obrzędowe, stojącego na ambonie i trzymającego w rękach świętą księgę, *Kompendium Częstych Przypadków Medycznych*, i gromkim głosem amerykańskiego kaznodziei z południowych stanów mówiącego o tym, jak niebezpiecznie jest wsiadać do samochodu z nieznajomym.

Z drugiej jednak strony, nazwisko Gavina było nam znane, w biurze miałam jego zdjęcie i życiorys, a w torebce kserokopie wyżej wymienionych. Jeśli zostanę znaleziona zmasakrowana w przydrożnym rowie, wydział śledczy będzie miał przynajmniej ułatwione zadanie.

Podbiegłam do samochodu, zajrzałam przez okno, upewniłam się, że twarz przypomina tę ze zdjęcia, i wskoczyłam na fotel pasażera.

Kierowca wyciągnął do mnie rękę.

– Cześć, jestem Gavin.

Wyuczonym ruchem dyskretnie wytarłam spoconą dłoń w dżinsy, zanim mu ją podałam. Tak, bezdyskusyjnie jestem babką z klasą.

– Leni... hm, ale to już wiesz. Chociaż mogłabym być kimś innym, kto tylko podaje się za Leni, żeby cię porwać razem z twoim samochodem. Ale tak nie jest, jestem Leni.

Przestań gadać. Gromiący Stu, uruchom swoje święte moce i zamknij mi paszczę.

Co trzeba przyznać Gavinowi, wyglądał tylko na lekko zmieszanego, kiedy zamknął okno i przełączył automatyczną skrzynię biegów na „DRIVE".

– Tak więc pomyślałem sobie, że zajrzymy najpierw do paru klubów, żeby zobaczyć, co jest grane.

Powstrzymałam się od powiedzenia mu, że mam już całkiem niezłe pojęcie, co jest grane. Ten facet musi być kolejnym poszukiwaczem sławy, bo bez wątpienia może znaleźć kobietę bez uciekania się do telewizyjno-wróżbiarskich randek. Pomijając bajerancki samochód, od szyi w dół wyglądał jak Vin Diesel: ciasny podkoszulek podkreślał jego masywne mięśnie. Od szyi w górę mieścił się w górnych stanach między przyzwoicie wyglądającym a przystojnym: wydatna szczęka, krótkie czarne włosy, którym nieobcy jest żel. Nie miał idealnie gładkiej cery, ale u normalnych ludzi kilka śladów po krostach nie jest niczym niezwykłym. Zdecydowanie też nie pogarszało szans tego zupełnie nieźle prezentującego się gościa na znalezienie dziewczyny. A więc absolutnie to kolejny facet, który poszukuje sposobu, by dostać się w światła jupiterów.

Dobrze, Leni, dasz sobie z tym radę. To tylko kilka godzin w towarzystwie złaknionej rozgłosu niedoszłej gwiazdy. Po prostu uśmiechaj się, skup, a następnie delikatnie wyprowadź go z błędu i pozwól mu nadal robić wszystko, by dostać się do telewizyjnego reality show. Teraz, kiedy program *Gladiators* znowu jest na antenie, ma duże szanse się zakwalifikować: ma gabaryty mniej więcej przenośnej toalety, twarz, którą od razu pokochają nastolatki i nie musiałby mówić ani słowa, unikając w ten sposób ujawnienia, że jego głos brzmiał jeszcze bardziej dziewczęco niż głos Davida Beckhama.

Gdy tylko wcisnął pedał gazu, zatrzymaliśmy się.

– Zacznijmy tutaj – zaproponował, błyskając szerokim uśmiechem. Szyld nad wejściem informował: „Pieczara Diabła".

W porządku, Leni, czas poważnie porozmawiać z samą sobą. Praktycznie rzecz biorąc (z wyjątkiem gościa z obolałym gardłem), to moja ostatnia randka. Mogę więc:

a) Spędzić całą tę noc w stanie zwyczajnego napięcia i niepokoju, zadręczana kompleksami i nienawidząc każdej długiej minuty tego wszystkiego.
b) Świadomie próbować zwalczyć swoje zahamowania i dobrze się bawić, być może zaryzykować jeden lub dwa drinki i cieszyć się tym, co zapowiada się na całkiem miły wieczór.
c) Obcałować twarz Organizatora Imprez Gavina w ostatecznej próbie złamania zasady projektu Zary numer... miałam to gdzieś, nieważne którego.

Postanowiłam zacząć od b), zachowując c) być może na później. Hej, dość tego samoograniczania się. Jestem młoda, wolna, także pod względem matrymonialnym, i siedzę w superbryce z superfacetem tuż przed drzwiami superklubu. Do dzieła więc! To miejsce pojawia się regularnie w kolorowych magazynach na zdjęciach, które przedstawiają pijane dziewczyny z girlsbandów leżące na pobliskim chodniku z wyrazem twarzy wyrażającym brak pojęcia, w jaki sposób pozbyły się majtek. Bosko. Poczułam coś w rodzaju żalu, że moje intymne okolice przyodziane są w majtki o dość konserwatywnym kroju, przez co czułam się ubrana trochę za bardzo cnotliwie do okoliczności.

Wysiadłam z samochodu prosto na…

– Gavinie, ale tu jest zakaz parkowania.

– To nie problem, chłopaki się tym zajmą.

Przy wejściu dwóch bramkarzy rozmiarów porównywalnych do gabarytów Gavina, znanych także jako „chłopaki", jeden po drugim uścisnęli rękę mojego dzisiejszego randkowicza, skłonili mi się z szacunkiem, a następnie otworzyli szeroko drzwi i gestem zaprosili nas do środka. Mijając człowieka w przeszklonym boksie, Gavin dał tylko dyskretnie znak głową i oto weszliśmy bez płacenia. Oooch, to było fajne. Jak na poszukiwacza sławy naprawdę wie, jak zrobić wrażenie, mimo że nieustępliwy cynik w głębi mojej duszy podpowiadał, że zanim mnie tu przywiózł wpadł, zapłacił za nasz wstęp i wcisnął po dwadzieścia funciaków na łeb ochroniarzom, aby zapewnili nam VIP-owskie traktowanie. Tak czy siak, jego plan podrywu działał. Jedyną rzeczą do poprawki, jak na razie, była skórzana saszetka, którą miał w ręku. Możecie mnie zaskarżyć, ale metroseksualizm do mnie nie przemawia i wyglądało mi to jak damska torebka. Wolałabym widzieć w moim podupadłym życiu miłosnym ogorzałe i męskie typy, którzy nie zwędzą mi bonów dawanych na święta Bożego Narodzenia w celu nabycia sobie gustownej torebki.

Gavin pomaszerował przodem, w dół schodami i wprost do mrocznego wnętrza klubu. Mimo że noc była jeszcze młoda, w środku zobaczyłam około setki ludzi, wielu siedzących w przestronnych lożach z tapicerką w krowie łaty i z solidnymi hebanowymi stolikami pośrodku.

W rogu znajdowała się półokrągła kabina didżeja, częściowo niewidoczna, bo zasłonięta tłumkiem panien na parkiecie, zamiatających (być może już wolnymi od majtek) tyłkami.

– Czego się napijesz? – zapytał Gavin, kiedy dotarliśmy do baru. Kelnerki stojące w grupce przy drugim końcu marmurowego baru spojrzały w naszą stronę, uśmiechnęły się przyjaźnie do Gavina i wróciły do przerwanej rozmowy.

– Białe wino, dzięki.

Kilka sekund później w moim ręku znajdował się kieliszek Dom Perignon, a Gavin pił wodę mineralną z butelki. Żadne pieniądze nie zmieniły właściciela.

– Mogę cię o coś spytać? – Musiałam nachylić się i mówić wprost do jego ucha, by przekrzyczeć jednostajne dudnienie muzyki. Najwyraźniej się starzeję. Jeszcze kilka lat i będę prosiła didżeja, żeby ściszył muzykę, i zacznę marudzić, że „dzisiejsza muzyka to wyłącznie hałas pozbawiony melodii".

– Pewnie.

– Wygląda na to, że wszyscy cię tu znają i za nic nie płacisz. Przepraszam, jeśli to niegrzeczne, ale czy ty tu pracujesz?

Skinął głową.

– Czasami.

– Na czym w takim razie polega praca organizatora imprez?

Gavin stuknął plastikową butelką wody w mój kieliszek.

– Dbam o to, żeby klub był pełny i wszyscy dobrze się bawili.

Oczywiście. Jakżeby inaczej.

– Wracam za dwie sekundki, skarbie – rzucił, ruszył w stronę ściany i zniknął za drzwiami, które nieoczekiwanie pojawiły się, gdy jej dotknął. Ukryte drzwi, jak z serialu o detektywach. I, owszem, nakazałam mojej wewnętrznej feministce zignorować fakt, że nazwał mnie „skarbem" w wyczuwalnie protekcjonalny sposób.

Dwie sekundy rozciągnęły się do ładnych paru piosenek trwały dostatecznie długo, by poziom szampana w moim kieliszku obniżył się o połowę, a ja zaczęłam delikatnie kiwać głową w rytm muzyki. Starałam się sprawiać wrażenie wyluzowanej i niezależnej bywalczyni klubów, a nie głupawej zdziry na podrywie.

Kiedy wrócił, jak należy zaczął od przeprosin.

– Wybacz, ale musiałem zamienić parę słów z kierownikiem, ustalaliśmy kilka szczegółów na przyszły weekend. Więc... co ty na to, żebyśmy wstąpili gdzieś indziej?

– Dobrze – zgodziłam się, nieco już zrelaksowana. Zaczynałam podawać w wątpliwość mój wczesny osąd, kim jest Gavin. Nie zaintonował piosenki, nie wyrecytował wiersza ani nie stepował, schodząc po schodach. Jeśli jest poszukiwaczem sławy, dobrze to ukrywa. A może to ja się pomyliłam? Być może jest po prostu facetem, który ciężko pracuje i nie ma okazji spotkać kogoś wyjątkowego? Powędrowałam myślami do czasów studiów, kiedy pracowałam w knajpie, by zarobić na czynsz (oraz by móc zwędzić czasami trochę wódki z colą dla Trish i Stu). Co wieczór spotykałam uroczych facetów, ale byłam tak zajęta, że nie miałam czasu zamienić z nimi słowa, a gdy kończyłam pracę, albo mieli już damskie towarzystwo, albo leżeli pod stołem w wielokolorowej kałuży.

Być może Gavin ma ten sam problem, co ja wtedy. Kiedy siedzieliśmy w samochodzie (który dzięki „chłopakom" uniknął mandatu, nie został odholowany ani zdemolowany), podjęłam próbę zbadania Gavinowego wnętrza.

– Dlaczego napisałeś do Zary?

Wzruszył ramionami, po czym pozwolił odpowiedzi wykluwać się przez kilka sekund.

– Wydaje mi się, że po prostu szukam nowych możliwości.

Ech. A więc jest poszukiwaczem rozgłosu.

– Możliwości? To znaczy?

Miał teraz okazję zjechać na pobocze, zrzucić wierzchnie okrycie i ukazać się w spodniach z wielkim lwem wyszytym z przodu i wykonać autorską interpretację *Angels* Robbiego Williamsa.

– Żeby spotkać ludzi. Nowych ludzi. Zaczęło mnie męczyć oglądanie co wieczór tych samych twarzy i pomyślałem, że może to być sposób na poszerzenie horyzontów.

Och. A więc Robbie Williams schodzi ze sceny.

– Byłem jednak, kurwa, oszołomiony, kiedy mnie wylosowaliście. Przecież szanse są naprawdę małe, nie?

Rozważyłam poinformowanie go, że prawdopodobieństwo wynosiło dokładnie jeden do 3342, bo dokładnie tylu młodych mężczyzn (lub osobliwych wykolejeńców, zależnie od punktu widzenia) odpowiedziało na apel Zary. Mój zapał numeromaniaka został jednak ostudzony kolejnym postojem. Byliśmy tuż przed U Cezara, jedną z najbardziej ekskluzywnych knajp w mieście, gdzie każdej nocy spotkać można co najmniej połowę drużyny Arsenal, dwie trzecie Tottenham Hotspur, około tuzina znanych z ekranów telewizora gwiazd seriali, tegoroczny zestaw modelek z magazynów dla mężczyzn i uczestników *Big Brothera*.

Znów zatrzymaliśmy się na zakazie parkowania, powitano nas i wprowadzono do środka, zostawiając z tyłu ogonek imprezowiczów czekających, aż zostaną wpuszczeni. Na szczęście, zgromadzone masy staczy nie mogły dosłyszeć mojej powtarzanej w duchu modlitwy o to, bym nie padła ofiarą klątwy wysokich obcasów i nie wylądowała na oczach wszystkich na tyłku.

Gdy tylko weszliśmy, wysoki ciemnowłosy mężczyzna w przepięknie skrojonym granatowym garniturze i rozpiętej pod szyją białej koszuli powitał Gavina, entuzjastycznie ściskając mu dłoń.

– Hej, stary, jak leci?

– Nieźle, Cezarze, nieźle.

To Cezar! Stałam przed obliczem monarchy londyńskich nocnych klubów! Po prawdzie to właściwie książe, bo królem jest już Peter Stringfellow, sława nosząca na głowie wylakierowaną plerezę, a gdzie indziej stringi.

Cezar poprowadził nas przez tłum do baru dla VIP-ów, gdzie jeśli moje oczy i zdolność rozpoznawania znanych twarzy mnie nie zawiodły, znajdowali się już Sean Bean, Ant lub Dec (nigdy nie potrafię powiedzieć, który jest który) oraz Ashley Cole. Och, i jeszcze Sven Goran Eriksson... chociaż mógł to być nauczyciel geografii z Gillingham w średnim wieku – trudno ocenić. Kiedy Gavin zostawił mnie na pięć minut samą, zajęty pogawędką z Cezarem, wcale się nie zmartwiłam, bo delikatny dreszczyk i pulsujące podniecenie upewniało mnie, że ten wieczór mi się podoba. Gavin nie zaliczał się może do rozmownych, ale był jednym z facetów „z towarzystwa" i moje płytkie popędy niezwykle radowały się z tego, że po raz pierwszy w życiu będę zaliczała się do tych „lepszych gości". Chciałam napawać się tym nowym doświadczeniem w sposób maksymalnie stosowny i elegancki: obdzwonić wszystkich znajomych i oznajmić im, że „jestem bardziej wyczesana niż grzebyk fryzjera".

– Przepraszam, że ciągle zostawiam cię samą, ale mojej pracy nie da się po prostu zostawić w biurze – powiedział Gavin, kiedy wrócił.

– Nie ma sprawy, dobrze się bawię. Zazwyczaj to ja jestem jedną z tych na zewnątrz i przyciskam nos do szyby, więc już samo bycie tutaj jest ekstra.

W jego uprzejmym śmiechu dało się wyczuć sceptycyzm, ale nie drążył tematu. Najpewniej miał złudzenia, że jestem kimś bardziej interesującym.

Przeszliśmy do niezobowiązującej pogawędki na tle huku wydobywającego się z potężnych głośników znajdujących się w każdym kącie, i po pół godzinie wiedziałam o nim tyle co wcześniej: nazywa się Gavin, ma 25 lat i organizuje imprezy w nocnych klubach. Tyle. Nie dowiedziałam się ani jednej nowej rzeczy. Nawet mimo iż zaprzęgłam wszystkie swoje talenty i umiejętności śledcze zdobyte poprzez lata oglądania seriali kryminalnych, nie odkryłam niczego. Zero. Ten facet jest nie tyle nieprzenikniony, ile potrafi idealnie zduszać w zarodku próby zadawania pytań. Cóż, być może w jego branży nie należy zbytnio się otwierać.

Każde pytanie do niego zamieniał na pytanie do mnie, albo odwracał moją uwagę, wskazując kolejne znane postacie wchodzące pod eskortą Cezara do ekskluzywnego świata szampana po trzysta funtów za butelkę i silikonowych piersi tak ogromnych, że mogących z łatwością zadusić człowieka.

– Co powiesz na jeszcze jeden klub, a potem wrzucimy coś na ząb...

Znowu znalazłam się w rozpieszczających objęciach skórzanych foteli. Pośród dźwięków wydobywających się z systemu nagłośnienia samochodowego najwyższej klasy podjęłam kolejną próbę zdobycia informacji i udało mi się ustalić, że owszem, BMW to jego ulubiona marka samochodów, i nie, nigdy nie zdarzyło mu się prowadzić nissana micry, a już na pewno nie takiego w kolorze kanarkowożółtym, jak moja. Przynajmniej udało mi się go rozbawić sugestią, że ominęło go ważne życiowe doświadczenie.

Następnym klubem na liście była Chłodnia. Bardzo lansiarskie miejsce, które dba o rozgłos na łamach plotkarskich gazet, będąc areną przynajmniej jednej bijatyki z udziałem niepełnoletniego członka rodziny królewskiej w miesiącu. Po raz pierwszy tego wieczoru zobaczyłam paparazzich i dwie istoty o południowoamerykańskiej urodzie o długich, sięgających bioder włosach, przybierające najróżniejsze uwodzicielskie pozy.

Faceci z fleszami i wielkimi obiektywami nawet nie drgnęli na nasz widok, ale za to kilku celebrytów ukłoniło się dyskretnie Gavinowi. Przez kilka sekund czułam to, czym żyją fanki – dreszcz sławy i ogólnego poważania, którego można doświadczyć, tylko przebywając blisko kogoś znanego. Ja jednak mogę się tym cieszyć, nie musząc robić loda żadnemu perkusiście. Jak błogo. Gavin, silny, ale oszczędny w słowach olbrzym, nie wygłosił ani jednego niestosownego komentarza ani nie uczynił żadnej propozycji i ja (nie do końca pewna, czy być tym oburzona, czy zaszczycona) podziwiałam jego rycerskość. Wykazywał się wyłącznie grzecznością i uprzejmością, a po drodze do Chłodni wyraził nawet zainteresowanie moją pracą. Czy udało mu się zapalić płomień mojego pożądania? Hm, nie, nawet płomyczka. Bawiłam się mimo to już w dwóch topowych angielskich klubach, nie płacąc, i zaraz miałam poznać kolejny, wypiłam kilka kieliszków nieprzyzwoicie drogiego szampana i dane mi było zobaczyć nauczyciela geografii z Gillingham – wszystko to przebijało siedzenie w domu z billingiem telefonicznym w ręku i zaznaczanie na nim zdecydowanie zbyt drogich połączeń z audiotele.

Chłodnia sprawiała zupełnie inne wrażenia niż pozostałe kluby. Pulsowały czerwone światła, muzyka była upojna, a atmosfera przesycona seksem od czarnej gumowanej podłogi aż po dwa tuziny onyksowych żyrandoli zwisających z olbrzymiego panelu wiszącego nad główną częścią klubu. Kosztowne urządzenie oświetleniowe rzucało blask na parkiet, i tym razem w połowie wypełniony dziewczynami, które choreografii uczyły się z poświęceniem w Akademii Ruchu i Rytmu Porno. Bar zajmował całą ścianę naprzeciwko wejścia, ale to akcja tocząca się po bokach była odpowiedzialna za to, że szczęka opadła mi tak nisko, iż wyglądałam, jakbym miała zamiast ust tunel kolejowy. Na czarnych podestach stały metalowe rury, na oko siedem czy osiem, i wokół każdej z nich owinięta była zupełnie naga kobieta. Ich ciała pomalowano metaliczną farbą. Dziewczyny mieniły się, odbijając światło, kiedy kręciły się, obracały i... mój Boże, nie mogłam na to patrzeć! Wyglądało na to, że jeśli Panna Srebrna i Panna Stalowoszara jeszcze raz wykonają tę ewolucję, będą miały poważnie poparzone okolice bikini od tarcia ciałem o stal. Uciekłam spojrzeniem, ale nigdzie nie było bezpiecznie. Zaraz po lewej... fuj. W przeciwieństwie do innych, idealnie ogolonych dziewczyn, Panna Aluminium zajęłaby się jak kopa wysuszonego siana, jeśli tylko zbliżyłaby się do źródła otwartego ognia.

Znowu, wnioskując z uśmiechów, uścisków i niezliczonych podanych dłoni wytwornie ubranych gości, wszyscy znali tu Gavina, a ja grzałam się w odbitym od niego blasku przez około godzinę, gdy gawędził z niezliczoną ilością osób. Tym razem mój randkowicz nie zniknął mi z pola widzenia: po prostu obok nas przepływał strumień imprezowiczów gorąco pragnących go powitać. Większość z nich zachowywała się na tyle przyzwoicie, by udać zainteresowanie, kiedy byłam im przedstawiana. Gavin to może nie materiał na partnera, ale utrzymywanie z nim znajomości i wyjście od czasu do czasu razem na miasto byłoby naprawdę w dechę. Mimo że Stu jest nadziany, a Trish też całkiem nieźle zarabia, to żadne z nich nie chodzi do klubów. Częściowo, jak przypuszczam, dlatego, że zdają sobie sprawę, iż wstęp i kilka drinków położyłoby się smutnym cieniem na mojej mizernej pensji. Jednak tego wieczoru Gavin ani razu nie musiał sięgnąć po portfel. Na West Endzie otwarto ostatnio nowy klub, o którym czytałam w kolorowym magazynie o sławach, i miałam przeczucie, że Gavin może być moim sposobem na darmowe rzucenie okiem na świat gwiazd, których zwyczajem jest żądanie za film dziesięciu milionów dolarów plus olbrzymiej garderoby na kółkach.

Było nieco po dwudziestej drugiej, kiedy znaleźliśmy się w samochodzie. Mój żołądek był wypełniony czterema kieliszkami szampana, a ego dokarmione widokiem celebrytów. Teraz, kiedy jestem bliską przyjaciółką Kate Moss (jestem na dziewięćdziesiąt procent pewna, że to właśnie ona stała tuż obok mnie w kolejce do toalety u Cezara) nie potrzebne mi ziemskie jedzenie. Oto narodziła się nowa Leni, odżywiająca się szampanem i zamierzająca zacząć nałogowo palić, gdy tylko w jej ręce dostanie się paczka marlboro lightów.

– Dobrze się bawisz? – spytał Gavin, zapinając pasy.

– Owszem, dzięki. Od wieków się tak dobrze nie bawiłam. Moi kumple i ja stoczyliśmy się do poziomu spędzania sobotnich wieczorów z filmami na DVD oraz wcinaniu żarcia na telefon i minął już jakiś czas, odkąd bawiłam się na mieście. A będę jeszcze bardziej wniebowzięta, kiedy przejdzie mi dzwonienie w uszach.

Po raz pierwszy usłyszałam, jak Gavin się śmieje. Śmiech miał równie wysoki jak głos. Zaczynałam powoli rozumieć, dlaczego wybrał pracę w środowisku nocnych klubów: ma dużo większe szanse u płci przeciwnej, jeśli większość czasu spędza w miejscach, w których nie słychać jego słodkiego szczebiotu...

– Mogę poczynić głupie spostrzeżenie? – zapytałam, uznając, że znamy się dostatecznie dobrze, bym mogła porzucić pozę osoby poważnej i rzeczowej.

– Wal śmiało.

– Uwielbiam kręcić się wokół sławnych ludzi. Czułam się, jakbym żyła na drugiej i trzeciej stronie znanego tabloidu.

Patrzył teraz prosto na mnie. Jego rysy były nieco złagodzone przez słabe oświetlenie i cztery spore kieliszki szampana. Może mogłabym uznać go za atrakcyjnego po... Nie! Do jasnej cholery, staję się pijaczką! Jeszcze trochę i zacznę prześladować piłkarzy i oferować im szybkie numerki w toalecie.

– W sumie mogłabyś mi się zrewanżować tym samym. – Chwilę potrwało, zanim zrozumiałam, co mówi i rozpracowałam możliwe interpretacje. Nagle mnie olśniło. Nie, zaraz, nie zrozumiałam. Jak mogę mu się odwdzięczyć? Nie znam nikogo słynnego oprócz Zary. Zara! Gavin na pierwszy rzut oka nie wygląda na szczególnie uduchowionego, ale może marzy mu się prywatna sesja u Zary? Ma jednak dość osobliwe metody – może przecież oszczędzić sobie wożenia mnie po klubach przez całą noc i po prostu zadzwonić do biura i się umówić.

– Intryguje cię przyszłość czy jest ktoś po tamtej stronie, z kimś chciałbyś się skomunikować?

– Po tamtej stronie czego?

– Wiesz, po tamtej stronie świata.

– Co? W Ameryce?

Kurde, nienawidzę takich rozmów. Ja jedno, on drugie, a między tym wszystkim w ogóle nie ma związku.

– Zacznijmy od początku – zasugerowałam. – Dlaczego chcesz spotkać się z Zarą?

– Wcale nie chcę.

Ile kieliszków szampana wypiłam? Czy ktoś do nich coś dosypał? A może w jakiś sposób znalazłam się pod wpływem tych wszystkich substancji poprawiających nastrój, które chętnie zażywa się w toaletach nocnych klubów? Wygląda na to, że naćpałam się przez przypadek.

– Jak więc mam ci się zrewanżować? Powiedziałeś coś takiego, prawda? Czy też ostatnie pięć minut było jedynie halucynacją?

– Chodzi o Conna. Bardzo chętnie się z nim spotkam.

Grymas zdumienia wywołał na moim czole tak głębokie zmarszczki, że można by w nich przechowywać długopisy. Najwyraźniej jestem naćpana, albo ten jego bajerancki samochód ma ukrytą wadę i wszystkie spaliny wpadają do środka, powodując u mnie niezdolność do logicznego myślenia i analizy faktów.

– Ale dlaczego chciałbyś się spotkać z Connem? Przecież on nie jest nikim sławnym...

– Chyba żartujesz! Ten facet jest chodzącą legendą, stara.

Modliłam się, by określenie „stara" było jedynie przykładem mowy potocznej, a nie dowodem na inhalacje spalinami. Gavin spojrzał w lusterko i wyjechaliśmy z parkingu na jezdnię.

– Legendą z jakiego powodu?

Nigdy nie usłyszałam odpowiedzi. Czarny samochód z piskiem opon wyrósł tuż przed X5, blokując mu wyjazd. Identyczny pojazd przywarł do naszego tylnego błotnika, zamykając nas w potrzasku. Trzeci samochód, tym razem srebrny, zatrzymał się kilkadziesiąt centymetrów od drzwi Gavina. Z każdego wozu wyskoczyło po kilku ubranych na czarno wojowników ninja (może to być lekkie ubarwienie spowodowane nadużyciem szampana, ale z całą pewnością pojawił się przynajmniej tuzin facetów na oko ubranych na czarno i dla mnie zdecydowanie wyglądali jak ninja), którzy zaczęli atletycznie obskakiwać samochód z każdej strony, a dwóch z nich naprawdę przeskoczyło nad maską BMW jak wojownicy z kreskówek.

– Wysiadać z samochodu! Wysiadać z samochodu! – krzyczał jeden z nich z twarzą wykrzywioną furią, wypluwając ślinę w rytm słów. Chciałam współpracować, naprawdę, ale moje nogi nie były chwilowo w stanie wykonywać poleceń mózgu.

Gwałtownie otworzono drzwi i wtedy zobaczyłam najbardziej przerażający element całości: każdy z nich trzymał w ręku broń.

O. Kurwa.

Moje nogi zaczęły nagle wykonywać polecenia części mózgu odpowiedzialnej za „niekontrolowane drżenie".

Wszystko działo się jak w chińskim filmie o gangsterach i to w przyśpieszonym tempie. Jeden z facetów w czerni wywlókł Gavina z samochodu, odwrócił go i rzucił na tylne drzwi, a sześć luf wymierzonych w niego przekonywało, by trzymał ręce dokładnie tam, gdzie się znajdują: nad głową.

– Wychodzić! Wychodzić! – krzyczał ogromny typ tuż obok mnie.

Odwróciłam bezwładnie ciało, wystawiłam nogi na zewnątrz i rzuciłam resztę siebie za nimi, licząc na to, że moje nogi przypomną sobie w pewnym momencie swoje powołanie i utrzymają ciężar ciała.

I tak zrobiły. Z trudem.

Kilka sekund później mój policzek przyciśnięty był do szyby tylnych drzwi, a nowy znajomy, znany też jako „Przerażajacy Olbrzym Ze Spluwą", przeszukiwał mnie od stóp do głów.

To zdecydowanie halucynacja. Na pewno. Albo zły sen. W rzeczywistości oglądam telewizję u mnie w domu wraz panią Naismith, po prostu przysnęłam i przyśnił mi się koszmar rodem z horroru, w którym gromadził się wokół nas tłumek gapiów wyciągających szyje, by przyjrzeć się całemu zamieszaniu i rejestrujących rozwój wydarzeń kamerami w telefonach komórkowych.

Zapewne usatysfakcjonowany faktem, że nie mam przy sobie uzi od Trish, Przerażający Olbrzym Ze Spluwą pociągnął moje ręce w dół, za plecy, i spiął je kawałkiem plastiku, po czym pociągnął mnie i przycisnął do maski samochodu. Zaraz się obudzę i zobaczę panią Naismith nadbiegającą z filiżanką herbaty i kawałkiem ciasta imbirowego. Chwile grozy nie chciały się jednak skończyć i przeczuwałam nadchodzący atak serca, a Przerażający Olbrzym Ze Spluwą będzie miał na głowie mojego trupa.

Rzuciłam okiem na otaczającą mnie piekielną rzeczywistość. Zobaczyłam wyraźnie Gavina, podobnie jak ja z rękami skutymi za plecami, ale najbardziej zaskoczyła mnie jego twarz. Spodziewałam się strachu, dezorientacji i zdumienia, ale udało mi się zobaczyć jedynie arogancję, nienawiść i furię, co zmieniało mój odbiór jego osoby. Nie był już uroczym wielkim misiem, lecz „osobnikiem budzącym lęk i grozę".

– Szefie, mam to tutaj – oznajmił głos z wnętrza BMW. Z auta wyłonił się facet z burzą loków, w dżinsach i czarnej kamizelce i podszedł do mnie. Gavin odwrócił głowę, niezainteresowany tym, co zostało znalezione. Lokowaty uniósł znalezisko, tak by ujrzeli je faceci ze spluwami. Była to skórzana saszetka Gavina, która została odwrócona do góry nogami i na maskę samochodu posypały się liczne małe foliowe woreczki z białym proszkiem.

Jasna cholera! Gdzie, kurwa, jest pani Naismith z jej imbirowym ciastem?

Następna w kolejności była torba podróżna z bagażnika, która ujawniła dziesiątki woreczków z pigułkami i około stu małych torebeczek z czymś, co wyglądało jak oregano. Coś jednak mówiło mi, że się mylę, i to coś nie wyląduje nigdy we włoskim daniu.

– Pani Naismith! – jęknęłam.

Bez skutku, nie dało się tak po prostu wyrwać z tego snu. Przerażający Olbrzym Ze Spluwą pociągnął mnie za rękę, poprowadził do samochodu stojącego równolegle do X5 i przyciskając mi głowę, żebym nie uderzyła nią w karoserię, rzucił mnie na fotel pasażera. Plusy? Byłam poza zasięgiem wzroku ogromnego tłumu, który zdążył zebrać się na chodniku. Minusy? Widziałam dokładnie, co jeszcze wyciągają z auta Gavina. Przy każdym kolejnym przedmiocie aż podskakiwałam z wrażenia. Metalowy łom, ponad pół metra długości. Maczeta, metalowa, czterdzieści centymetrów długości, mały sztylet, dwadzieścia pięć centymetrów, znaleziony w schowku z przodu auta. Największą niespodziankę wydobyto jednak spod fotela Gavina: spluwa, ogromna, nie mam pojęcia, jakiego kalibru.

Przysięgam, że nie byłabym bardziej zdumiona, gdyby w bagażniku znajdowali się Starsky i Hutch.

Kiedy samochód ze mną w środku zaczął odjeżdżać, widziałam, jak wsadzają Gavina do innego wozu i spróbowałam podchwycić jego spojrzenie. Bezowocnie, ani razu nie popatrzył w moją stronę.

Reszta nocy upłynęła jak jakaś surrealistyczna wizja, aż po dziesięciu długich, wyczerpujących i, zupełnie szczerze, przerażających godzinach mogłam wybrać numer Stu.

Zacharczał coś do słuchawki.

– Stu, udało ci się nie umrzeć tej nocy?

– Wygląda na to, że nadal żyję. Ale przedawkowałem środki na grypę, więc niczego nie mogę być pewny. Walnąłem się na kanapę i... jasna cholera, dlaczego cię tu nie ma? Wszystko z tobą w porządku? Stoisz za drzwiami? Spałem tak głęboko, że nie zareagowałem na dzwonek? Oż, do licha, Leni, przepraszam, już idę...

– Nie, nie ma potrzeby, nie ma mnie za drzwiami – powiedziałam, z ulgą stwierdzając, że atak choroby minął i Stu znowu jest w formie. – Ale proszę, żebyś po mnie podjechał.

– Jasne. A gdzie jesteś? W domu?

– Nie...

– No więc gdzie?

– W areszcie.

PROJEKT RANDKOWY *WSZYSTKO JEST W GWIAZDACH* – PODSUMOWANIE

Lew	Harry Henshall	niezdrowa fascynacja komputerową przemocą
Skorpion	Matt Warden	lider zespołu, kłamliwy dupek
Baran	Daniel Jones	bez szans na karierę jako trener asertywności
Koziorożec	Craig Cunningham	terapeuta związków, wzbudza gwałtowną agresję
Bliźnięta	Jon Belmont	zdecydowany potencjał – potajemne plany na spotkanie w przyszłości
Ryby	pielęgniarz Dave Canning	na przyszłość: należy unikać pracowników służby zdrowia
Wodnik	Colin Bilson-Smythe	prawnik, śmieje się jak robot kuchenny
Rak	Gregory Smith	nieśmiały kibic mężczyzn
Waga	Ben Maters	nie znam
Panna	Kurt Cobb/Cabana	wschodząca gwiazda, pilnie potrzebująca dobrego stylisty
Strzelec	Gavin West	„Naprawdę, szefie, nie mam pojęcia, co to za woreczek".

E-mail
Do: Trish; Stu
Od: Leni Lomond
Odp: Gdyby ostatnią randkę opisać w formie ogłoszenia towarzyskiego, brzmiałoby mniej więcej tak...

Kafar, potężna żuchwa, noszący męską torebką damską, metroseksualista, znany w środowisku londyńskich klubów, pragnie poznać kobietę, która ukończyła prawo i ma minimum dziesięcioletnie doświadczenie w obronie dilerów narkotykowych w sądzie. Zgłoszenia i pieniądze na kaucję proszę kierować przed przesłuchaniem w poniedziałek rano do Gavina Westa, do małej kwadratowej celi w siedzibie Policji Miejskiej w Londynie.

31
Mój osobisty gwiazdor

– Nieee – wydyszała Trish, po czym wrzuciła do ust kolejną oliwkę. – I co wtedy się stało?

– Nie mów z pełnymi ustami, bo się udławisz – zganił ją Stu, cudownie ozdrowiały z bólu gardła, na który miał umrzeć zeszłej nocy, i biorący udział w najdziwniejszej niedzielno-porannej rozmowie, jaką kiedykolwiek prowadziliśmy.

– Stu, wiem, że mówisz to wszystko z troski o mnie, ale, przysięgam na Boga, że jeśli jeszcze raz ostrzeżesz mnie przed niechybną śmiercią, możesz nie dożyć momentu, kiedy znowu będziesz chciał mnie przestrzec.

– Tak więc, Leni, byłaś o włos od scen ze znanych seriali o więzieniach, i co się wtedy stało?

Poprawiłam poduszkę, na której siedziałam, rozpaczliwie szukając komfortowej pozycji na wściekle drogim, obitym białą skórą narożniku, co nieprzyjemnie przypominało mi problemy związane z ułożeniem się na betonowym łóżku kilka godzin temu.

Stu mieszkał w prześlicznym georgiańskim apartamencie z dwoma sypialniami w Notting Hill, mniej więcej pięć minut spacerem od swojego salonu i dwadzieścia od mojego biura. Salon, kuchnia i jadalnia stanowiły otwartą przestrzeń, jasną i z prawdziwą klasą. Był tu dębowy parkiet (bardzo higieniczny, niezbierający kurzu, nieuczulający i gwarantujący czystość powietrza), białe ściany (nietoksyczna farba) i dywany z najczystszej, prawdziwej wełny (w procesie barwienia nie użyto chemikaliów).

– Powiedziałam im wszystko, co wiem o Gavinie, pokazałam im podanie, które wysłał do Zary, i odcinek wypłaty, by potwierdzić, że dla niej pracuję. Potem wrzucili mnie z powrotem na dołek na pół nocy...

– Ooo, patrzcie państwo! Jeden nocleg w areszcie i już prawie grypsuje.

Zignorowałam docinki Trish, miałam bowiem podejrzenie, że jest więcej niż odrobinę zazdrosna o to, że tym razem to ja jestem najbardziej interesująca z całej naszej trójki.

– Przejrzeli wszystkie nagrania telewizji przemysłowej i ustalili, że nigdy wcześniej mnie z Gavinem nie widziano. Okazuje się, że policja deptała mu po piętach od wielu tygodni, bo był jednym z najbardziej obrotnych dilerów w mieście. Bezpośrednio handlował tylko z kilkoma znanymi klubami prowadzonymi przez jego znajomych, ale miał setki drobniejszych podwykonawców i kartotekę grubą jak *Wojna i pokój* – to porównanie jednego ze śledczych, nie moje. Napaści, narkotyki, kradzieże, a nawet usiłowanie zabójstwa. To ostatnie w czasach, kiedy handlował sterydami.

– Ten głos! Mówiłaś, że miał dziwny głos! Klasyczny głos sterydziarza! – wtrącił mój konsultant medyczny.

Przytaknęłam smutno.

– Tak, i jeszcze te pryszcze. Policjant powiedział, że od razu powinnam była to zauważyć. Poinformowałam go, że moja znajomość farmakologii kończy się na nurofenie, który biorę na bóle miesiączkowe, więc nie jestem biegła w rozpoznawaniu osób nadużywających chemii.

– I co on na to?

– Nic. Gdy tylko wspomniałam o miesiączce, natychmiast się zarumienił i przeszedł szybko do pytania mnie o wszystkie osoby, które spotkałam tamtej nocy.

– Chodziłam kiedyś z kulturystą, któremu zdarzyło się brać sterydy. Miał małego wielkości kciuka.

– Dziękujemy za ten cenny wkład – odparł Stu z kamienną twarzą, ignorując fakt, iż Trish energicznie wykonuje pod jego adresem gest z uniesionym kciukiem. – Jednego, czego nie rozumiem, to po co napisał do Zary? No wiesz, diler narkotykowy powinien chyba dbać o dyskrecję. Co mu strzeliło do głowy, żeby umawiać się na randkę w ciemno?

Westchnęłam ciężko i upiłam kolejny łyk cappuccino, które Stu troskliwie przygotował w maszynie Dolce Gusto – prezencie urodzinowym ode mnie.

– To najbardziej dobijająca część. Jeśli może być coś bardziej dobijającego niż wybranie się na randkę z potencjalnie niebezpiecznym handlarzem narkotyków, bycie pojmaną przez antyterrorystów w pełnym ludzi centrum miasta i oskarżoną o pracę dla herszta narkotykowej bandy.

– Zdecydowanie ta noc ci się nie udała – przyznała Trish.

– Musicie przysiąc na życie, że nie piśniecie ani słowem o tym, co wam teraz powiem.

Oboje położyli ręce na sercu, co wyglądało, jakby składali mi hołd. Postanowiłam zignorować fakt, że palce Trish były przez cały czas skrzyżowane.

– Kiedy zwalniano mnie do domu, jeden z uroczych policjantów wytłumaczył mi, że według ich teorii Gavin chciał w ten sposób dotrzeć do Conna. Krąży plotka, że otoczenie Conna wydaje co noc furę kasy na kokainę i Gavin próbował przeniknąć do ich kręgu od miesięcy, ale bez powodzenia.

– To wariactwo! – zaoponował Stu. – Jakie miał szanse, by zostać wybranym?

– Trzy tysiące czterysta trzydzieści dwa do jednego – poinformowałam go łamiącym się głosem. – Co oznacza, że miałam szansę jak jeden do trzech tysięcy czterystu trzydziestu dwóch spotkać zawodowego przestępcę, i udało mi się. Czy nade mną ciąży jakaś klątwa?

– No masz pecha, fakt – zgodziła się Trish. – O kurde, to znaczy, że Conn też jest ćpunem?

– Niekoniecznie. Policjant powiedział tylko, że pewni ludzie z jego kręgów zażywają narkotyki i że jest to jedyna teoria mogąca być wytłumaczeniem zachowania Gavina. Nie wydaje mi się, by wierzyli, że szukał kumpla, przy którym mógł ustawić się na lata, dostarczając mu koks. Z drugiej jednak strony Gavinowi bardzo zależało na spotkaniu z Connem, więc to ma sens, jeśli cokolwiek ma w tym moim popieprzonym życiu jeszcze choć odrobinę sensu.

Rzuciłam okiem na zegarek. Wpół do dziesiątej.

– Czy jest za wcześnie, żeby się napić? – spytałam.

– Zdecydowanie nie – odpowiedział Stu i ruszył do kuchni, by po chwili wrócić z trzema kieliszkami wina.

– Myślałaś o tym, jak przekazać te wieści Connowi?

Rozległ się sygnał mojej komórki i odpowiedziałam na to pytanie, szukając jej w torebce.

– Nie wiem. Policja miała się z nim zobaczyć dziś rano, więc poniekąd to góra przyjdzie do Mahometa, a więc będę miała już część roboty z głowy. Halo?

Trish i Stu czekali cierpliwie, aż skończę rozmawiać.

– Kto to był?

– Em... góra. Mówi, że właśnie dowiedział się, co się stało, i że on i Zara bardzo mi współczują. Mam sobie wziąć jutro rano wolne...

– Jakież to uprzejme z ich strony! Jeśli zamknięto by cię za morderstwo lub znaleziono zmasakrowaną w bocznej uliczce, mogłabyś sobie wziąć cały dzień wolnego – pieklił się Stu.

– I podjedzie po mnie w porze lunchu, żeby zabrać mnie do biura.

– Dla twojego dobra mam nadzieję, że policja myli się co do Conna – wymamrotała złowieszczo Trish.

– Dlaczego?

– Bo dać się przymknąć z facetem zarabiającym na narkotykach raz, to pech, ale dwa razy? No, to już lekkomyślność.

~

– Bułeczkę? – zapytał kelner, trzymając modną kwadratową tacę, na której leżała piramida gorących, idealnie symetrycznych i identycznych kulek pieczonego ciasta.

– Nie, dziękuję – odpowiedziałam z twarzą tej samej barwy, co jego buraczkowa marynarka. Odgarnęłam włosy z twarzy po raz czterdziesty w ciągu ostatnich trzech kwadransów. Wiem, że powinnam je była umyć, ale pomyślałam, że idę do biura tylko na kilka godzin, a potem wracam do domu, żeby natychmiast pójść spać. Niestety...

– Taksówka dla pani Lomond – oznajmił Conn jeszcze radośniejszym głosem niż wtedy, gdy dzwonił z wieścią, że zaraz będzie. – Czekam w aucie na dole.

– Już schodzę – oparłam z lekkim drżeniem niepewności w głosie. Powodem owego drżenia, oprócz niepewności, mógł być też największy kac w dziejach ludzkości, którego padłam ofiarą. W gorszych dzielnicach Londynu na południu mieszkają całe stada osobników żywiących się bimbrem, ale nawet oni wszyscy wzięci do kupy nigdy nie doświadczali takiego bólu głowy i łamania w kościach.

Któż, do cholery, wpadł na fantastyczny pomysł, żeby zacząć pić wpół do dziesiątej rano? Kiedy Grey przyjechał odebrać Trish i mnie, w naszych żyłach nie płynęło już nic oprócz wina. Gdy obudziłam się dziś rano, głowa tak mnie bolała, iż moją pierwszą myślą było, że w nocy spadł na mnie sufit. Wtedy zdałam sobie sprawę, że boli mnie też szyja, plecy (cholerna kanapa Stu!), a nawet brwi.

Po wypiciu ogromnej kawy, połknięciu dwóch tabletek przeciwbólowych i założeniu największych okularów przeciwsłonecznych, jakie znalazłam, zeszłam do rozpromienionego Conna. Kiedy intensywnie koncentrowałam się, by nie oddychać w jego kierunku, z obawy, że wyziewy z moich ust podduszą kierowcę i dojdzie do karambolu, dowiedziałam się, że zabiera mnie na lunch. Od biedy zniosę pizzerię. Pub niedaleko będzie prawie w porządku. Natomiast wykwintna restauracja na trzydziestym czwartym piętrze pięciogwiazdkowego hotelu, wyposażona w ogromne okna ukazujące panoramę południowo-wschodniego Londynu, stanowiła ogromne wyzwanie, szczególnie że dostaliśmy stolik tuż przy oknie i za każdym razem, kiedy patrzyłam w dół, wydawało mi się, że świat pode mną pływa.

– Wszystko w porządku? – zapytał facet z reklamy dietetycznej coli lub też ćpun (w zależności, do czyjego zdania się przychylić). Przytaknęłam i podjęłam próbę uśmiechu, który zapewne przypominał grymas szaleńca. Przy Connie zwykle plątał mi się język, ale dziś połączenie jego osoby, nerwów i faktu, że moja żuchwa odmawiała współpracy sprawiło, że stałam się niemową. Conn nalał trochę wina do kieliszka stojącego przede mną, a ja zareagowałam odpowiednio: zaczęłam walczyć z ochotą puszczenia pawia na bladoróżowy obrus. Dlaczego? Dlaczego mnie tu przyprowadził? O co chodzi? I czy odstawiona na bóstwo kobieta w średnim wieku przy stoliku obok musi z odrazą lustrować moje dżinsy i znoszone buty? Miałam ochotę krzyknąć: „Skąd mogłam wiedzieć, że tu wyląduję?", ale uznałam, że miałam w ciągu ostatnich dni dosyć scen pełnych napięcia i nie potrzebuję ani grama więcej.

– To nie do uwierzenia, przez co musiałaś przejść – powiedział Conn głosem ociekającym współczuciem i troską. W przeciwieństwie do mnie, wyglądał dziś szczególnie wspaniale w ciemnoszarym garniturze, kontrastującym prześlicznie z białą koszulą i jasnosrebrnym krawatem. Jego kruczoczarne włosy były zaczesane do tyłu i gdy mówił, oślepiająco białe zęby po prostu tańczyły w jego idealnych ustach. Pogratulowałam sobie tak poetyckiego porównania, które zdołałam stworzyć mimo tego, że wytłukłam większość moich szarych komórek czerwonym winem.

– Chcesz o tym porozmawiać?

Pokręciłam głową.

– Słuchaj, to może ci pomóc. Policjanci powiedzieli mi, że byłaś w szoku, i Zara i ja czujemy się fatalnie, że przytrafiło ci się to w związku z pracą u nas. Mamy nadzieję, że rozumiesz, iż nigdy, przenigdy nie poprosilibyśmy cię, byś robiła coś, co uznalibyśmy za niebezpieczne.

Nagle przed oczami stanęła mi chwila, gdy Conn zauważył podanie Gavina i w jego oczach pojawił się błysk świadczący o tym, że go rozpoznał. Jak więc mi to wytłumaczy?

– To dziwne – rzucił nonszalancko, smarując wieloziarnistą bułeczkę masłem – ale byłem przekonany, że skądś go znam, kiedy zobaczyłem jego zdjęcie na podaniu...

Jasny gwint! Czyżby miał te same moce wieszcze, co jego matka?

Myśl o miłych rzeczach, całkowicie ubranych miłych rzeczach.

– ... i teraz wiem dlaczego. Najwyraźniej widziałem go w którymś z klubów. Wygląda na to, że bywaliśmy w tych samych miejscach.

Znowu przytaknęłam, starając się nie patrzeć w dół na wypadek, gdyby moje oczy zostały przyciągnięte przez wirujące w dole tłumy. Jednak jedzenie gazpacho i niepilnowanie, gdzie kieruje się łyżkę, było prostą drogą do plam na moim białym podkoszulku.

– Leni, chciałbym cię zapewnić, że nigdy wcześniej tego faceta nie spotkałem.

Och, jak uroczo. Jest taki słodki, kiedy się stara, że prawie zaczęłam mu współczuć, ale zaraz zdecydowałam, że ponieważ jest zabójczo przystojnym milionerem, ubranym w garnitur za pięć tysięcy funtów, który przyjechał ferrari, zachowam współczucie dla kogoś, kto bardziej będzie go potrzebował. Dla siebie.

Wciąż nie mogłam zapomnieć teorii, którą usłyszałam od policji. Cokolwiek Conn robi w wolnym czasie, jest jego prywatną sprawą, ale jeśli naprawdę przez jego nałóg wylądowałam na betonowym łóżku w celi trzy na dwa metry, spadnie na samo dno mojej prywatnej skali popularności, gdzie rezyduje już żołnierz imieniem Ben oraz syndrom dnia następnego.

– Czułem się fatalnie, kiedy dowiedziałem się, że mógł cię wykorzystać, by dostać się do mnie i próbować sprzedać mi narkotyki...

Kurde, skąd on to wie? Czy mój umysł jest na podsłuchu?

– Ale zapewniam cię, Leni, że ta hipoteza jest zupełnie nietrafiona. Narkotyki to nie moja działka. Powiedz, czy wyglądam na faceta, który wciąga coś nosem?

Skąd mam wiedzieć? Jakie mam pojęcie o czymkolwiek? Teraz nie mogę odróżnić prawej strony od lewej. Jak ja się w ogóle nazywam? Niech. Się. To. Wreszcie. Skończy.

– To się niestety zdarza na okrągło...

Doprawdy?

– Nie ukrywam, że lubię się zabawić po godzinach pracy i, owszem, część moich przyjaciół jest zamożna. To czyni nas celem dla ludzi, którzy chcą na nas zarobić. Ale on się mylił, Leni, i mam nadzieję, że mi wierzysz.

Przytaknęłam po raz niewiadomo który, całkowicie pewna, że wyglądam jak jeden z tych piesków z plastiku, które tkwią za tylną szybą samochodów kierowanych przez starsze osoby.

– Wierzę.

Bo mu wierzyłam. W tej chwili pełnej udręki, bólu i ochoty, by być daleko stąd, uwierzyłabym nawet w to, że wygrał w totka, ubiega się o stanowisko premiera, a w zaciszu domowym przebiera się w damskie fatałaszki.

Nieskazitelnie ubrany kelner zabrał talerze, mój z prawie nietkniętym daniem, a Conna po sałatce ze szparagów pusty. Radzę sobie. Potrafię. Podniosłam do ust szklankę z wodą, by zakamuflować głęboki wdech.

– Wiesz, jadąc po ciebie, zdałem sobie sprawę, że pracujesz dla nas od miesięcy, a ja nic o tobie nie wiem. Więc powiedz mi... powiedz mi coś, co powinienem o tobie wiedzieć.

Och, jest naprawdę dobry! Jego oczy wpatrzone w moje, zniewalający wyraz twarzy, język ciała wyrażający otwartość – mój facet z reklamy robi to, co potrafi najlepiej. Na dodatek mam wrażenie, że ostatnie słowa wypowiedział głosem Tyry Banks. Koniecznie muszę się położyć.

Następne dwie rzeczy wydarzyły się jednocześnie. Nabrałam powietrza w dokładnie w tej samej chwili, w której pojawił się kelner i postawił na stole przede mną olbrzymiego homara. Ten widok, ten zapach, te malutkie oczka wpatrzone prosto we mnie – nie byłam pewna, kto czuje się gorzej, homar czy ja.

– Powiedz coś, cokolwiek – powtórzył Conn.

– Wydaje mi się, że muszę iść do domu – wyszeptałam. – Natychmiast.

Pod domem nalegał, że odprowadzi mnie do drzwi. Moja stopa ledwo zeszła z ostatniego schodka, kiedy na korytarzu pojawiła się pani Naismith.

– Wszystko w porządku, kochanie? – spytała i można by śmiało założyć, że Conn nigdy wcześniej nie został tak gruntownie zlustrowany. Dopiero gdy znów utkwiła wzrok we mnie, zdała sobie sprawę, że z całą pewnością nic nie jest w porządku.

– Conn, to jest pani Naismith – wyszeptałam. – Pani Naismith, Conn.

– Miło cię poznać, Kąt.

To miłe z jego strony, że jej nie poprawił.

– Chodźmy do środka, skarbie. Wyglądasz fatalnie, naprawdę.

– Dziękuję, pani Naismith, ale szczerze... jest dobrze – wydukałam cicho, z trudem znajdując w mózgu połączenia i wypowiadając słowa. – Dam sobie radę. Wszystko jest absolu...

I wtedy na wszystko spadła ciemność.

Cudowny Poranek TV!

Goldie Gilmartin jak zwykle emanowała słonecznym blaskiem, gdy żegnała widzów przed przerwą na reklamę.

– Za chwilę spotkamy się z parą, która ma już dwadzieścioro troje dzieci i stara się o więcej, nasza ekspert od spraw urody Liz

Dresden zademonstruje, co należy do pakietu kosmetycznego dla mężczyzn zwanego „woskowanie maski, podwozia i rury". Uwaga panowie, może was to zainteresować. I, oczywiście, ponieważ jest piątek, pojawi się Zara Delta z wróżbami na weekend. Wracamy za trzy minuty.

Zaraz po tym, jak Goldie mrugnęła do kamery, reżyser krzyknął „cięcie!" i studio zabuzowało życiem.

– Gdzie, do cholery, jest Zara?! – wrzasnęła Goldie.

– Ciągle w garderobie. Nie podoba jej się, jak zrobili jej włosy – odparła przerażona młoda dziewczyna, dzierżąca obowiązkowy notatnik z podkładką.

Goldie aż zaryczała z gniewu.

– Temu biedakowi tam – wskazała modela stojącego tuż obok planu, przepasanego tylko ręcznikiem i mającego niebawem obnażyć się przed publicznością zgromadzoną przy brytyjskich telewizorach – będą zaraz wyrywać włosy z moszny, a jednak zdołał stawić się o czasie!

– Trzydzieści sekund! – krzyknął ktoś w słuchawkach na głowie. Przy wejściu na plan zaczęło się zamieszanie i Zara pomaszerowała prosto na sofę. Z huku jej japonek można było wywnioskować, że nie jest w słodkim i radosnym nastroju.

– Fajnie, że się zjawiłaś – wysyczała Goldie bez cienia uprzejmości.

– Musiałam. Potrzebujesz wsparcia i z całą pewnością nie pospieszą z nim ani Mistyczna Meg ani Russell Grant – odparła Zaraz równie jadowicie.

Napięcie rosło. Mniej więcej trzydzieści osób w studiu rozglądało się nerwowo, próbując wybadać wzrokiem, kto podkablował Zarze o żądaniach Goldie. Napięcie na planie było wyczuwalne niczym pole siłowe, gdy te dwie kobiety wpatrywały się w siebie z nietajoną nienawiścią.

– Pięć sekund! Trzy! Dwa, jeden... – Facet w słuchawkach wskazał palcem Goldie i wycofał się.

Kamera podjechała do błyszczącej uśmiechem Zary, być może liczącej na to, że jeśli oślepi widzów bielą zębów, jakimś sposobem nie zwrócą uwagi na to, co dzieje się na jej głowie. Założenie było wspaniałe: mniej więcej dwadzieścia pasemek jej włosów zwiniętych w spirale, każda spięta klamrą w kształcie gwiazdy i ozdobiona dżetami. Niestety, ta fryzura była zbyt kosmiczna dla tutejszej nowej fryzjerki i zamiast wyglądać astralnie, Zara przypominała sputnik.

– Cudowne włosy, Zaro, naprawdę cudowne – dorzuciła Goldie z lekkim rozbawieniem.

Uśmiech kobiety-sputnika skurczył się do bardzo cienkiej linii, ale, co trzeba jej przyznać, szybko wróciła do formy i przystąpiła do systematycznego streszczania swoich weekendowych wróżb dla każdego ze znaków zodiaku.

Napięcie wróciło dopiero pod koniec listy, kiedy Zara skończyła mówić o Baranie. Goldie powiedziała:

– Doskonale, Zaro, dziękujemy ci i miejmy nadzieję, że te dzikie swawole, które obiecałaś Bykom, dojdą do skutku.

– Jestem pewna, że w twoim przypadku na pewno, Goldie – odparła Zara głosem ociekającym lukrem i twarzą wykrzywioną furią – jeśli tylko będziesz pamiętała, że Byki najchętniej swawolą w grupach. Co przecież nie jest ci obce, Goldie.

Natychmiast dało się zauważyć, kto zna upodobania miłosne Goldie, a kto nie. Ci żyjący w błogiej nieświadomości uśmiechali się tylko, przysłuchując się pogwarce dwóch królowych telewizyjnej sofy, zupełnie nieświadomi wbijanych sztyletów i aluzji. Ci, którzy byli na bieżąco z plotkami, mieli oczy jak spodki i wyraz twarzy świadczący o tym, że są świadomi niechybnej katastrofy.

– Dziękuję ci, Zaro i... – zaczęła Goldie.

Zara przerwała jej w pół słowa:

– Tak, wiem, co chcesz powiedzieć, Goldie, to prawda, nadal szukamy szczęściarzy chętnych do wzięcia udziału w naszych badaniach nad randkami i tworzeniem się związków. Sensacyjne wyniki tych badań ujawnimy w kompendium o randkach *Wszystko jest w gwiazdach* i zapewniam cię, że będzie to fascynująca lektura.

Ponad planem, w pokoju realizatorskim, producent, by ukryć przed widzami wściekłą twarz Goldie, wrzeszczał: „Kamera na Zarę, kamera na Zarę!".

Zara patrzyła teraz prosto w obiektyw, wiedząc doskonale, że tak długo, jak zajmuje widzów swoją perorą, nie odważą się jej przerwać.

– Poszukujemy fantastycznych Strzelców, więc, panowie, bierzcie los w swoje ręce i logujcie się na www.wszystkojestwgwiazdach.net. O, i drogie panie, jeżeli jesteście samotne i zgłodniałe miłości, tak jak Goldie, możecie już teraz zamówić egzemplarz książki i zagwarantować sobie, że będziecie jednymi z pierwszych, które znajdą brakującą połowę dzięki potędze gwiazd. Klikajcie na www.wszystkojestwgwiazdach.net i dowiedzcie się reszty.

Gdy zaczęła się kolejna przerwa na reklamę, Zara odeszła ciężkim krokiem, zostawiając Goldie z jej gniewem przed pustym krzesłem. Telewizyjny światek całymi tygodniami miał wspominać ten fragment programu śniadaniowego, który był tak dramatyczny, że przebił nawet widok wyrywania dorosłemu mężczyźnie włosów z moszny za pomocą wosku.

32
Moc Urana

— Dlaczego? Dlaczego miałaby mówić, że wciąż czekamy na zgłoszenia, skoro wie, że jutro jest ostatnia randka i wybrałyśmy już kandydata?

Kiedy kończyłam to zdanie, poczułam lekki niepokój. Od czasu do czasu obawiałam się, co Zara powie, gdy odkryje, że część randek jest trochę bardziej sfabrykowana niż inne. W zasadzie nie zrobiłam nic złego: jutro wieczorem będzie za mną dwanaście randek z dwunastoma różnymi mężczyznami, z których każdy jest spod innego znaku zodiaku. Wykonałam też całą papierkową robotę, skrupulatnie napisałam raporty, omijając jedynie fragmenty dotyczące ewentualnych kontaktów narządów płciowych. I spójrzmy prawdzie w oczy: Zara wciąż zaprasza kandydatów tylko dla reklamy. Nagle zrozumiałam: w ten sposób bezczelnie promuje swoją książkę.

– Ona łże z kanapy w *Cudownym Poranku TV!* To prawie takie samo bluźnierstwo jak przeklinanie w kościele! – wykrzyknęłam. – Trish, słuchasz mnie?

– Ciii, oni zaraz wywoskują mu „podwozie", miej trochę szacunku!

Trish siedziała za biurkiem, położywszy nogi na stosie papierów i z rękami za głową, całym swoim jestestwem skupiona na monitorze.

– Leni! – zaryczał głos na korytarzu. Wystawiłam głowę z pokoju i zobaczyłam Zarę pędzącą w moim kierunku. Dało się zauważyć, że nie jest szczególnie radosna.

– Tak? – spytałam przymilnie.

– Wróć sama do biura. Ja mam spotkanie na Kensington i prawdopodobnie już nie pojawię się w pracy.

Pomyślałam, że historie opowiadane na temat konsumpcji viagry przez Stephena Knight'a muszą być prawdziwe.

– Czy gdybym cię potrzebowała, będziesz pod komórką? – zapytałam, bo nie mogłam się powstrzymać.

– Leni, czy to za wiele oczekiwać od ciebie, żebyś chociaż raz była samodzielna? – Mówiąc to, ruszyła korytarzem i zniknęła za wahadłowymi drzwiami.

Miałam tylko nadzieję, że przed tym rozpustnym popołudniem przynajmniej zrobi coś z włosami, chyba że uzna, iż jej „spotkanie" nie jest tego warte.

Stało się dla mnie jasne, dlaczego jej poprzedni asystent wyniósł się z członkiem boysbandu i nigdy nie wrócił. Zara sprawiała wrażenie uduchowionej i wewnętrznie spokojnej, medytowała i wyznawała zasady karmicznego zen, propagowała miłość do wszystkich istot i opowiadała się za tym, żeby ludzie stali się jednością, zarówno ci z tego, jak i z tamtego świata (do którego miała bezpośredni i nieograniczony dostęp). A jaka jest naprawdę?

Sprzedałaby własną babcię dla reklamy, potężnej sumy w banku i popołudnia szalonego seksu z kimś o wyższym niż jej statusie społecznym.

– Serce mi krwawi na myśl o tym biednym facecie – westchnęła Trish, gdy program Goldie znowu przerwały reklamy.

– Fantastycznie – mruknęłam. – Nabawiłam się wirusa, który zagraża mojemu życiu, a ty masz to w nosie, natomiast jesteś pełna współczucia dla jakiegoś gołego typa.

– Widziałaś go? – spytała. – Jak dla mnie, mógłby obrabować bank, ukraść cały miot szczeniąt, przelecieć mi męża, a ja nadal będę mu współczuła. Jest taki cholernie cudowny.

Miała rację. Wyglądał jak Smith z *Seksu w wielkim mieście*, zanim stracił całą wiarygodność, pakując się w bigos z reklamami Aero.

– Tak czy owak, wystarczająco współczuł ci pewien pracodawca, który nadał nowy wymiar świadczeniom pracowniczym.

Uśmiechnęłam się szeroko, bo miała rację. To był mój pierwszy dzień w pracy, a zdecydowałam się przyjść w piątek, wiedząc, że będzie to łatwy dzień w studiu. Od momentu, gdy zasłabłam przed drzwiami mojego mieszkania, do około trzech godzin temu leżałam w łóżku i przez większość czasu troszczył się o mnie niejaki Conn Delta. Okazało się, że mój kac to w istocie groźny wirus dający objawy grypy, szerzący się w całym kraju, i przez co spora część populacji musiała położyć się do łóżek.

Trish parę razy mnie odwiedziła, przynosząc dostawę świeżych kolorowych pism i napojów energetycznych. Stu wpadał codziennie. Przynajmniej wydawało mi się, że to był Stu. Trudno go było rozpoznać w ochronnym kombinezonie, w maseczce na twarzy i lateksowych rękawiczkach. A pani Naismith była moją domową Florence Nightingale aż do środy wieczorem, kiedy też się zaraziła i kiedy wstawiłyśmy jej łóżko do mojego salonu, żebyśmy mogły troszczyć o siebie nawzajem.

Kto przeniósł łóżko? Conn. To było zadziwiające, jak dużo może się zmienić w ciągu zaledwie paru dni i jak dobrze można kogoś poznać w tak krótkim czasie. Był naprawdę niezwykły: dzwonił dwa razy dziennie i zawsze potrafił mnie przy tym czymś rozśmieszyć. Przyniósł mi balsam do ciała Jo Malone („O kurwa, czy wiesz, ile to kosztuje? Widać, że chce się dostać do twoich majtek" – to cytat z Trish), belgijskie czekoladki, kosze z owocami, piękne orchidee. Przyniósł nawet pani Naismith box z trzydziestoma dwoma najlepszymi kiedykolwiek wyprodukowanymi filmami akcji.

Niezdarność, nerwowość i zapierająca dech w piersiach niezręczność były moimi rutynowymi wzorami zachowań w jego obecności, ale po pierwszym dniu, kiedy widział mnie w najgorszym ze stanów, wciąż był nieprawdopodobnie miły i troskliwy.

– Przyniósł coś dla ciebie, wiesz – informowała mnie pani Naismith, chytrze łypiąc okiem już minutę po jego wyjściu.

Przez pierwszych parę dni byłam tak chora, że z trudem zrozumiałam, co do mnie mówi, ale od środowego popołudnia trochę oprzytomniałam i zaczęłam się zastanawiać, czy Trish nie miała przypadkiem racji, ale po chwili odrzucałam tę myśl jako absurdalną. To mój facet z reklamy dietetycznej coli! Nadzwyczajny i z całą pewnością nie leci na przeciętnie wyglądającą osobistą asystentkę, śmierdzącą jak kosz na śmieci, ponieważ od trzech dni nie brała prysznica. Nie ulegało wątpliwości, że to, co robi, wykracza daleko poza zwyczajną umowę o pracę, i przekonałam się, że wynika w połowie ze współczucia, a w połowie z wrodzonej uprzejmości. Nie miałam zielonego pojęcia, kto jest jego ojcem, ale musiał to być naprawdę uroczy facet, ponieważ z całą pewnością Conn nie odziedziczył tych cech po matce. Czasem nie wierzę moim osądom, ale nie mogę sobie wyobrazić, że Conn mógłby być na przykład zdeprawowanym narkomanem.

– No dobra, ale jak się teraz czujesz? – spytała Trish, sprowadzając mnie na ziemię.

– Przestań udawać, że cię to obchodzi – odpaliłam z udawanym rozżaleniem.

– Masz rację, nic mnie to nie obchodzi – burknęła, pozwalając mi dąsać się przez parę chwil, po czym zerwała się z krzesła, jednym susem przeskoczyła biurko i rzuciła się na mnie, przytulając z całej siły.

– Oczywiście, że mnie obchodzi! Pod powłoką chłodu kryje się reinkarnacja Matki Teresy i Bóg mi świadkiem, że mnie to bardzo interesuje!

– Potrzebujesz pomocy – odpowiedziałam spokojnie, desperacko próbując stłumić śmiech.

– Wiem.

Puściła mnie i poprawiła ubranie.

– Myślę, że wstawanie o czwartej rano przez ostatnie pięć lat nadwyrężyło moje zdrowie psychiczne. Ale, ale nie odpowiedziałaś mi, jak się czujesz?

– Dużo lepiej. Czasem jeszcze kręci mi się w głowie, a na ogół mnie boli, ale dopóki nikt nie krzyczy, jakoś można to wytrzymać.

Kiedy wypowiadałam ostatnią sylabę, drzwi gwałtownie się otworzyły i na progu stanęła wkurzona Goldie Gilmartin.

– TRISH, CZY JEST COŚ, CZEGO BYŚ DLA MNIE NIE ZROBIŁA?! – ryknęła.

Trish uśmiechnęła się, po czym przybrała poważny wyraz twarzy, złożyła dłonie jak do modlitwy i oddała głęboki ukłon.

– Oczywiście, że nie, wasza wysokość, wiesz, że moim jedynym celem w życiu jest służenie tobie.

– Więc, do cholery, w przyszłym tygodniu dodaj trochę arszeniku do ciastka tej dziwce Zarze Delcie.

To mówiąc, trzasnęła drzwiami, zostawiając Trish i mnie z otwartymi buziami. Zara, Trish, Goldie, co się dzieje z tymi kobietami? Wszystkie gadają jakby ukończyły kurs rzucania mięsem u cholernego szkockiego komika Billa Connolly'ego.

– Wiesz, mogłabym to zrobić dla twojego dobra i dla Goldie – zastanawiała się Trish.

– Jakim cudem zabicie Zary mogłoby poprawić moją sytuację?

– To tylko przeczucie... Byłoby mi przykro, gdybyś miała teściową, której nie lubisz.

❧

Jest śmieszna. Zdecydowanie. Absurd. Szaleństwo. Nie ma takiej możliwości, żeby Conn był mną zainteresowany. A czy ja jestem zainteresowana nim? Nie w taki sposób! Zdecydowanie nie! Ale może mogłabym? Czy mogłabym?

Różne wersje podobnych rozmyślań zaprzątały moją głowę podczas całej drogi do biura. Pojechałam taksówką, jak w każdy piątek. Zara by się pochlastała, gdyby wiedziała, że jej malutka asystentka pozwala sobie na luksus rozbijania się taksówką za pięćdziesiąt funcików, zamiast, zgodnie ze swoim statusem, pojechać metrem. No nie, teraz nie ma o tym mowy. Jestem po chorobie, przyszłam do pracy, mimo że jeszcze w stu procentach nie wyzdrowiałam, i wciąż mam lekki żal o całą tę historię z narkotykami, więc nowa, bardziej wojownicza wersja mnie zdecydowała, że taksówka mi się należy.

– Hej, wróciłaś! – wrzasnęła Millie, gdy stanęłam w drzwiach. – Bardzo za tobą tęskniliśmy!

Uściskałam ją ostrożnie, starając się chuchać w przeciwnym kierunku i nie sprzedać jej mojej zarazy.

– Też za tobą tęskniłam! Pięknie wyglądasz!

Dzisiaj prezentowała look á la Morticia, w fioletowym aksamitnym żakiecie godnym fanki rocka gotyckiego, wciętym w pasie, z wysokim sztywnym kołnierzem i długimi rozszerzającymi się od łokcia rękawami. Z tego samego materiału była sięgająca do połowy łydki spódnica tuba ciasno opinająca jej tyłek. Miałam nadzieję, że z tyłu jest rozporek, bo w przeciwnym razie nie mogłaby chodzić.

– Kto jest w biurze? – spytałam, nie chcąc wymawiać imienia Conna.

– Tylko Conn.

Tak! Dzięki Bogu ten wybuch radości nastąpił tylko w mojej głowie.

– Leni, mam do ciebie potwornie wielką prośbę – wyrzuciła z siebie Millie. – Wiem, że Zara już dzisiaj nie wraca do biura, więc czy byłaby taka możliwość – powiedz tylko, jeśli nie chcesz – żebyś mnie zastąpiła dzisiaj po południu i pozwoliła mi wyjść wcześniej? Mam po prostu... coś. Mam coś dzisiaj wieczorem i chciałabym się przygotować. Błagam, błagam, błagam, zrobię dla ciebie, co tylko zechcesz!

– „Coś"? – spytałam, unosząc brew.

– Nowy mężczyzna, ale to długa historia. Opowiem ci o tym w poniedziałek, bo jeżeli zaraz wyjdę, to zdążę do fryzjera na wizytę, którą umówiłam, licząc na to, że będziesz najlepszą kumpelą ze wszystkich i mi pomożesz.

– Cieszę się, że nie uciekłaś się do żadnego szantażu emocjonalnego – zaśmiałam się. – Idź, nie ma problemu, naprawdę. Przynajmniej tak mogę ci się odwdzięczyć za twoją pomoc przy randkach.

Pocałowała mnie w policzek, chwyciła torebkę i oddaliła się chwiejnym krokiem. Weszłam do jej małej kanciapy za recepcją i włączyłam czajnik. Pomieszczenie miało mniej więcej trzy metry na półtora, stało w nim kilka segregatorów, mała fotokopiarka, parę papierowych tacek, fax i wszystkie przybory potrzebne do parzenia herbaty. Kiedy woda się zagotowała, wróciłam do recepcji i zalogowałam się na komputerze Millie, żeby sprawdzić pocztę. Dostałam e-mail od Jona, przypominającego o naszym spotkaniu w niedzielę. O czternastej w Farmer's Arms, staroświeckim, małym, wiejskim pubie na peryferiach Windsoru.

Moja odpowiedź była szybka: *Nie mogę się doczekać. Mam nadzieję, że masz wspaniały dzień i NASDAQ zbytnio nie daje ci w kość*

Zanotowałam w pamięci, żeby go zapytać, co to tak naprawdę jest ten NASDAQ, kiedy będziemy się delektowali rostbefem i Yorkshire puddingiem.

Właśnie kliknęłam „Wyślij", kiedy pojawił się Conn, niosąc pocztę.

– Hej, śliczna, jak się masz? Wyglądasz dużo lepiej!

Poważnie? To chyba dzięki godzinie prostowania włosów i delikatnemu makijażowi, który zrobiły mi wizażystki z *Cudownego Poranka TV!*

– Dzięki, Conn. I nie mam na myśli komplementów tylko wszystko to, co zrobiłeś dla mnie ostatnio. To było bardzo miłe z twojej strony. Chociaż pani Naismith zrobiła się agresywna po tym, jak przez ostatnie dwa dni oglądała tylko filmy akcji.

Dobra, taki sobie żart. Trochę może niezborny, ale Conn się śmiał, więc chyba mu się podobał.

– A jakie masz plany na weekend?

– Nic specjalnego – odpowiedziałam i szybko zdałam sobie sprawę, że gadam bzdury. – Oprócz ostatniej randki jutro wieczorem. A tak, i lunchu w niedzielę z... przyjacielem.

– Z chłopakiem?

– Oczywiście. Widziałeś, jak stoją w kolejce pod moimi drzwiami. Dobrze, panowie, pojedynczo proszę. Dobrze, zostaw winogrona koło łóżka, masz nie więcej niż pięć minut, bo dziesięciu innych facetów czeka w kolejce.

Z zażenowaniem stwierdziłam, że wszystko to powiedziałam głosem ześwirowanego kontrolera biletów. Bałam się spojrzeć na Conna.

– To szkoda, bo właśnie miałem zamiar cię zapytać, czy nie miałabyś ochoty na lunch ze mną w niedzielę.

O nie! Cholera! To cholernie nie do uwierzenia! Przez ostatnie dwa lata byłam mimowolnie światową liderką w dziedzinie Unikania Miłych Mężczyzn, a teraz mam dwóch, policzcie, cholernych DWÓCH, którzy chcą mnie zaprosić w niedzielę na lunch.

– Może w przyszłym tygodniu? – spytał z nadzieją.

– Przyszły tydzień będzie super.

Tu zamilkłam, żeby powiedzieć przynajmniej jedno zdanie, które będzie wolne od żenujących żartów.

Conn energicznie wchodził po schodach i z trudem powstrzymałam się, żeby nie patrzeć na jego napinające się mięśnie nóg i pośladków – musiałam napić się herbaty, żeby trochę ochłonąć.

Wróciwszy do kanciapy, uraczyłam się dodatkową porcją cukru, zamieszałam i wyrzuciłam szczura do kosza na śmieci. Było to działanie, które w jakiś sposób wyzwoliło burzę. Odwróciłam się zbyt gwałtownie, wychlapałam trochę herbaty, oparzyłam rękę, podskoczyłam z bólu i strąciłam cztery piętra tacek na papiery, które, spadając, zwaliły na ziemię stertę poczty.

Szlag by to. Jak Millie sobie radzi w tym pomieszczeniu? Jeżeli Zara chociaż raz się na mnie wkurzy, w przyszłym tygodniu zadzwonię do Inspektoratu BHP i doniosę im o tej kanciapie.

Odstawiając herbatę w bezpieczne miejsce, zgarnęłam pojemniki wraz z ich zawartością i upchnęłam na półce mniej więcej we właściwym porządku, po czym schyliłam się, żeby pozbierać korespondencję, w większości jeszcze nie otwartą, oprócz jednej dużej brązowej koperty, której zawartość wysypała się na podłogę. Nie zdążyłam pozbierać wszystkiego, kiedy się zorientowałam, co to jest. Na każdej kartce był inny znak zodiaku: Baran, Rak, Ryby, i tak dalej, potem data urodzenia ale moją uwagę przyciągnęło to, co było poniżej.

Mimo że pracowałam dla jednej z najbardziej znanych astrologów w kraju (z tego miejsca proszę o wybaczenie Russella Granta i Mistyczną Meg), nigdy nie wykrzesałam z siebie nawet cienia zainteresowania mocą gwiazd. Możecie nazwać to cynizmem albo tępotą, a może to po prostu brak zrozumienia, jak odczytywać przepowiednie dotyczące mojego znaku, skoro w każdym gazetowym horoskopie napisane jest co innego.

Ale to, co teraz czytałam, zmieniało mój sposób patrzenia na tę sprawę.

Kartka z napisem „Rak” na górze zawierała datę urodzenia Gregory'ego, a poniżej opis jego osobowości tak doskonały, jakbym ja sama go napisała. Oczywiście, że wysłałam Zarze raport, ale zawierał jedynie fragmenty informacji, które były tutaj, i wymieniał takie jego cechy, o których Zara nie powinna mieć pojęcia. Zainteresowanie sportem, zamiłowanie do prostych uciech i powściągliwość w rozmowach na tematy osobiste i w wyrażaniu emocji – o tym mogła się dowiedzieć z mojego raportu. Ale skąd wiedziała o jego przywiązaniu do mamy, o tym, że nie lubi ranić uczuć innych i o emocjonalnej głębi, która może być mylona z nieśmiałością czy też gburowatością? O tym wszystkim nie napisałam w mojej opinii ani słowa.

W dalszym ciągu tekstu szczegółowo omawiano kwestię jego upodobań i uprzedzeń, mocne strony i słabości, dziedziny, w których coś osiągnął (garderoba, współczesne trendy, niezależność), po czym następował opis jego wymarzonej randki. Sportu, owszem, spodziewałam się, ale były też wymienione cztery inne możliwości: randka typu „niedzielny lunch" w skromnym pubie w sąsiedztwie; randka desperacka – wizyta u rodziny; randka romantyczna – wieczorny spacer po plaży; randka budząca grozę – lunch albo kolacja w eleganckiej restauracji.

Mimo że znałam Gregory'ego tylko parę godzin, wiem, że ta charakterystyka jego osoby była bardzo precyzyjna. Każda linijka brzmiała wiarygodnie, każda zaleta prawdziwie i każde ostrzeżenie pasowało do niego idealnie.

Miałam wątpliwości, czy sama Glenda lepiej podsumowałaby swojego syna. Z resztą papierów przeniosłam się do recepcji i przestudiowałam opisy innych kandydatów. Baran, Daniel: niewiarygodnie dokładny portret samotnego, nieśmiałego faceta, który zrobi wszystko, żeby sprawić innym przyjemność. Koziorożec, Craig: zdumiewająco prawdziwy obraz z jego najważniejszą cechą: samozadowolenie, samozadowolenie i jeszcze raz samozadowolenie. Skorpion, Matt: kłamliwy dupek, który sprzedałby duszę, żeby zdobyć status gwiazdy. Panna, Kurt: rozpaczliwie pragnący coś osiągnąć i według zawartej tu przepowiedni możliwe, że może do czegoś dojdzie. Zatrzymałam się na chwilę przy Jonie, Bliźnięta, ale tylko dlatego, że pomyślałam, bazując na mojej zerowej wiedzy astrologicznej, iż Zara w niektórych miejscach zamiast trzymać się prawdy, zastępuje ją cechami typowymi dla danego znaku.

Jak w każdym wielkim dziele, tak i tutaj zakończenie upewniło mnie o jego błyskotliwości. Ostatnia kartka była zatytułowana „Byk"– dziewiętnasty maja. Data urodzin Stu. Chodziło o Stu, z którym będę miała randkę następnego dnia. Zara nie analizowała przeszłości, tylko przepowiadała przyszłość.

Od stóp do głów przeszły mnie ciarki i włosy stanęły dęba. Skąd ona to wszystko wie? Skąd wie tyle o kimś, kogo nigdy nie widziała na oczy, nigdy o nim nie słyszała i nigdy nie spotkała? To istna *Encyklopedia Stu*, wszystko na jego temat, i to z feerią efektów specjalnych. Do ostatniej jego fobii, do ostatniego lęku. Serce zaczęło walić mi jak młotem, a w jego rytmie zmieniała się moja opinia o Zarze. Jeżeli prawdą jest, że geniusz od obłędu dzieli cienka granica, to ona jest tego najlepszym przykładem. Nagle jej ekscentryczność, wszystkie dziwactwa, a także ciemna strona przestały mieć znaczenie wobec tych pięćdziesięciu stron, będących świadectwem jej zdumiewającego talentu. Źle ją oceniałam, dając się zwieść jej szaleństwom. Trzymam oto w rękach niezaprzeczalne świadectwo geniuszu.

To było także potwierdzenie, niekoniecznie mi potrzebne, że ostro wkuwałam instrukcję *Jak znaleźć sobie fatalnego faceta* i *Jak podejmować kiepskie życiowe wybory* w dniu, w którym Pan Bóg rozdawał zdolność właściwego oceniania ludzi.

Temperatura lodowatej w tej chwili herbaty wskazywała upływ czasu i zdałam sobie sprawę, że minęły dwie godziny. Była piętnasta trzydzieści. Zadzwonił wewnętrzny telefon.

– Hej! – Głos Conna był miękki jak czekoladka leżąca koło kaloryfera. – Wychodzę za dziesięć minut, więc może wyszłabyś dzisiaj wcześniej, żebym mógł zamknąć?

– Hm, niech się zastanowię... Skończyć w piątek pracę półtorej godziny wcześniej? Myślę, że to da się zrobić.

Kiedy się rozłączyliśmy, mój wzrok padł na stertę papierów leżącą przede mną. Kurde, nie przejrzałam jeszcze reszty poczty. Zaryglowałam drzwi, chwyciłam korespondencję i starając się naśladować Conna, ruszyłam na górę, przesadzając po dwa stopnie naraz, ale szybko zrezygnowałam, ponieważ o mało nie zerwałam ścięgien podkolanowych.

Położyłam pocztę na biurku mojej bardzo utalentowanej szefowej, myśląc, że znajdzie ją, jeśli wpadnie – co od czasu do czasu się zdarzało – podczas weekendu. Wybór mniejszego zła. Czy przypadkiem się nie wkurzy, że będzie musiała sama otwierać listy za pomocą swoich sztucznych, wartych dwieście funtów paznokci? Absolutnie tak! Czy nie wkurzyłaby się jeszcze bardziej, gdyby, chcąc sprawdzić korespondencję, nie mogła znaleźć sterty listów? Zdecydowanie! Przy odrobinie szczęścia nie zjawi się w biurze w weekend i wtedy z rana w poniedziałek otworzę i posortuję wszystkie listy. Przy braku szczęścia zacznie swoją tyradę i Conn będzie mnie bronił i tłumaczył, że kazał mi w piątek wyjść wcześniej z pracy. Wygląda na to, że w ostatnich dniach nieraz przychodził mi z pomocą.

Zmierzając w stronę drzwi, zatrzymałam się przy biurku i wzięłam kitkata z górnej szuflady. Telefony! Przez cały tydzień nie sprawdzałam mojej poczty głosowej. Cholera by to.

Podniosłam słuchawkę i wybrałam numer poczty.

„Masz dwie wiadomości".

Kapitalnie. Najwyraźniej jestem niezbędnym trybem w całym tym przedsięwzięciu. Nie było mnie cały tydzień i mam całe dwie wiadomości.

„Eee, tak, tu starszy sierżant Phil Master. Próbowałem dzwonić na twój domowy numer, ale cię nie złapałem, proszę cię, oddzwoń".

To była wiadomość z wczoraj i kiedy dzwonił do domu, pani Naismith poinformowała go, że to nie będzie żaden problem dla mnie przyjść w przyszłym tygodniu do komisariatu obejrzeć zdjęcia policyjne, pod warunkiem, że ona będzie mogła pójść ze mną, żeby udzielić mi moralnego wsparcia. Ewidentnie bliskość realiów jak z seriali o policjantach dostarcza jej dreszczyku emocji.

Irytująco wytworna pani w telefonie poinformowała mnie, że jest dla mnie jeszcze jedna wiadomość głosowa nagrana o dziewiątej rano.

„Leni, to ja".

Serce mi zamarło. Ben. Ale skąd on ma ten numer?

„Ten numer był nagrany w twojej komórce, więc mam nadzieję, że to dobrze, że tu zadzwoniłem".

Nie, nie jest. Dlaczego, do jasnej cholery, akurat dzisiaj zapomniałam włączyć telefon po wyjściu ze studia? I dlaczego, u licha, w tym pokoju nagle zaczęło brakować tlenu?

„Tak bardzo za tobą tęsknię, Leni. Kocham cię, skarbie. I ja..."
Co? I co?

„...Muszę już kończyć. Dzwonię z telefonu satelitarnego, który kosztuje fortunę. Zadzwonię znowu".

Aaach! Trzasnęłam słuchawką, wściekła, że psuje moją szczęśliwą karmę. Wsadź sobie gdzieś satelitę! Prawdopodobnie jest teraz w obozie na pustyni przelatuje jakąś biuściastą blondynę za namiotem magazynowym i opowiada jej, że jest młody i wolny, co mówiąc szczerze, jest prawdą, ale nie o to chodzi.

Wzięłam czekoladowy batonik i właśnie miałam wyjść, kiedy zorientowałam się, że na telefonie wciąż miga czerwone światełko. Ten cholerny system jest starszy niż ja. Zawodny, często się psuje i gdyby Zara nie była tak cholernie skąpa, z czysto profesjonalnego punktu widzenia powinna była lata temu zainstalować nowy system.

Podniosłam słuchawkę i usłyszałam rozmowę. Natychmiast zorientowałam się, że głos Conna ma osobliwy ton, więc od razu się rozłączyłam, chcąc uszanować jego prywatność.

Chociaż raczej powinnam przyznać, że gdybym miała choć cień przyzwoitości, tobym się rozłączyła natychmiast, ale ciekawość zwyciężyła nad przyzwoitością, więc zasłoniłam słuchawkę ręką, żeby nie było słychać mojego oddechu, i spokojnie słuchałam dalej.

– Gdzie jesteś? Cały dzień byłaś poza zasięgiem.

– Robiłam cytologię – burknęła Zara, co spowodowało, że musiałam stłumić śmiech.

Ewidentnie nie tylko ja wpadam w panikę w sytuacji stresowej.

– No dobra – ciągnęła, ucinając wszelkie ewentualne pytania – jak tam sprawy?

– Nie martw się, mówiłem ci, że się tym zajmę i robię to.

– Mam taką nadzieję, Conn, bo jakiekolwiek nagłośnienie naszego małego fiaska podczas ostatniego weekendu może zniweczyć nasze plany. Nie wspominając o tym, co by się stało, gdyby podała nas do sądu za narażenie jej na niebezpieczeństwo. Prawnik powiedział, że powinniśmy byli sprawdzać tych facetów, zanim ją tam wysyłaliśmy.

W głosie Conna zabrzmiała irytacja.

– Już ci mówiłem, zająłem się tym. Nie pójdzie z tym do prasy, nigdy by się nie odważyła na coś takiego, a poza tym umowa jej na to nie pozwala. I z całą pewnością nie pozwie nas do sądu. Posłuchaj, ona jest myszką i to w dodatku taką myszką, która w tej chwili zrobi wszystko, o co ją poproszę. Nie martw się, będę dla niej milutki... ale jeżeli będę musiał ją przelecieć, to masz u mnie potężny dług. Co myślisz o weekendzie w Marbelli, który mi obiecywałaś? – Jego śmiech świadczył o tym, że uważa to wszystko za bardzo zabawne.

– Jeżeli sprawisz, że będzie siedziała cicho, możesz wrzucić ten weekend w koszty – odpowiedziała sucho Zara.

– Umowa stoi. Do zobaczenia.

W tym momencie moi szefowie się rozłączyli.

Odłożyłam słuchawkę trzęsącą się ręką... i wybiegłam...

33
Wschód Merkurego

– Idziemy.

– Nie, nie idziemy.

– Tak, idziemy.

– Nie.

– Tak.

– Nie.

– Leni, przed domem czeka dziewięciometrowa różowa limuzyna, żeby zawieźć nas do teatru. Idziemy.

Podniosłam głowę z poduszki z Ikea i patrzyłam zmrużonymi oczami na stojącego nade mną, ubranego w garnitur Stu.

– Różowa, powiadasz?

– Różowa. Z cętkowanymi pokrowcami na siedzenia i zapasem Bacardi Breezera w minibarku – odpowiedział z uśmiechem tak pewny triumfu, jakby już robił rundę honorową wokół mojego małego Królestwa Szwecji.

Przypominało to scenę żywcem wyjętą z komedii romantycznej, gdy bohater mówi dokładnie to, co powinien, a bohaterka w końcu się poddaje, zbiega schodami przeciwpożarowymi i obcałowuje bohatera. Co roku, mniej więcej miesiąc przed moimi urodzinami, przypominałam Trish i Stu, że nigdy nie jechałam prawdziwą limuzyną, w nadziei, że zafundują mi taką przejażdżkę. Jak dotąd moje próby były daremne – chociaż kiedyś, dzięki koneksjom Trish w straży pożarnej, po wieczorze na mongolskim barbecue pojechaliśmy do domu wozem strażackim z migającymi niebieskimi światłami i kilkoma facetami w żółtych plastikowych spodniach. To były jedne z moich lepszych urodzin.

Ale teraz poczciwy Stu wreszcie pojął aluzję i na naszą udawaną randkę zorganizował luksusową, elegancką, jaskraworóżową limuzynę z tapicerką z imitacji skóry w zwierzęce cętki. Jakiż on troskliwy!

– Czy wygląda naprawdę, naprawdę kiczowato?

Przytaknął.

– Mogłaby być bardziej w złym guście, tylko gdyby miała przyczepione do zderzaka sztuczne cycki.

– Dobra, w takim razie idę.

Kiedy gramoliłam się z łóżka, Stu uprzejmie nie robił żadnych uwag na temat mojej flanelowej piżamy w kratkę, którą wkładam zawsze, kiedy jestem potwornie zdenerwowana.

Bycie oszukaną i zmanipulowaną przez Drużynę Delta wywoływało u mnie zdenerwowanie, które absolutnie można by uznać za potworne. Raczej za przepotworne.

Jak oni mogli? Przez ostatnie dwadzieścia cztery godziny setki razy odtwarzałam w myślach podsłuchaną rozmowę, desperacko próbując znaleźć jakieś inne wytłumaczenie niż to jedno, które się narzucało: geny zła są dziedziczne.

Zostałam zrobiona w konia. Nabrana. Wysłana na wycieczkę, która nie przewidywała różowej karoserii i ekstra długiego podwozia.

Najbardziej paradoksalne było to, że to wszystko zupełnie niepotrzebnie – nawet nie przyszło mi do głowy, żeby obciążać Zarę odpowiedzialnością za to, że tydzień temu o mało nie dostałam się do kartotek kryminalnych, i oczywiście nie miałam zamiaru zawiadamiać o niczym dziennikarzy. Dlaczego miałabym to robić? Dlaczego miałabym narażać moją babcię na przeczytanie w gazecie, że pracuję w Londynie jako dilerka narkotyków? Ze wstydu nigdy więcej nie poszłaby grać w Bingo.

Najbardziej przygnębiająca była nieznośna powtarzalność tych sytuacji. Czy papież jest katolikiem? Czy niedźwiedzie srają w lasach? Czy ja raz za razem, za każdym cholernym razem źle oceniam ludzi?

Ben – nie zorientowałam się, że jest żonaty.

Matt – nie zorientowałam się, że chodziło mu tylko o sławę.

Pielęgniarz Dave – nie zorientowałam się, że jest typem faceta, który przeleciał mnie, mimo że miał dziewczynę.

Gregory – nie zorientowałam się, że jest gejem.

Gavin – nie zorientowałam się, że ma powiązania z połową dilerów narkotykowych w Londynie.

Nigdy też nie przeszło mi przez myśl, że Conn mógłby mieć złe zamiary. O nie. On był wyłącznie uroczy, miły i życzliwy. W tym wszystkim znajdowałam tylko jedno małe pocieszenie: że jeśli chodzi o niego, nie jestem jedyną osobą, która źle go ocenia. Rano wpadła pani Naismith, przyniosła mi pocztę, a ja opowiedziałam jej całą historię. Najpierw groziła, że przy użyciu śmiercionośnych zastępów organizacji emeryckich ruszy na jego biuro i „nauczy go rozumu". Przypomniałam jej, że któregoś razu powiedziała, iż ma wrażenie, że Conn „coś do mnie czuje".

Żałośnie pokręciła głową.

– No i już rozumiesz, kochanie.

– Co rozumiem?

– Powód, dla którego jedynym facetem w moim życiu jest cholerny Bruce Willis.

Dobra, nic dodać, nic ująć. Zdjęłam różowe okulary i połamałam na drobne kawałki. Od dzisiaj zamierzam wyostrzyć moje zdolności percepcyjne tak, żebym już nigdy nie musiała zmarnować ani jednego dnia, gnijąc w rozpaczy pod kołdrą z Ikea i oskarżając się o chroniczny brak spostrzegawczości. Ja, Leni Lomond, poczynając od dzisiaj, będę mądra, kumata i nigdy więcej nie pomylę się w ocenie czyichś intencji.

– Hej, myślisz, że jest jakaś szansa, że dźwigniesz swoją dupę w kratkę, żebyśmy mogli dojechać tam przed tańcem finałowym? Albo zanim bezlitośnie opieprzę cię za sprzedanie mi tego wirusa, który męczył cię w zeszłym tygodniu?

Stu przechylił głowę i zmrużywszy oczy, rozmasowywał sobie szyję.

– Potwornie się dzisiaj czuję. Czy bolała cię głowa, kiedy miałaś tego wirusa? I piersi? I czy brakowało ci tchu i byłaś wyczerpana?

Potwierdziłam.

– Super. Czy następnym razem, kiedy będziesz miała zamiar się czymś podzielić, mogłabyś zamiast wirusa wybrać coś ze sklepu monopolowego? A teraz się pośpiesz, zanim wpadnę w panikę i obrabuję panią Naismith z całego zapasu antybiotyków.

Jęknęłam, wstałam z łóżka i ruszyłam do łazienki. Właśnie założyłam czepek kąpielowy, kiedy zadzwonił telefon, więc wystawiłam głowę przez drzwi i poprosiłam Stu, żeby nie odbierał i pozwolił, by nagrała się wiadomość.

– Nie ma problemu – powiedział, cofając rękę, już wyciągniętą po moją motorolę. – Nawiasem mówiąc, twój obecny *look* działa na twoją korzyść. Nie myślę, żebym cię kiedykolwiek bardziej pragnął.

Wybrał numer pozwalający odsłuchać wiadomości głosowe i włączył głośnik.

„Halo Leni, tu Conn. Nie miałem wczoraj okazji powiedzieć ci »do widzenia« i nie mogłem cię złapać na komórkę, a chciałem ci tylko życzyć udanego weekendu. Mam nadzieję, że u ciebie wszystko w porządku, do zobaczenia w poniedziałek".

Klik.

– Stu, jaki teraz dają wyrok za morderstwo?

– Więzienia są przepełnione, więc dostaniesz najwyżej dziesięć lat.

– Mogę zwalić winę na zespół napięcia przedmiesiączkowego.

– To dostaniesz najwyżej sto godzin prac społecznych.

Weszłam pod prysznic, dochodząc do wniosku, że zeskrobywanie gum do żucia z chodnika przez sto godzin nie jest jakimś ogromnym problemem.

Pięć minut później, wykąpana, wróciłam do pokoju, gdzie czekała na mnie przygotowana na łóżku sukienka, a obok na podłodze stały buty.

– Skąd wiedziałeś, w co chcę się dzisiaj ubrać?

Ten facet jest niezwykły. Tak dobrze mnie rozumie, tak dobrze mnie zna, czasami nawet lepiej niż ja znam siebie.

– To jedyna sukienka, jaką masz.

No dobra, może moje nowe zdolności oceny jeszcze się nie uruchomiły.

W czasie, którego zwykle potrzebuję na odkręcenie tuszu do rzęs, Stu uczesał mnie, zrobił mi makijaż i poprawił humor, po czym wypadliśmy na ulicę, by wsiąść do czegoś, co wyglądało w przybliżeniu jak srom na kółkach. To było coś naprawdę, naprawdę wspaniałego. Myślę, że kierowca musi być przyzwyczajony do pisków zachwytu i innych irracjonalnych reakcji, ponieważ nawet nie drgnęła mu powieka, kiedy wystawiłam głowę przez szyberdach i na całą ulicę wrzeszczałam: „O rany!".

Do diabła z Connem i Zarą. Wobec jasnoróżowej tapicerki w cętki mogłam powiedzieć, że mam ich w dupie. Przez ostatnich kilka miesięcy doznałam więcej niepowodzeń i byłam bardziej przerażona niż w całym moim dwudziestosiedmioletnim życiu. I wiecie co? Przeżyłam. Dałam radę! Cały czas trzymałam się w kupie. Bałam się, ale cholera jasna, przeżyłam, żeby to wszystko opowiedzieć (możliwe, że na bliskiej mi sesji terapeutycznej).

Życie jest piękne. Jestem zdrowa, mam przyjaciół, mam mieszkanie i własnego Sąsiedzkiego Strażnika.

Jutro idę na lunch z uroczym młodym mężczyzną i dopiero po nim zdecyduję, czy zachować pełne godności milczenie i nadal pracować dla dobra mojej kariery zawodowej, czy w poniedziałek rano przywalić Connowi ręką, w której nie będę trzymała wymówienia.

Póki co mam zamiar dobrze się bawić. Przez następnych kilka godzin miasto i jaskraworóżowa limuzyna należą do mnie i będę przyjemnie spędzała czas

Opadłam na siedzenie obok Stu i wyjęłam z minibarku Baccardi Breezera. Wzięłam rękę Stu, oparłam głowę o zagłówek w cętki i zamknąwszy oczy, pozwalałam, by troski ostatnich paru miesięcy uleciały w siną dal. To był prawdziwy błogostan i nic nie mogło tego zepsuć.

– Stu, dzięki za wszystko – zamruczałam łagodnie.

Uścisnął moją rękę, dając mi w ten sposób znać, że rozumie, jak dużo to dla mnie znaczy.

Siedzieliśmy tak przez parę sekund, po prostu smakując tę chwilę, po czym Stu ścisnął moją rękę. I znowu. I znowu trochę mocniej.

– Leni – powiedział, a w jego głosie słychać było napięcie. Otworzyłam szeroko oczy i przechyliłam głowę w jego stronę.

– Myślę... Myślę... – zaczął niepewnie, z trudem wymawiając słowa.

– Myślę, że mam atak serca.

Ludzie wychodzący tamtego wieczoru ze szpitala w Slough całymi tygodniami lub nawet miesiącami będą wspominali ogromną różową limuzynę zajeżdżającą z piskiem opon przed oddział ratunkowy. Mimo iż plotki, że limuzyna ta wiezie otępiałą Amy Winehouse okazały się zupełnie nieuzasadnione.

Parę sekund oszalałej histerii przy biurku (ja) zmotywowało dwie pielęgniarki, lekarza i sanitariusza do ruszenia z wózkiem do samochodu, gdzie pacjent (Stu) leżał na tylnym siedzeniu, obficie się pocąc, z trudem oddychając i coraz bardziej szarzejąc. Działając w milczeniu, szybko i sprawnie położyli go na noszach, założyli mu na twarz maskę tlenową, po czym ręcznie napompowali dmuchany worek, jaki wielokrotnie widziałam w niezawodnych rękach doktora Luki w *Ostrym dyżurze*.

Wzięłam Stu za rękę, kiedy wózek pędził po chodniku, i biegłam obok, przez drzwi, wzdłuż rzędów czekających ludzi, do szpitala, cały czas usiłując zmierzyć się z bolesną prawdą: mój najlepszy przyjaciel ma atak serca.

Nad drzwiami, przez które właśnie się przepchaliśmy, paliła się czerwona lampka, a za nimi zatrzymała mnie potężna pielęgniarka o srogiej twarzy, usiłując rozłączyć moją rękę z ręką Stu.

– Przepraszam, musimy się nim zająć, nie możesz dalej iść.

– Ale ja nie mogę go zostawić!

Spojrzałam rozpaczliwie na twarz Stu, na której malowało się śmiertelne przerażenie, wzmocnione dodatkowo przez chrapliwe, utrudnione próby złapania oddechu.

– Proszę, błagam pozwólcie mi z nim zostać, błagam pozwólcie mi zostać...

– Przykro mi – odpowiedziała, zagradzając mi drogę ręką, co jasno pokazało, że gdybym chciała przejść, musiałabym stoczyć z nią walkę na śmierć i życie.

Cholera! Chwiejnym krokiem wróciłam do poczekalni, nie zwracając uwagi na skupione na mnie oczy wszystkich, i usiadłam między starszą panią z zabandażowaną nogą, obok której stała klatka z papużką, a nastoletnim skinheadem w dresie firmy Kappa, przyciskającym do czoła przesiąknięty krwią opatrunek.

Z oczu trysnęły mi łzy. To nie mogło się wydarzyć. Nie mogło. Stu ma dopiero dwadzieścia osiem lat, jest najbardziej wysportowanym facetem, jakiego znam, i w dodatku jest wściekłym hipochondrykiem. Nie przypuszczam, żeby kiedykolwiek poważnie chorował. Dobrze się odżywia, ćwiczy, unika zanieczyszczeń. Jest jedyną osobą, jaką znam, mającą specjalną maszynę co dwie godziny oczyszczającą powietrze w mieszkaniu. Stu nie może być chory. Oczywiście ma stresy ale... Dotarła do mnie cała ironia tej sytuacji. A jeżeli stres ze zmartwienia, że zachoruje sprawił, że zachorował? Och, ci, którzy kontrolują nasz los, są totalnymi popaprańcami, jeśli dopuścili do czegoś takiego...

Trzęsąc się, zadzwoniłam do Trish.

– Tu nie wolno rozmawiać przez telefon – powiedziała pani z ptakiem, wskazując znak na ścianie z telefonem przekreślonym czerwonym krzyżem.

Gdyby była jakaś równość we wszechświecie, powinien się tu natychmiast pojawić ogromny plakat z przekreśloną papugą.

Popędziłam do drzwi, wypadłam na dwór i znów próbowałam zadzwonić do Trish. Automatyczna sekretarka. Cholera, cholera, cholera. Zostawiłam wiadomość, w której, jestem pewna, użyłam kilkanaście razy słowa „cholera".

Po powrocie do środka uznałam, że chodzenie tam i z powrotem przynosi ulgę. No już. No już. Dlaczego nic mi nie mówią? Co mu jest? Czy on się boi? Czy on... Niemożliwe, żeby umarł. On nie może umrzeć. Lepiej, żeby Stu, do cholery jasnej, mi teraz tutaj nie umierał, bo go zabiję.

Nie powinno nas tu być. To jakaś pomyłka. Ostatnio byłam tutaj po moim wypadku na wysokich obcasach podczas absurdalnej pierwszej randki, a Stu przyjechał po mnie, siejąc panikę, niepokój i antybakteryjny spray. A teraz... On musi wyzdrowieć!

Trzy godziny później kobieta z ptakiem dawno poszła, skinhead też, i prawie wszyscy ludzie siedzący w poczekalni zostali zastąpieni przez innych połamanych i pokrwawionych. A ja stałam w stuporze oparta o automat z napojami.

– Leni Lomond?

Nie byłam zaskoczona, że głos wydał mi się znajomy. Już wcześniej przeszło mi przez myśl, że jest duże prawdopodobieństwo, iż pielęgniarz Dave będzie miał dyżur. To znowu ci pieprzeni spece od losu.

– Możesz teraz wejść.

Dlaczego? Dlaczego mogę teraz wejść? Czy wszystko z nim w porządku? Czy stan Stu jest stabilny? Czy on...

Nie spojrzałam nawet na pielęgniarza Dave'a, wpatrzona w drzwi, które przede mną otworzył.

– Jest tutaj.

Pokazał mi część sali oddzieloną zasłoną. Kiedy tam weszłam, z piersi wyrwał mi się szloch i zasłoniłam usta ręką. Na łóżku leżał Stu – blady, z zamkniętymi oczami, zupełnie spokojny... zupełnie mar...

– Możesz go obudzić, ale lepiej zostawić go w spokoju i pozwolić mu naładować akumulatory. Przerażenie może człowieka bardzo wyczerpać.

Pielęgniarza Dave'a zastąpiła teraz lekarka mówiąca ze wschodnioeuropejskim akcentem, o urodzie dziewczyny ze szkoły średniej.

– Doctor Gratz – przedstawiła się.

– Leni – odpowiedziałam.

– Jesteś jego...

– Przyjaciółką. Czy on z tego wyjdzie?

– Jego stan jest stabilny, ale chcemy go zatrzymać na noc na obserwację i zrobić jutro kolejne badania. Analizując dotychczasowe wyniki badań, prawdopodobnie nie był to atak serca, ale musimy się upewnić. Możesz z nim zostać pięć minut, a jutro przyjdź po piętnastej. Do tego czasu powinniśmy wiedzieć coś więcej.

Wyszła, prawdopodobnie żeby odrobić zadanie domowe, zalogować się na Facebooku lub kupić pierwszy biustonosz.

Stu wyglądał tak bezbronnie, że najchętniej położyłabym się koło niego i nie opuszczała do czasu, aż wyzdrowieje. Musi wyzdrowieć – ponieważ jest Stu i jest bardzo ważny i nic nie może nam go odebrać. Ścisnęło mi się gardło i ręce mi drżały, kiedy gładziłam delikatnie jego idealne czoło i policzki. To mój Stu i wyzdrowieje.

Musi wyzdrowieć.

34
Wielki Wybuch

W taksówce włączyłam komórkę, która zaczęła tak wibrować, że o mało nie wypadła mi z ręki.

Sprawdziłam pocztę głosową: sześć nowych wiadomości. Byłam pewna, że wszystkie są od Trish.

Oddzwoniłam, sygnał nie zdążył nawet zabrzmieć, kiedy Trish ryknęła:

– Do jasnej cholery, CO SIĘ DZIEJE?! Czy ze Stu wszystko w porządku?! Dlaczego, do kurwy nędzy, nie powiedziałaś, gdzie jesteście?! Obdzwoniłam wszystkie pieprzone szpitale w Londynie i nigdzie go nie było!

– Nie powiedziałam, gdzie jesteśmy?

Kurde, nic dziwnego, że się wkurzyła.

– Przepraszam, kiedy do ciebie dzwoniłam, nieźle świrowałam. Jest w szpitalu Slough General. Gdy tylko wyszliśmy z domu, Stu źle się poczuł i wtedy...

Znowu potężny szloch ścisnął mi gardło i zanim odzyskałam głos, Trish wrzasnęła:

– Co? Co? CO? CO SIĘ STAŁO?!

Szlochając, urywanymi zdaniami, zaczęłam opowiadać Trish o wszystkim, co działo się przez ostatnie cztery godziny. Doszłam właśnie do momentu, kiedy dotarliśmy na oddział ratunkowy, gdy Trish zaczęła błagać:

– Leni, kochanie, przestań płakać, nic z tego nie rozumiem.

Wyjęłam z torebki wielki kawał szpitalnego papieru toaletowego i tak gwałtownie wysmarkałam nos, że taksówkarzowi podskoczył na głowie tupecik.

Już spokojniejsza, opowiadałam dalej, pod koniec każdego zdania słysząc niecierpliwe: „I co dalej?". Dojeżdżając do domu, mówiłam właśnie o tym, że lekarka w wieku pokwitania kazała mi przyjść do szpitala następnego dnia.

– Kurwa – westchnęła Trish wyczerpana. – Chcesz, żebym przyjechała do ciebie na noc?

– Dzięki, Trish, ale wydajesz się równie wykończona jak ja. Przyjedź jutro i pójdziemy razem do szpitala. Nie mam numeru telefonu mamy Stu, a chyba powinniśmy ją zawiadomić.

– Spytamy go jutro o numer, a tymczasem spróbuję złapać Verity. Skoczę jutro do biura, bo mamy na pewno jej numer w naszej bazie danych.

– Dzięki, Trish.

Podjechaliśmy pod dom, a myśl, że mam wrócić do pustego mieszkania, z którego zaledwie parę godzin temu wyszłam razem ze Stu, mnie przerażała. Może powinnam była jednak poprosić Trish, żeby przyjechała? Nie, to byłoby zbyt egoistyczne – zajęłoby jej to przynajmniej godzinę, to szaleństwo ciągnąć ją w nocy przez całe miasto, i gdyby ktoś ją po drodze napadł, nigdy bym sobie tego nie wybaczyła. Boże, Stu jest w szpitalu zaledwie od paru godzin, a ja już przejęłam jego irracjonalne i chorobliwe obawy.

Weszłam po schodach, wlokąc się noga za nogą, a kiedy dotarłam przed drzwi, zajrzałam przez wizjer do mojej sąsiadki.

– Pani Naismith, jest pani tam? – spytałam szeptem.

Wypowiadałam ostatnie słowo, kiedy drzwi gwałtownie się otworzyły.

– Leni, kochanie, wyglądasz okropnie. Wszystko w porządku?

Powoli pokręciłam głową.

– Czy mogę dzisiaj przespać się u pani na kanapie?

O nic więcej nie pytała.

– Oczywiście, że możesz, kochanie, wchodź, zaraz nastawię wodę na herbatę.

Ale sen nie był mi pisany.

Po około godzinie pani N. tak się rozkręciła, że kiedy zauważyła, iż u mnie może być krucho ze spaniem, zaproponowała uroczo, żeby pooglądać razem *Indianę Jonesa*. Grzecznie odmówiłam i wysłałam ją do łóżka

Do świtu patrzyłam w sufit przy świetle delikatnego światła płynącego z lampy lava, cztery godziny w zupełnej ciszy i (oprócz poruszających się w górę i w dół kulek wosku) w bezruchu.

Zaledwie kilka miesięcy temu Trish, Stu i ja weszliśmy w nowy rok z optymizmem, entuzjazmem i nadzieją na zmiany. Teraz Stu leży w szpitalu, moja kariera legła w gruzach i nie znaleźliśmy szczęścia, na które tak bardzo liczyliśmy. Mamy tylko siebie, przyjaciół.

Z nastaniem świtu poprawił mi się nastrój, ponieważ mimo ciemności pewne sprawy się dla mnie rozjaśniły. Wiedziałam już, co muszę zrobić, i nadszedł czas, żebym przestała być biernym obserwatorem i podjęła działania konieczne do uporządkowania mojego życia. Jeżeli czegoś się nauczyłam, pracując u Zary, to tego, że niczego nie można zostawić losowi, ponieważ wtedy wszystko wali ci się w gruzy.

Wstałam o szóstej rano i najciszej, jak mogłam, przemknęłam do mojego mieszkania. Wzięłam szybki prysznic, wskoczyłam w dżinsy, kremowy sweter z szenili (o dwa rozmiary za duży i drugi w kolejności po piżamie w kratę najwygodniejszy z moich ciuchów), wygodne stare półbuty i wskoczyłam do samochodu. Nigdy nie jeżdżę do centrum Londynu samochodem, ale miałam nadzieję, że w niedzielę rano moja nerwowa jazda nie spowoduje karambolu na drodze M4. Trochę ponad pół godziny później otwierałam drzwi biura kluczami, które Zara dała mi na wypadek sytuacji awaryjnej. Było jasne, że nie ufano mi na tyle, żebym mogła otwierać i zamykać biuro na co dzień, ale gdyby biuro stanęło w płomieniach, byłoby w porządku, gdybym ich użyła i zajęła się wszystkim, i nie zwracając uwagi na ostrzeżenia służb ratowniczych, rzuciła się do ratowania bezcennej kolekcji czaszek afrykańskich mangust.

Nie przejmując się zupełnie tym, że robię coś nielegalnego, i że w każdej chwili może nadjechać policja, wbiegłam pędem na górę, do biura, i włączyłam komputer. Wydrukowałam parę plików, na których mi zależało, napisałam krótki raport i najłatwiejszy list w moim życiu:

Droga Zaro!

Z żalem muszę Cię poinformować, że postanowiłam zakończyć pracę w Twojej firmie, ponieważ mam wrażenie, iż ostatnie wydarzenia uniemożliwiają naszą dalszą współpracę. Nie będę już dla Ciebie pracowała, ale mam poczucie, że nasza umowa gwarantuje, że w takiej sytuacji moja pensja za ten okres zostanie mi wypłacona w pełnej kwocie. Jeżeli nie, nie zawaham się walczyć o swoje prawa w inny sposób

Z poważaniem,

Leni Lomond

PS: W załączniku raport z randki z Baranem. Robota wykonana. Bonus oczekiwany.

Wyrwało mi się sarkastyczne „ta-da!", kiedy wyjmowałam list z drukarki i dumnie kroczyłam w kierunku biurka Zary. Położyłam list na samym środku, tak żeby nie mogła go nie zauważyć.

Właśnie miałam wyjść, kiedy spostrzegłam, że listy ułożone przeze mnie w piątek w zgrabną stertę są teraz rozrzucone po całej podłodze po lewej stronie biurka Zary. Szlag by trafił, musiały spaść. Zły duch, który był w wyraźnie nieciekawym humorze, podpowiadał mi: „Zostaw to. Po prostu to zostaw". Co mnie to obchodzi? Niech jej wysokość podkasa swoją celtycką suknię ślubną i na kolanach to pozbiera.

Ale niestety konformistyczny anioł, na czworaka, układał koperty w zgrabną kupkę.

Jeszcze tylko jedna szara koperta i będę mogła sobie odejść z podniesioną głową w nowy etap życia, mądrzejszy, szczęśliwszy zaplanowany i wyłącznie pod moją kontrolą. Boże, dopomóż mi.

Przynajmniej nie będę musiała spędzić ani jednego dnia w tym potwornie nieprzewidywalnym, potwornie skorumpowanym, dusznym świecie Zary.

Wydawnictwo Lessington.

Pozbierałam wszystko, położyłam na biurku i wstałam.

Wydawnictwo Lessington.

Nie, nie mogę tego zlekceważyć. Lessington to wydawnictwo, które wydaje książkę Zary. Wiedziałam, że umowy i wszystkie sprawy dotyczące finansów były wysyłane wprost do księgowego, więc skoro przysłali dużą szarą kopertę, musi być w niej coś, co dotyczy książki. Okładka? Szata graficzna? Bardzo uporządkowany i zorganizowany anioł nie chciał wiedzieć, ale maleńki diabełek postanowił, że, cholera jasna, i tak odchodzę, więc to nie będzie znowu takie niegrzeczne rozerwać kopertę.

Wyjęłam ze środka plik papierów. Był za gruby jak na projekt okładki, więc musi to być projekt całej szaty graficznej. Odwróciłam papiery i to był...

Chwileczkę. Ściągnęłam brwi, próbując cokolwiek zrozumieć.

Na pierwszej stronie widniał indeks wszystkich znaków zodiaku z różnymi nagłówkami i podtytułami takimi jak: *Pierwsza randka*, *Potajemne spotkanie*, *Zmienię twoje życie* i *Daj temu spokój*, ale przebiegając wzrokiem kolejne strony, stwierdziłam cztery rzeczy:

1. Dotyczy to tylko sześciu znaków zodiaku.
2. To robocza wersja pierwszej połowy książki.
3. Przedstawiono opisy przypadków, które były identyczne, słowo w słowo, z moimi raportami z randek.
4. Część analityczna w niczym nie przypominała tego, co czytałam w piątek.

Zdałam sobie sprawę, że poziom tego tekstu jest o lata świetlne odległy od wyjątkowo wnikliwej, pięknej prozy, na którą natknęłam się dwa dni temu i zostawiłam ją... Omiotłam wzrokiem biurko. Ani śladu. Uklękłam i szukałam pod konarami, uważając, żeby nie zahaczyć moim ulubionym swetrem o splątane gałęzie. Ani śladu. Stałam zakłopotana z pustymi rękami. Byłam pewna, że to tutaj zostawiłam. Z całą pewnością. Jedyne wytłumaczenie jest takie, że Conn albo Zara byli tutaj i to wzięli. Może Zara chciała nad tym popracować przez weekend? A jeśli chodzi o różnicę między tamtą wersją a tą...

I nagle do mnie dotarło. Może to, co teraz czytam, to konspekt książki, połączenie raportów z randek i rozdziałów sklecone przez kogoś w wydawnictwie jako przykład, jaki książka ma mieć kształt. To ma sens. To musi być szkic prezentujący wyobrażenie o tym, jak będzie wyglądała wersja ostateczna. A treść zostanie uzupełniona przez Zarę po przeanalizowaniu mojego ostatniego raportu na temat Byka.

Była w tym pewna logika, ale tak naprawdę nie bardzo się na tym znam. Najbliżej spraw wydawniczych byłam, gdy w deszczowy weekend pochłaniałam romanse.

Tak w ogóle to po co mam, jak powiedziałaby Zara, zaprzątać tym sobie przestrzeń mózgową? Moja głowa jest wystarczająco pełna, dziękuję bardzo, martwienia się o Stu, postanowień, i planów na przyszłość.

Schowałam wszystko do koperty i odłożyłam ją na stertę, zeszłam po schodach i wyszłam z biura po raz ostatni. Nie zdawałam sobie sprawy, że zaledwie kilka godzin później moja przestrzeń mózgowa wypełni się najczystszą, autentyczną paniką.

35
Gwiezdna centrala

Na moim zegarku była jedenasta, ale mój wewnętrzny zegar wskazywał, że jest jakieś cztery godziny później. To już jest jeden z najdłuższych dni w moim życiu, a zanim będę mogła wrócić do szpitala, muszę jakoś zabić jeszcze cztery godziny. Wnętrze mojego policzka było poranione i krwawiło z powodu nerwowego przygryzania, gdy mój nastrój wahał się gwałtownie pomiędzy „ wszystko będzie w porządku", a „będę wstanie w ogóle tam iść". Wszystko będzie w porządku. Wszystko będzie w porządku.

O jedenastej zero pięć zjechałam z autostrady M4 w kierunku domu. O jedenastej dziesięć zatrzymałam się na stacji benzynowej, żeby zatankować. O jedenastej jedenaście, bezmyślnie czekając, aż bak się napełni, przypomniałam sobie nagle – ja pieprzę, ja pieprzę, ja pieprzę – że przecież w południe mam randkę i lunch z Jonem. Kiedy skończyłam tankować, wygrzebałam z torebki telefon. Jedenasta czternaście: mogę jeszcze odwołać randkę i jestem pewna, że w związku z zaistniałą sytuacją Jon nie będzie miał do mnie żalu. Postanowiłam do niego zadzwonić, gdy tylko... Cholera, gdzie jest mój telefon? O jedenastej piętnaście przebiegłam w myślach historię moich ostatnich połączeń telefonicznych: poprzedniego wieczoru w taksówce rozmawiałam z Trish, potem weszłam po schodach, ciągle z komórką w ręku, u pani Naismith położyłam torebkę i telefon na podłodze i w nocy w którymś momencie wyłączyłam komórkę, ponieważ bałam się, że pikanie z powodu wyładowującej się baterii i obudzi panią N. A potem wzięłam torebkę i wyszłam na paluszkach.

O jedenastej szesnaście dotarło do mnie, że telefon wciąż leży na podłodze obok kanapy pani Naismith. Uświadomiłam sobie również, że jestem pięć minut od pubu, w którym mam spotkać się z Jonem za mniej więcej czterdzieści cztery minuty. Nie ma sensu wracać do domu po telefon i dzwonić do Jona, ponieważ najprawdopodobniej jest już w drodze, więc właściwie nie mam innego wyjścia, jak tylko iść na umówiony lunch.

Z jednej strony, ostatnią rzeczą, na którą miałam ochotę, kiedy mój najlepszy przyjaciel leży w szpitalu, to iść na randkę. A z drugiej, dzięki temu może szybciej minie mi czas do piętnastej, kiedy wreszcie będę mogła pójść do szpitala i zobaczyć Stu.

O jedenastej osiemnaście, płacąc za benzynę, przebiegłam wzrokiem rządek gazet na stojaku i po kilku nanosekundach – szok. Pełny szok.

DELTO PORNO, KIM JEST AKTOR, KTÓREGO MASZ NA SOBIE? – krzyczał nagłówek.

Wrzasnęłam. Złapałam pierwszy z brzegu egzemplarz „Daily Globe" i jęknęłam na widok zdjęcia na pół strony: czarno-białe, zrobione przez szybę samochodu, ziarniste, ale mimo to wyraźnie było na nim widać Zarę, nagą, klęczącą, przyciśniętą do odchylonego przedniego siedzenia z białej skóry, z rozrzuconymi nogami i rękami. Stephen Knight, jeden z najlepiej opłacanych aktorów filmowych, przywierał do jej pleców w oczywistej pozycji seksualnej rodem z podręcznika *Jak się robi szczenięta.* I sądząc po ekstazie malującej się na twarzy Zary, Azor Knight robił to, jak należy.

O. Mój. Boże. Jak to możliwe?

Jak to się stało? Na Planecie Zara musi być dzisiaj prawdziwe trzęsienie ziemi, i nie mam wątpliwości, że dochodzi w tej chwili do dziesięciu w skali Richtera. Powinnam do niej pójść. Ona potrzebuje pomocy, potrzebuje uspokojenia, ona... eee, potrzebuje nowej asystentki, ponieważ ja już dla niej nie pracuję. Przypomniałam sobie rozmowę telefoniczną z Connem i utwierdziłam się w przekonaniu, że podjęłam słuszną decyzję.

Delta Porno będzie musiała sama się z tym uporać.

Siedząc w pubie, aroganckiej postawy wystarczyło mi na mniej więcej połowę artykułu. Coś jest nie tak. Są tu nie tylko fakty: rozpusta (wyuzdany seks w miejscach publicznych), dewiacje (sugestie na temat wymieniania się partnerami i seksu grupowego) i podłość (zrobiono im fotki, jak wchodzą do budynku, o którym wiadomo, że to luksusowy burdel). Ale nie brakowało też insynuacji, aluzji i bezczelnego wypominania faktu, że Stephen Knight ma słabość do narkotyków. Wszystko to aż wrzeszczało z pierwszej strony. Zara to celebrytka klasy średniej – były już precedensy, że brytyjska klasa średnia przymykała oczy na skandale seksualne (dzięki Camilli Parker-Bowles), ale trzeba być Kate Moss albo Petem Dohertym, żeby kariera nie straciła impetu, pomimo udowodnionego zamiłowania do narkotyków.

Kończyłam czytać artykuł, kiedy jedno ze zdań mnie zmroziło.

Mimo że Zara jest bardzo zajęta, znajduje czas na reklamowanie swojej mającej się wkrótce ukazać książki Wszystko jest w gwiazdach, *będącej poradnikiem dla par opartym na systemie znaków zodiaku. Zaniepokojenie budzą pogłoski dotyczące autentyczności książki i przypuszczenia, iż badania zostały sfabrykowane, tak jak plotki, że Zara w dalszym ciągu zachęca do zgłaszania kandydatur na randki poprzez swoją stronę internetową i na numer telefoniczny nawet po tym, jak badania zostały już zakończone. Może gdyby Zara nie była aż tak zajęta, znalazłaby czas, żeby do nas zadzwonić i przepowiedzieć, co wyniknie z tej historii?*

– Hej, Gwiezdna Panienko, co u ciebie? – usłyszałam akurat w momencie, gdy zaczynała ogarniać mnie panika.

Jon popatrzył na moje trzęsące się ręce, a potem na moją twarz, na której malował się szok.

– Przykro mi, Jon, ale chyba nigdy nie było gorzej.

❧

– Dobrze, ale jak to możliwe? Skąd oni to wiedzieli? Zara i Knight? Sfabrykowane badania? – powtórzyłam mniej więcej po raz czterdziesty, i Jon mniej więcej po raz czterdziesty bezradnie pokręcił głową.

Był taki kochany. Zrzucił skórzaną kurtkę w kolorze ciemnego karmelu (gdybym nie była oślepiona strachem i zakłopotaniem, zauważyłabym, jak dobrze wygląda z kremowym podkoszulkiem i spranymi dżinsami) usiadł przy stole, gdzie piliśmy kawę przed lunchem, i słuchał mojej opowieści o tym, jak Stu znalazł się w szpitalu i o jego stanie. Ze spokojem i pewnością siebie, co najbardziej mnie w nim pociągało, Jon wziął mnie za rękę i zapewnił, że Stu wyzdrowieje. Tak, mówił różne banały, („Stu jest w dobrych rękach, doktorzy wiedzą, co robią" itd., itd.) ale jego intencje były dobre i doceniałam to, że się starał.

Kiedy podano przystawkę, rozmowa zeszła na sensację z gazety, co sprawiło, że mój niepokój wzrósł do poziomu kosmicznego, a Jon wysłuchał kilkunastu okrzyków: „Jak to się stało?", „Skąd oni to wiedzieli?", i ze stanu totalnej paniki sprowadził mnie do stanu głębokiego przerażenia, słuchając mnie, troszcząc się i mówiąc uspokajające rzeczy. Miał nawet na tyle przyzwoitości, żeby śmiać się, niezbyt głośno, kiedy opowiedziałam mu wszystkie szczegóły wyczynów Zary z Knightem, łącznie z historią sukni ślubnej wciśniętej w majtki. Potem nastąpiło jeszcze kilka kolejnych wersji: „Jak to się stało?" i „Skąd oni to wiedzieli?".

Przy daniu głównym, ledwo skubniętym przeze mnie penne arabiata i jego steku, skupiłam się nad wersem o fabrykowaniu badań i zachęcaniu do zgłaszania się na randki „po sprawie". Druga sprawa dotyczyła tylko Zary – to, co robiła ostatnio na żywo w telewizji śniadaniowej, było dla mnie sporym zaskoczeniem. Nie dało się jednak zaprzeczyć, że te pierwsze oskarżenia miały pewien związek ze mną. Tak, rzeczywiście w kwestii badań zataiłam co nieco i teraz arrabiata, którą w siebie wmusiłam, przewracała mi się w brzuchu za każdym razem, kiedy zaczynałam zdawać sobie sprawę z czekających mnie konsekwencji. Jest już trochę za późno, żeby mnie zwolnić, ale czy mogę... czy mogę być oskarżona o oszustwo? Cholera jasna, skończę w więzieniu i to wszystko przez tę pieprzoną gazetę.

Jak? Skąd oni to wiedzieli? Bez końca powtarzałam w myślach to zdanie, pogrążając się w coraz większej frustracji. Tylko dwie osoby wiedziały o moich pokrętnych manipulacjach związanych z randką z pielęgniarzem Dave'em, Benem i Stu – Trish i Stu – a tych dwoje nigdy, przenigdy, nawet na torturach, by mnie nie wydało.

Chyba... O kurcze, czy Stu wypaplał coś w salonie? Czy jego pasja do powtarzania ploteczek zaślepiła go i mimowolnie wygadał coś niewłaściwej osobie? Albo może niechcący powiedział to Verity podczas długiego weekendu w łóżku (bo przecież oprócz seksu coś trzeba robić), a ona powiedziała o tym ekipie stylistów, nudzących się pomiędzy ujęciami w czasie sesji zdjęciowej.

Albo może to Trish była niedyskretna i wypaplała coś swoim kolegom z *Cudownego Poranka TV!*? A Goldie to podsłuchała i wykorzystała te informacje, żeby zmieszać z błotem swoją nemezis?

Jak to się stało? Skąd oni to wiedzieli?

Byliśmy przy kawie, ja przy latte, której o mało nie wylałam na stół, kiedy Jon zaskoczył mnie, biorąc mnie za rękę i szepcząc: „Lubię cię".

Nagle wyszła na jaw jego wada: jego zdrowie psychiczne jest pod znakiem zapytania.

– Żartujesz sobie ze mnie? Jon, kiedy się spotkaliśmy, odbyłam szereg randek z innymi facetami, a teraz szlocham przez dwie i pół godziny, racząc cię aferą, co popchnęłoby każdego rozsądnie myślącego faceta do starania się o emigrację. Moja osoba mogłaby podwoić zaludnienie w niektórych małych krajach.

– No tak, lubię cię. I jeżeli się zgodzisz, pójdę z tobą do domu, żeby być blisko, gdybyś mnie potrzebowała przez parę godzin, które zostały ci do pójścia do szpitala. Nie wiadomo, jakie mogą być efekty tych historii.

– Naprawdę?

O cholera, zaczyna działać moja nadwrażliwość na miłe traktowanie. Prawie udawało mi się jakoś trzymać, ale teraz, kiedy on jest taki miły i troskliwy, zaistniała groźba, że moje kanaliki łzowe zaczną szaleć.

– Oczywiście.

Wyciągnął rękę, odgarnął włosy z mojej twarzy i wytarł samotną łzę, która zdążyła wyrwać się na wolność.

Jeżeli Jon chciał iść ze mną na randkę po tym wszystkim, to musi być szalony. Obłąkany. Stuknięty.

– Pójdę tylko zapłacić i zaraz wracam.

– Zaczekaj! Pozwól, że się dołożę – zaprotestowałam, nurkując pod stół w poszukiwaniu torebki, ale było za późno, bo Jon już odszedł.

Wyprostowanie się powinno być prostym manewrem, ale dla kobiety, której główną cechą jest niezdarność, było to trochę bardziej skomplikowane i zakończyło się walnięciem głową w stół, wielkim „auuć"i wywróceniem krzesła. Przyzwoitość nakazała ludziom przy sąsiednich stolikach nie śmiać się ze mnie jawnie. Zażenowana, próbowałam podnieść krzesło, ale skórzana kurtka Jona tak je obciążała, że nie mogłam tego zrobić jedną ręką. Z promienną twarzą podniosłam krzesło obiema rękami i już miałam na nim usiąść, gdy zdałam sobie sprawę, że na coś nadepnęłam. Tasiemka! Była do niej przyczepiona biała wizytówka. Przepustka? W pobliżu jest kilka siedzib wielkich firm, więc może ktoś ją zostawił po wieczornej popijawie po pracy.

Na jednej stronie był jakiś standardowy tekst, więc ją odwróciłam.

Moją uwagę przykuły dwa słowa napisane tłustym drukiem, wielkimi czerwonymi literami: LEGITYMACJA PRASOWA. Obok było zdjęcie, znajoma twarz, która wyraźnie się ze mnie naśmiewała, odwzajemniając moje spojrzenie. W końcu przeczytałam dwie kolejne linijki.

„Daily Globe"
Ed Belmont – reporter

36
Kosmiczna eksplozja

Pędziłam po schodach, przeskakując po dwa stopnie naraz, żeby jak najszybciej znaleźć się w mieszkaniu i wreszcie wyryczeć, nie ryzykując, że rozbiję samochód, albo że z mojego powodu przechodnie będą zmuszeni wezwać policję.

Ed. Kłamał nawet w sprawie swojego imienia.

– Czy wrzuciłeś stek w koszty? – spytałam groźnie, mijając go w drodze do wyjścia. Z powodu burzy emocji mój głos obniżył się o kilka tonów, przez co mówiłam jak filmowa morderczyni.

Dość szybko wyciągnęłam z niego całą historię, popędziłam na parking, starłam się z nim obok mojego nissana micry, zagroziłam, że wezwę policję i oskarżę o naruszenie nietykalności.

– Nie naruszyłem żadnej nietykalności! – krzyczał, zastępując mi drogę do samochodu.

– Nie, ale naruszysz, kiedy skopię ci jaja! – wrzasnęłam.

– Pozwól mi wytłumaczyć, Leni, proszę!

– Nie!

– Tak!

– Nie!

– Tak!

Miałabym szansę wygrać tę potyczkę, gdybym zebrała siły i odciągnęła tego dorosłego mężczyzny od drzwi mojego małego żółtego samochodu.

Niestety musiałam poznać prawdę według Eda Belmonta, kłamliwego sukinsyna i reportera „Daily Globe".

– Od miesięcy krążyliśmy wokół Zary Delty, pewni, że jest oszustką. Nasi ludzie chodzili do niej po wróżby, przez jakiś czas ją śledziliśmy, infiltrowaliśmy jej firmę, wprowadzając tam naszego człowieka, ale potem ta osoba odeszła i znaleźliśmy się w punkcie wyjścia.

– Poprzedni asystent?

– Przykro mi, ale nie mogę powiedzieć.

– Nagle odkryłeś, co to jest prawość?! – wypaliłam.

Starsze małżeństwa zmierzały po niedzielnym lunchu do samochodów i obserwując scenę rozgrywającą się na parkingu, z pewnością narzekały pod nosem na nieefektywność walki z chuligaństwem.

– Dobra, to był poprzedni asystent! Potem ty zajęłaś jego miejsce i mieliśmy zamiar z tobą rozmawiać, ale potem zaczęła się ta historia z randkami i nie mogliśmy przepuścić takiej okazji... Setki facetów wysyłały setki zgłoszeń, a ja zostałem wybrany.

Mój gniew zaczął zamieniać się w ślepą furię.

– Odejdź od mojego samochodu – syknęłam.

– Posłuchaj, Leni...

– Jak śmiesz mówić do mnie po imieniu! Prawie cię nie znam! Znam faceta, który nazywa się Jon Belmont...

– To mój brat – przerwał mi.

– Który jest maklerem giełdowym!

– Tak, to mój brat.

– Który pisał do mnie urocze liściki...

– To też mój brat je wysyłał, ale tylko dlatego, że przechodziły przez jego komputer.

– Liściki, które, jak teraz się okazuje, służyły tylko zdobywaniu plotek. Ty. Wstrętny. Kutasie. I myślę, że siostra, o której mówiłeś, nie istnieje, nieprawdaż?

Pokręcił głową, kiedy zdałam sobie sprawę, że coraz więcej rzeczy mi tu nie pasuje.

– Dlaczego chciałeś poczekać, aż skończę randki i dopiero wtedy znowu się ze mną spotkać? Myślę, że chciałeś wycisnąć tak dużo, jak się da.

– To byłoby zbyt niebezpieczne i mógłbym zostać złapany. Bezpieczniej było uzyskiwać informacje za pomocą e-maili.

– Ale przecież nigdy nie mówiłam ci o Zarze i Knightcie. Skąd się o tym dowiedziałeś?

Jon był zdesperowany, ale zaczynał być też znużony.

– Wspomniałaś w jednym e-maili, że Zara wymyka się z jakimś wziętym aktorem. Nasz ogon w ciągu paru dni dostarczył zdjęcia. Przykro mi, Leni.

– Przykro ci, że to zrobiłeś, czy przykro ci, że zostałeś przyłapany?

Miał przynajmniej tyle przyzwoitości, że wolał pominąć to pytanie milczeniem niż kłamać.

– Odejdź od samochodu – powtórzyłam.

– Posłuchaj, Leni, możemy sytuację odwrócić tak, żebyśmy obydwoje coś z tego mieli. Ta historia jest według mnie kapitalna...

Zamurowało mnie. A może ma rację? Może nie powinnam zważać na to, że mnie wykorzystał, okłamał, wplątał – chociaż na razie nie ujawnił mojego nazwiska – w oszustwo. Może mogłabym wycofać moją rezygnację, wrócić do pracy u Zary i przekazywać informacje o wszystkich smakowitych skandalach i wszelkich podejrzeniach Edowi/Jonowi. Oczywiście za małym wynagrodzeniem.

Może mogłabym to wszystko robić i może powinnam.

Jednak w ciągu kilku następnych sekund mojego życia ta opcja została wykluczona. Ed/Jon nawet nie zauważył zbliżającej się pięści, kiedy po raz pierwszy w życiu walnęłam dorosłego mężczyznę w twarz i patrzyłam, jak ląduje na ziemi niczym rażony gromem.

Przeszłam nad nim i otwierając drzwi samochodu, walnęłam go nimi w tył głowy, wskoczyłam do środka i przekręciłam kluczyk w stacyjce. Zanim zamknęłam drzwi, spojrzałam na obraz nędzy i rozpaczy jakim był teraz Jon.

– Wiesz, szkoda, że nie spotkałam twojego brata. Myślę, że bym go polubiła.

Kiedy odjeżdżałam, przyszło mi do głowy jedno posępne życzenie: mam nadzieję, że ktoś potnie mu tę jego skórzaną kurtkę.

Adrenalina, wściekłość i desperacja gnały mnie po schodach aż do drzwi, które w proteście kopnęłam, ponieważ nie mogłam trzęsącymi się rękami trafić kluczem do zamka.

Pani Naismith otworzyła gwałtownie drzwi swojego mieszkania.

– Leni, kochanie, to twój telefon, zostawiłaś go pod kanapą, o mało nie skończył w odkurzaczu.

– Dzięki. Wpadnę do pani później.

Chciałam już być u siebie. Nie mogłam mówić, nie mogłam myśleć, nie mogłam funkcjonować. Chciałam być sama, żeby spróbować zrozumieć, co się stało.

– Dobrze, kochanie, ale masz gościa.

Otworzyła szerzej drzwi i stanęła z boku, żeby kogoś przepuścić.

– Leni – powiedziała mokra od łez, zmięta twarz. – Wywalili mnie z pracy!

Nie było łatwo znaleźć natychmiastową odpowiedź na coś takiego. Chyba że jest się panią Naismith.

– Millie, kochanie – powiedziała do wysokiej szlochającej kobiety stojącej obok niej. – Idź do Leni i opowiedz jej o wszystkim. Ja tymczasem nastawię wodę i przyjdę za dziesięć minut.

Tym razem udało mi się włożyć klucz do zamka, Millie weszła za mną i rozpoczęła wyjaśnianie swojej kłopotliwej sytuacji od pytania:

– Czy znalazłaś jakieś papiery w recepcji w piątek i położyłaś je na biurku Zary?

Przytaknęłam. O co chodzi? Czy wyrzucono ją za otwarcie koperty? Czy za to, że wcześniej nie położyła jej na biurku Zary? Jeżeli o to chodzi, to ma pewną wygraną w sądzie.

– Rozdziały jej książki – wyjaśniłam, a w odpowiedzi Millie zaczęła gwałtownie kręcić głową.

– One nie były Zary, one były moje! Ja to napisałam!

Tak, w każdej chwili mógłby tu stanąć w drzwiach Matt Damon wraz z Johnnym Deppem i stoczyć bój pośród moich mebli z Ikea o to, kto zasłużył, żeby pojechać ze mną na egzotyczną wyspę na dwa tygodnie ostrego ciupciania. I to byłby mniej surrealistyczny scenariusz niż ten, według którego toczyło się teraz moje życie.

Opowiedziała nam całą historię. Okazało się, że Millie de Prix pochodzi ze znanego rodu jasnowidzów de Prix, ale jest pierwszą, która kontynuuje tradycję, ponieważ uzyskała stopień naukowy w dziedzinie astrologii w nadziei, że wykorzysta swój dar w połączeniu z tradycyjną astrologią. Usunęła swoje wykształcenie z CV, żeby nie wyglądało, iż jest za bardzo wykwalifikowana, jak na pracę recepcjonistki w biurze Zary, a miała nadzieję, że dzięki tej pracy zdobędzie doświadczenie i wiedzę o branży wróżbiarskiej. Po roku zamierzała zrezygnować i rozpocząć karierę, kiedy do pracy przyszłam ja i zostałam włączona w eksperyment randkowy. Była przekonana, że ten projekt będzie wielkim testem jej umiejętności. I tak było. Sądząc po tym, co przeczytałam w piątek, udowodniła, że jest naprawdę uzdolniona.

Natomiast Zara...

– Leni, ona jest oszustką. Zbiera informacje o ludziach, wie, co powie, zanim się z nimi spotka, odwala zadanie domowe, używa subiektywnego języka... To wszystko pic na wodę. Nawet ta książka o randkach... jestem pewna, że to wszystko to jeden wielki przekręt: reklamowała randki, żeby zainteresować publikę, mieć darmową reklamę, i zamierzała zgarnąć mnóstwo zamówień z przedsprzedaży. Potem wydałaby książkę pięknie wyglądającą, ale niezawierającą żadnej treści, a ludzie i tak by ją kupowali, ponieważ na okładce byłaby Zara Delta, a poza tym desperacko szukają miłości. Zwyczajnie grała na wrażliwości ludzi i wykorzystywała ich emocje. Stanowczo stwierdzam, że Zara nie ma żadnego talentu – oczywiście oprócz talentu do robienia pieniędzy.

To jasne jak słońce. Millie ma rację we wszystkim: dla Zary to nic innego, jak skok na kasę, a ja byłam tylko narzędziem. Nawet moje raporty były wykorzystywane niemal dosłownie, żeby zapełnić parę stron w książce. Gdyby to nie było takie przygnębiające, byłoby nawet sprytne.

– Więc co się stało, że cię zwolniła?

Millie wzruszyła ramionami.

– Pojawiła się w drzwiach zeszłego wieczoru, perorując, bredząc, szalejąc, machając mi przed oczami moimi tekstami, oskarżając mnie o sabotowanie jej kariery i próbę podważenia jej autorytetu przez kradzież jej pomysłów i pisanie własnej wersji tekstu.

– Wybacz, Millie, to wszystko moja wina. Zobaczyłam kopertę w twoim biurze w piątek, przeczytałam i pomyślałam, że to korespondencja, i dlatego położyłam ją na biurku Zary. Ale dzisiaj rano...

Opowiedziałam jej o odkryciu innego tekstu. Wszystko to zaczynało nabierać potwornego sensu. Różnica między tekstem, na który natknęłam się w piątek, a tekstem znajdującym się w kopercie, którą otworzyłam, nie wynikała z tego, że jeden został stworzony przez wydawcę. Wynikało z tego, że jeden z nich to poronione dzieło Zary.

Rozległo się głośne pukanie do drzwi. To pewnie pani Naismith używała tacy z herbatą jako tarana. Zdenerwowana rozmową z Millie otworzyłam drzwi, ale zamiast emerytki z herbatą i kruchymi gruboziarnistymi ciasteczkami wpadli Zara i Conn. Raczej Conn wpadł, a Zara wkroczyła posuwistym krokiem w złotym kaftanie tak długim, że zakrywał jej stopy, co sprawiało wrażenie, jakby wjechała na deskorolce.

– Leni, dzięki Bogu, nic ci nie jest – wyskoczył Conn, co, muszę dodać, zabrzmiało bardzo przekonująco. – Właśnie znaleźliśmy twój list i natychmiast przyjechaliśmy. Dlaczego rezygnujesz?

– Zrezygnowałaś? – zdziwiła się Millie.

– Zrezygnowałam – potwierdziłam.

– Ale dlaczego? – spytała Millie.

– Ponieważ tych dwoje nie ma żadnych skrupułów ani zasad moralnych.

– Leni! – krzyknął Conn z nieźle udawanym niedowierzaniem.

– Proszę cię, nie wciskaj mi kitu. Słyszałam twoją rozmowę z Cholerną Jackie Onassis...

W tym momencie Zara zerwała z nosa ogromne ciemne okulary, ukazując czerwone spuchnięte oczy. Nieźle.

– ... o tym, jak masz sprawić, żebym była grzeczna, i pozwól, że ci teraz, słońce, powiem, iż jestem więcej warta niż weekend w Marbelli!

Nie miał nawet na tyle przyzwoitości, żeby się chociaż trochę zawstydzić.

– Chciał cię zabrać do Marbelli? – spytała Millie skonsternowana.

Uch!

– Nie. Zdali sobie sprawę, że grunt usuwa im się spod nóg po historii z dilerem, więc Zara wysłała tego najemnego kutasa, aby sprawił, żebym ich nie zaskarżyła.

– Ty pokrętna suko – syknęła Millie do Zary.

– Nie waż się tak do mnie mówić – odpyskneła Zara. – Chciałaś się na chama wepchać w moją działalność, a teraz, kiedy cię zwolniłam, popędziłaś do prasy i sprzedałaś historie o mnie! Jak tyś to zrobiła? Skąd miałaś zdjęcia? Czy od dawna zamierzałaś zniszczyć moją reputację, żeby zająć moje miejsce?

– Tak naprawdę to byłam ja.

Zapadła cisza i trzy pary oczu zwróciły się w moją stronę.

– Ale ja nie sypnęłam. Jeden z randkowiczów był podstawionym dziennikarzem. Od lat próbowali cię przyłapać. – Postanowiłam pominąć drobną kwestię mojego mimowolnego udziału. – Ale gdybyś sprawdzała tych facetów przed wysłaniem bezbronnej młodej kobiety na randki z nimi, wiedziałabyś o tym, więc tak naprawdę to sama się wrobiłaś. To musi być ekstra uczucie. A teraz wynoś się z mojego domu. Nie wracam do pracy, ponieważ obydwoje jesteście kłamliwymi oszustami. Millie nie wraca do pracy, bo komuś z jej talentem nie zależy na tym, żeby przebywać w jednym budynku z takimi oszustami jak wy, i obie oczekujemy pełnej pensji i referencji, a jeśli nie, to prasa dowie się o narkotykach, o złym traktowaniu pracowników i cokolwiek uda nam się z Millie zmyślić.

Tak! Przestraszona, znerwicowana, starająca się wszystkim dogodzić Leni, nareszcie się przełamała i z ogromną przyjemnością (i tylko odrobiną przerażenia) mówiła to, co myśli.

– Nie myśl, że uda ci się mnie załatwić, panienko – wycedziła Zara. – Nikt nie będzie zainteresowany informacjami od kogoś, kto sprzeniewierzył firmowe pieniądze.

Napięcie w powietrzu byłoby w stanie zasilić pół Londynu. Wtedy Millie zapytała, raz po raz zerkając to na mnie, to na Zarę:

– Jakie pieniądze?

Zara wyciągnęła jakieś papiery z torby Gucci Positano i rzuciła nimi we mnie.

– Brak adresu, fałszywe numery telefonów – wiemy, że to o tych sfabrykowanych randkach pisała prasa, i wiemy, że było ich więcej, i że sto funtów wynagrodzenia za każdą randkę zostało wypłacone. Coś ty zrobiła, Leni? Poprosiłaś tych swoich kolesi, żeby mówili, iż byli z tobą na randce, żeby mieć forsę na kolejną parę tanich butów?

Byłam oburzona! Jakoś mogłam znieść oskarżenia o kradzież, ale moje buty nie są tanie! Mam paragon z eBaya.

Ruszyłam po torebkę, którą zostawiłam koło drzwi, starając się nie patrzeć na zdjęcie Bena na dokumencie, którym Zara we mnie przed chwilą rzuciła. To cholernie dla niego typowe – pojawia się, kiedy nie mam na to najmniejszej ochoty. Pukanie do drzwi rozległo się, gdy do nich podeszłam, więc otworzyłam, wpuszczając panią Naismith z całą baterią słodyczy. Kiedy zobaczyła Zarę i Conna, stanęła jak wryta.

– Co ta krowa tutaj robi? – warknęła.

– Niech się pani nie martwi radzimy sobie – uspokoiłam ją.

Wyjąwszy z torebki teczkę, którą przyniosłam z biura, poczułam się mocniejsza, zdolna kontrolować sytuację i chociaż raz pewna siebie. Równie dobrze mogłam położyć rękę na biodrze, wysunąć żuchwę i zuchwale kręcić głową w stylu Mary J. Blige.

Teraz moja kolej na wymachiwanie dokumentami: trzy e-maile, każdy od innej organizacji charytatywnej, potwierdzający wpłatę stu funtów przez Zarę Deltę. Mogę być niezdarna, mogę nie mieć umiejętności oceniania ludzi, mogę dokonywać koszmarnych wyborów – ale ja, Leni Lomond, czasem jednak ogarniam sytuację. Zdałam sobie sprawę, kiedy sfabrykowałam raport z randki z Pielęgniarzem Dave'em, że jeżeli pieniądze nie wypłyną z konta Zary, ona ze swoją obsesją na punkcie kasy to zauważy, więc po fałszywych randkach z Dave'em i Benem, a przed randką ze Stu, wysłałam pieniądze na zbożny cel. Co dziwne, Państwowy Związek Popieprzonych Jasnowidzów nie był jednym z nich. Wydrukowałam te potwierdzenia w biurze tamtego ranka, jako rodzaj malutkiej polisy ubezpieczeniowej na wypadek takiego jak teraz scenariusza. Czy jest coś złego w tym, że niezłomne bronienie swojej pozycji w tym całym bagnie dostarcza mi małego dreszczyku emocji?

– Oskarżaj mnie, o co tylko chcesz, a ja powiem, że te randki były zaplanowane za twoją wiedzą, a ty z dobrego pieprzonego serca wysłałaś forsę na cele charytatywne. Nie możesz mi niczego udowodnić.

Myślałam, że Zara eksploduje. Jej złoty kaftan jakby się napompował, a furia sprawiała, że była jeszcze bardziej żywiołowa i wybuchowa niż zwykle.

– Ty mała, przebiegła suko! – wrzasnęła.

– NIE WAŻ SIĘ ODZYWAĆ DO NIEJ W TEN SPOSÓB – rozległ się głos pani Betty Naismith, lat 74, mieszkanki pogranicza Slough i Windsoru, posiadaczki żółtego pasa Tae Kwon Do, która dumnie stanęła przed obliczem najsławniejszej w kraju ekspertki od zjawisk paranormalnych z zamiarem załatwienia jej za pomocą śmiercionośnej paczki gruboziarnistych ciasteczek.

Conn wszedł między nie z uniesionymi rękami, próbując wszystkich uspokoić:

– Hej, hej, hej, spokojnie, odetchnijmy wszyscy głęboko. Mamo, uspokój się na chwilę i zobaczmy, czy da się rozwiązać ten problem. Leni, jesteśmy gotowi zapomnieć o nieporozumieniach i zgodzimy się na twoje wymagania co do zapłaty i referencji dla was obu, jeżeli wy odejdziecie bez obwiniania nas.

Z gardła Zary wydobył się dziwny dźwięk, jakby ktoś dusił kota. Conn odpowiedział jej gniewnym spojrzeniem.

Powinnam to odebrać jako zwycięstwo. Bo to było zwycięstwo. Ale nowa ja, ta, która ostatnio została opętana przez Mary J. Blige, nagle zapragnęła czegoś więcej.

– Czy wciąż masz zamiar wydać książkę?

– Oczywiście – prychnęła Zara z nutą niedowierzania.

– A więc raczej nie. Idę do prasy.

– Nie możesz! Zobowiązałaś się do dyskrecji, podpisując umowę!

Millie dołączyła w walce do Mary J.

– Mój chłopak jest prawnikiem i mówi, że ten papier nie jest nic wart: nie ma świadków, nie jest urzędowy, a my możemy oświadczyć, że nasze podpisy są podrobione. O, i życzę szczęścia, gdy będzie miał ochotę wystąpić przeciwko wam – jest jednym z najlepszych prawników w Londynie.

O ja cię, Millie to prawdziwy czarny koń – pierwszy raz słyszę o jej chłopaku.

Sukę Deltę i jej szatański pomiot na chwilę zatkało, co pozwoliło mi wykorzystać nowo nabyte umiejętności i taktyki negocjacyjne.

– A więc nasze żądania się zmieniły. Żądamy pensji za sześć miesięcy, wspaniałych referencji i żeby ta książka nigdy nie ujrzała światła dziennego. A teraz wynocha z mojego domu i nigdy, przenigdy tu nie przychodźcie.

– Nie możesz! – odezwała się Zara, wciąż przejawiająca wolę walki.

Ale na szczęście w otwartych drzwiach stanęła nowa przeciwniczka. Cholera jasna, populacja mojego małego królestwa szwedzkich mebli wzrastała z każdą minutą.

– Coś mi się wydaje, że Leni poprosiła cię, żebyś wyszła – powiedziała Trish lodowato. – I gdybym była na twoim miejscu, zrobiłabym to natychmiast... albo przysięgam na głowę Lorraine Kelly, że Goldie udzieli wywiadu, w którym opowie o przerażającej chwili, kiedy przyłapała Stephena Knighta wciągającego koks wprost z twojej cipy za sofą w *Cudownym Poranku TV!*

Kiedy wychodzili, nie słychać było nawet skrzypnięcia drzwi.

37
Zapisane w gwiazdach

Była piętnasta trzydzieści, Trish pojechała na lotnisko po Verity, która, dowiedziawszy się o stanie Stu, porzuciła plan zdjęciowy i złapała pierwszy samolot do Londynu. Od pół godziny czekałam w szpitalnej recepcji i wciąż nikt mnie o niczym nie informował. Trzęsłam się jak Zara w jej kosmicznej wibrującej kuli, i mimo iż zadbałam o higienę osobistą, pod moimi pachami pojawiły się plamy potu, kiedy krążyłam po korytarzu, powtarzając w duszy modlitwę: „Boże spraw, żeby wyzdrowiał, Boże spraw, żeby wyzdrowiał, Boże spraw, żeby wyzdrowiał...".

– Ty jesteś Leni, prawda? – usłyszałam głos nastoletniej lekarki, która na pewno opuściła trening cheerleaderek, żeby tu przyjść.

Przeprowadziła mnie przez dwuskrzydłowe drzwi i zatrzymała się przed drzwiami na końcu korytarza. Dlaczego tu? Czy to miejsce, w którym przekazują złe wiadomości? Czy przenieśli go na oddział? Do innego szpitala? Albo do... Nie, nawet o tym nie myśl. On nie umarł. Wszystko z nim jest w porządku, wyjdzie z tego. Wszystko z nim w porządku. Wszystko?

– Ze Stuartem wszystko będzie dobrze. Przeprowadziliśmy wszechstronne badania i jesteśmy prawie pewni, że był to bardzo ciężki atak paniki, który nasilił się z powodu wirusa grypy. Prawdopodobny scenariusz był taki, że wirus spowodował skurcz mięśni klatki piersiowej, a to wywołało atak paniki, i połączenie tych dwóch symptomów doprowadziło do ataku serca.

To zabrzmiało, jakby chodziło o scenę z kabaretu: „Hej, jestem twoją aortą i dziś was zabawię...".

Gdzieś w głębi trzewi poczułam nagły przypływ euforii, uwalniający mnie od ciągłego ściskania w gardle. Stu nie umarł, miał tylko ostry napad „symulowania".

– Dzięki, pani doktor, bardzo dziękuję. Przepraszam, że zajęłam pani czas, po prostu wpadłam w panikę.

– Nie ma za co. Biorąc pod uwagę jego historię, bardzo dobrze, że tak szybko go pani tutaj przywiozła. Właśnie przygotowujemy wypis i będzie go pani mogła zabrać do domu. Jest już ubrany i czeka na panią.

Otworzyła drzwi małego pokoju, zaprosiła mnie gestem ręki do środka, a sama poszła w swoją stronę.

Stu leżał na łóżku, miał nastroszone, nieuczesane włosy, twarz bladą i wychudłą, zaczerwienione i zapuchnięte oczy, ale mimo to nie przypominam sobie, żeby kiedykolwiek wyglądał cudowniej.

– Hej – wychrypiał. – Przepraszam, że przepadło nam przedstawienie.

– I tak wiem, jakie jest zakończenie. Ale niewykluczone, że będziesz musiał ze mną przerobić co nieco z tamtej choreografii, szczególnie moje skoki i to, jak mnie łapiesz.

Jego śmiech przerodził się w potężny atak kaszlu.

– Jesteś w doskonałej formie – powiedziałam, a moje dwie wielkie łzy kapnęły na jego koszulę za pięćset funtów.

– Wiem, przepraszam, że cię przestraszyłem.

– Tak, przestraszyłeś mnie – wyszeptałam. – Ale czuję teraz tak wielką ulgę, że wszystko jest w porządku, Stu. Kocham cię.

– Ja też cię kocham – odpowiedział, po raz pierwszy się uśmiechając.

– Naprawdę?

Skinął głową.

– Dobra. Więc może mi powiesz, co ta dwunastoletnia lekarka miała na myśli, mówiąc o „twojej historii"!?

– Syndrom nagłej śmierci dorosłych.

Nigdy wcześniej nie widziałam na jego twarzy takiej rozpaczy i nie słyszałam w jego głosie tak nieskrywanego i dojmującego bólu.

Był wczesny wieczór, a my byliśmy już w mieszkaniu Stu. Trish i Verity przyjechały zaraz po nas i teraz siedziałyśmy wszystkie, zasłuchane, rozpraszane troszkę przez to, że Verity miała na sobie niestandardowy dla większości ludzi uniform na leniwe niedzielne popołudnie: różowy obcisły top bez ramiączek wyszywany cekinami, białe skórzane spodnie i platformy wielkości mojego samochodu.

– Mój tata na to umarł, kiedy miałem dziesięć lat.

Trish wybałuszyła oczy, ja też. Wiedziałyśmy, że matka Stu wychowywała go sama, ale nie pamiętałam, żeby kiedykolwiek wspominał o swoim tacie. Mówił tylko, że „nie ma go na zdjęciu".

– Rodzice byli w separacji, a kiedy tata umarł, bardzo to przeżyłem i wariowałem, bo nikt mi nie powiedział dlaczego to się stało. Najpewniej od tego zaczęła się moja hipochondria, chociaż z początku tego nie rozumiałem. Michael Jackson nosił maseczkę na twarzy i spał w namiocie tlenowym, więc nie uważałem, że kompulsywne unikanie zarazków jest czymś dziwacznym.

Kiedy tego słuchałam, pękało mi serce. Zawsze śmiałyśmy się i żartowałyśmy z dziwactw Stu, a teraz okazuje się, że ich przyczyną była tragedia.

– Pamiętacie, jak któregoś razu wziąłem trochę wolnego, kiedy byliśmy w college'u?

Trish i ja przytaknęłyśmy, wzdychając.

– Historia się powtarza. Brat mojego ojca także umarł, i znów bez żadnych objawów, bez żadnego wytłumaczenia – w papierach napisano po prostu: „syndrom nagłej śmierci dorosłych". Nie było mnie parę tygodni, ponieważ mój lekarz zalecił mi badania w kierunku chorób dziedzicznych.

– Myślałam, że wygrałeś kasę, odkryłeś uroki narkotyków i seksu i udałeś się na trwający miesiąc maraton rozkoszy erotycznych ze swoją ukochaną z dzieciństwa! – wykrzyknęła Trish.

– Powinienem był wam wtedy powiedzieć – odrzekł Stu z przepraszającym, ale szelmowskim uśmiechem. – Ale czy nie stałem się przez to bardziej tajemniczy i interesujący?

– Nie na tyle, żebym miała się z tobą przespać – odpysknęła Trish.

– No tak, zawsze są dobre strony kiepskiej sytuacji.

Na szczęście problemy ze zdrowiem nie pozbawiły go refleksu i zdołał uchylić się przed poduszką, którą rzuciła w niego Trish.

– Wtedy dostałem pieniądze i kupiłem salon. Brat mojego ojca handlował złomem, nie miał dzieci i grał na giełdzie. Zostawił mi pięćset tysięcy funtów.

– Cholera, w sumie to mogłabym się z tobą przespać – sapnęła Trish.

Starałam się nie krzyknąć głośno. A więc to stąd te pieniądze! I to takie mnóstwo!

– Zostawił mi też w spadku strach, że będę następny. Lekarze twierdzili, że nic mi nie dolega, zrobili wszystkie badania i jestem zdrowy, ale myślę, że to tkwi w podświadomości.

– To zrozumiałe, Stu – odezwałam się słabym głosem, potwornie smutna, że nie wiedziałam i nie mogłam mu pomóc w tamtym strasznym dla niego czasie.

– Czy spałabyś z nim, gdybyś wiedziała, że jest nadziany? – spytała niewinnie Trish, doprowadzając nas wszystkie do śmiechu.

– Eee, wybacz, czy mogę zwrócić uwagę, że mówisz o moim chłopaku, i byłabym ci wdzięczna, gdybyś swoje niebezinteresowne seksualne pragnienia zachowała dla siebie.

Verity śmiała się, ale cóż, miała rację. Stu to jej chłopak. A chłopaka czy dziewczynę najczęściej odbijają przyjaciele. Najbardziej ze wszystkiego chciałabym przytulać się z nim na kanapie i być przy nim przez całą noc (i byłoby to działanie w ogóle niespowodowane wiadomością o jego przypływie gotówki), ale Trish i ja powinnyśmy wyjść i pozwolić im spędzić trochę czasu razem.

Przed wyjściem pocałowałam go delikatnie w czoło.

– *Dirty Dancing* w przyszłym tygodniu? – spytał.

– Jasne. Umowa stoi.

– Doskonale. W takim razie randka.

– Stu, muszę ci coś obiecać: nigdy, przenigdy nie pójdę więcej na randkę.

❧

Tancerze jeszcze poruszali się w rytm ostatnich wersów *I've Had the Time of My Life*, kiedy pojawiły się napisy końcowe. Nieelegancko pociągnęłam nosem i sięgnęłam po wiaderko, które parę godzin temu było pełne popcornu. Teraz zostało w nim tylko kilka nienadających się do zjedzenia sztuk spośród ziaren, które oparły się kuchence mikrofalowej i tkwiły na dnie miski niczym mali zwycięscy bojownicy.

Kojący film. Kojące jedzenie. I... gul, gul... krzepiące wino.

Na stoliku przede mną stały dwie puste butelki, ale na swoją obronę mogę powiedzieć, że jedną z nich wypiła pani Naismith, która przyłączyła się do mnie, kiedy wróciłam od Stu, zjadłyśmy razem zapiekankę i obejrzałyśmy *Rocky'ego IV*. Poszła spać koło dwudziestej pierwszej, kiedy domagałam się, żeby puścić „dziewczyńskie bzdury". Tak, jeśli Zara zdecydowałaby się na starcie z panią Naismith, zdecydowanie obstawiałabym zwycięstwo tej drugiej.

Notting Hill i Seks w wielkim mieście na DVD leżały w pudełkach przede mną, ale miałam poważne wątpliwości, czy chcę to oglądać. Bawiłam się pilotem, podrzucając go i łapiąc do wiaderka po popcornie. Nie miałam do niczego zapału, byłam znudzona, ale i dziwnie podekscytowana. Co robić? Nie miałam ochoty iść spać, a ponieważ nie musiałam już wstawać rano do pracy, mogłam robić, co tylko chciałam. I to jest właśnie problem: czego ja właściwie chcę?

Znalezienie pracy jest prawdopodobnie na początku listy, chociaż nie ma powodu do paniki, ponieważ Millie i ja będziemy przez następne kilka miesięcy finansowane przez Bank Zara.

Może powinnam wyjechać i zwiedzić świat? Po doświadczeniach ostatnich kilku miesięcy nie bałam się samotnej wyprawy dookoła świata, i to dziwne, ale powinnam Zarze za to podziękować. Mogła mnie stręczyć, myśląc tylko o swoim koncie bankowym, ale każdy aspekt tej sytuacji – wykańczające nerwowo randki aż do ostatecznej rozgrywki – dały mi duży zastrzyk pewności siebie. Jednak gdybym zaczęła podróżować, musiałabym bardzo uważać, żeby nie pomylić seryjnych morderców z prawymi członkami społeczności turystów. Zrobiłam naprawdę zdecydowany postęp w dziedzinie samokrytycyzmu i pewności siebie, ale moja zdolność oceny innych nadal stoi tam, gdzie tkwi moje wyczucie mody i zdolności dizajnerskie. Czyli nisko.

Ale czy kilka miesięcy zwlekania z decyzją przyniesie jakieś rozwiązanie? Co jest ze mną nie tak? Powinnam być uszczęśliwiona, ale zamiast tego czułam się tak, jakby ktoś w samym środku zabawy w chowanego ulotnił się i zupełnie o mnie zapomniał.

Pilot nie trafił do wiaderka i wpadł pod kanapę, a kiedy próbowałam po omacku go stamtąd wyciągnąć natrafiłam na jakiś papier: charakterystyka Bena, którą Zara rzuciła we mnie parę godzin temu.

Tylko nie płacz. Tylko nie płacz. Gul, gul.

Powstrzymałam łzy, ale nie potrafiłam zmiąć tego kawałka papieru i wrzucić go do najbliższego kosza na śmieci. Wodziłam palcem wskazującym wokół jego zdjęcia, dotykając włosów, twarzy, jego uśmiechniętych ust, a moje ruchy były coraz wolniejsze z powodu przygnębienia i dużej ilości wypitego wina.

Po jakimś czasie z psychicznego otumanienia wyrwało mnie pukanie do drzwi. Nie ma wątpliwości, że to pani Naismith w nocnym czepku, zdecydowana interweniować, by uchronić mnie przed „dziewczyńskimi bzdurami", i powrócić do przyzwoitych, podnoszących na duchu dzieł kinematografii, takich jak *Pluton* i *Armageddon*.

– Hej – odezwał się omdlewający cudowny głos, z całą pewnością nienależący do pani Naismith.

– Hej – odpowiedziałam zaskoczona. – Wejdziesz?

Pokręcił głową.

– Najpierw muszę ci coś powiedzieć.

Czy to wino, czy to mój najlepszy przyjaciel stoi w drzwiach i bardzo dziwnie się zachowuje?

– Co?

– Myślę... myślę, że popełniłaś błąd.

Zachichotałam, nie mogłam się powstrzymać.

– Ale kiedy? Zawsze popełniam błędy i zawsze wszystko pieprzę – odpowiedziałam, usiłując złagodzić wesołością prawdę tkwiącą w tym stwierdzeniu.

– To nieprawda. Jesteś piękna, miła, zabawna i jesteś najcudowniejszą kobietą, jaką w życiu spotkałem.

– Naprawdę? Halo? Kiedy wydawało mi się, że opuściłam na dobre wariatkowo, teraz mam wrażenie, że prądy znowu mnie tam znoszą.

Stu skinął głową w zamyśleniu.

– Zeszłej nocy, w szpitalu, jedna z pielęgniarek siedziała przy mnie i rozmawialiśmy, i rozmawialiśmy, i myślę, że już wiem, z kim powinnaś być.

– Wiesz?

– Wiem.

– Z kim?

Dlaczego czuję się jak aktorka, grająca główną rolę w komedii romantycznej, ale nieznająca scenariusza?

– Ze mną.

O rany.

O kurczę.

O rany.

Wybaczcie, ale przez dobrą chwilę nie mogłam wykrztusić nic innego oprócz „o kurczę" i to nie z powodu Stu... to raczej miało związek z mężczyzną, który stał obok niego.

– Pielęgniarz Dave? – wymamrotałam.

Skup się, Leni, skup się i myśl. Starałam się, ale byłam tak zaskoczona, że mogłam wydusić tylko kolejne „o kurczę".

– Pomyliłaś się, Leni, on nie ma dziewczyny. Wszystko mi wczoraj wieczorem opowiedział: to była jego ex, miała do niego jakąś sprawę, a kiedy ty podniosłaś słuchawkę, postanowiła trochę namieszać. Przyrzekam. Zadzwoniłem do niej i sprawdziłem.

– Chyba żartujesz!

Obaj pokręcili głowami, a ich twarze rozjaśnił uśmiech.

– Dlaczego nie powiedziałeś mi tego wcześniej?

– Próbowałem – zapewnił Pielęgniarz Dave – ale nie miałem twojego numeru telefonu i nigdy nie mogłem zastać cię w domu.

Kapitalnie. Pani Naismith jakimś cudem udaje się nie wtrącać w moje życie akurat w tych momentach, które mogą być niesamowicie istotne.

– Więc naprawdę nie masz dziewczyny?

Dave pokręcił energicznie głową.

– I nie masz obsesji na punkcie broni, nie masz aspiracji, żeby grać w zespole muzycznym, nie marzysz, żeby być gwiazdą, nie masz żony, nie jesteś bierny, ani nie jesteś po godzinach dilerem narkotyków?

– Zdecydowanie nie.

Spojrzeliśmy na siebie z uśmiechem, kiedy wstałam i otworzyłam szerzej drzwi.

– No to może lepiej, żebyście weszli.

PROJEKT RANDKOWY *WSZYSTKO JEST W GWIAZDACH* – PODSUMOWANIE

Lew	Harry Henshall	niezdrowa fascynacja komputerową przemocą
Skorpion	Matt Warden	lider zespołu, kłamliwy dupek
Baran	Daniel Jones	bez szans na karierę jako trener asertywności
Koziorożec	Craig Cunningham	terapeuta związków, wzbudza gwałtowną agresję
Bliźnięta	Jon Belmont	dwulicowy fiut z legitymacją dziennikarza
Ryby	pielęgniarz Dave Canning	aktualnie świadczy usługi wykraczające poza podstawowy pakiet narodowego funduszu zdrowia
Wodnik	Colin Bilson-Smythe	prawnik, śmieje się jak robot kuchenny
Rak	Gregory Smith	nieśmiały, uroczy, mężczyzna pod każdym względem, wolący męskie towarzystwo
Waga	Ben Maters	nie znam
Panna	Kurt Cobb/Cabana	wschodząca gwiazda pilnie potrzebująca dobrego stylisty
Strzelec	Gavin West	diler narkotyków odsiadujący obecnie osiem lat
Byk	Stuart Degas	fryzjer, hipochondryk i najlepszy przyjaciel... tylko nie mówcie Trish

E-mail
Do: Trish; Stu
Od: Leni Lomond
Odp: Gdyby ostatnią randkę opisać w formie ogłoszenia towarzyskiego, brzmiałoby mniej więcej tak...

Przepraszam, ale to jest sprawa między mną a moim chłopakiem.

Cudowny Poranek TV! – Nowy Rok

Witajcie ponownie w noworocznym wydaniu *Cudownego Poranka TV!* I jeżeli właśnie teraz włączyliście telewizor, dowiedzcie się, że jest z nami piękna Verity Fox, która opowie nam o swoich zaręczynach z naszym porankowym stylistą fryzur Stuartem Degasem.

W studiu wybuchły gromkie oklaski, a poza kadrem Trish i ja uchyliłyśmy się, kiedy kamera zataczała koło, by uchwycić nieśmiały uśmiech Stu.

– Powiedz mi, Verity, kiedy już wiedziałaś? Kiedy byłaś pewna, że to jest właśnie ten jedyny?

Verity strząsnęła swoje cudowne długie blond pukle z jednego ramienia i błysnęła zębami wartymi dwadzieścia tysięcy funtów w stronę brytyjczyków siedzących właśnie przy śniadaniu.

– Pierwszego wieczoru, kiedy się poznaliśmy.

– Nieee!

– Goldie, przysięgam, że to prawda! To był lodowaty wieczór, a ja miałam na sobie najbajeczniejszą, ale najmniejszą sukienkę, jaką kiedykolwiek widziałaś...

Goldie przytaknęła ze znawstwem.

– ... i kiedy po mnie przyjechał, spytał, czy nie powinnam włożyć czegoś cieplejszego, żeby się nie przeziębić. Pierwszy raz w życiu nowy chłopak poprosił mnie, żebym się ubrała.

Rozległy się okrzyki radości i owacje.

Goldie wzięła Verity za rękę. Po raz drugi tego ranka.

– A wczoraj wieczorem, kiedy wybiła północ, poprosił cię o rękę. Popatrzmy jeszcze raz na pierścionek.

Uniosła rękę Verity z perfekcyjnym manicure'em i błysnęła przed kamerami czterokaratowym, kwadratowym brylantem o szlifie Princess, oprawionym w platynę.

– Nie boisz się, że jej były chłopak wyjdzie z więzienia i skopie ci tyłek? – szepnęła Trish do Stu.

– E tam, mam dość forsy, żeby natychmiast uciec z kraju.

Przed kamerami nadal trwał ckliwy festiwal.

– A więc to na zawsze? – spytała rozczulona Goldie.

– Na zawsze – wyszeptała Verity.

Trish zrobiła minę, jakby miała zaraz zwymiotować, za co dostała od Stu kuksańca.

– Verity, dziekuję ci bardzo, że zechciałaś podzielić się z nami swoją historią – rzekła Goldie, po czym znów zwróciła się do kamery: – Pamiętajcie, że Stuart zostaje z nami i stworzy zupełnie nowy noworoczny look Betty Naismith z Windsoru. Już niebawem, i z trudem udaje mi się powstrzymać podniecenie z tego powodu, spotkamy się z niewiarygodnie utalentowaną, sensacyjną panią astrolog *Cudownego Poranka TV!* Ale najpierw, prosto z jego ostatniego tournée jako support grupy Westlife, zwycięzca brytyjskiej edycji programu *Mam talent*, Kurt Cabana z przebojem *Loving You Is Easy*.

Reżyser skierował kamery na scenę po prawej i Kurt rozpoczął swój występ.

– Pomyśl tylko, że mogłaś być panią Cabana – wyszeptała Trish.

– Dosyć tego! Doskonale jej poszło, prawda, Leni, kochanie? – rozległ się głos za nimi.

Jeden z asystentów producenta przyprowadził na lewą scenę panią Naismith z pokoju dla aktorów, a teraz przemknęła, ubrana w biały płaszcz kąpielowy, z mokrymi włosami, tam, gdzie Stu przygotowywał swoją ekipę do jej metamorfozy.

Jej genialny plan zakładał zmianę wizerunku i zdobycie własnego bohatera rodem z filmów akcji – nawet jeśli jedyną akcją, na jaką aktualnie się zdobywa jest gra w kręgle.

Nowa pani astrolog *Cudownego Poranka TV!*, która miała nieszczęście być równocześnie moją nową szefową, dołączyła do nas i czekała na wejście na wizję.

– Zdenerwowana? – spytałam.

– Przerażona – odpowiedziała Millie.

– Przestań, wiesz, że będziesz wspaniała – dodawała jej otuchy Trish.

– Prawdę mówiąc, masz rację. Myślę, że wszystko pójdzie naprawdę dobrze – przyznała ze znaczącym uśmieszkiem. Nikt w to nie wątpił. W ciągu ostatnich kilku miesięcy wszyscy zdaliśmy sobie sprawę, jak błyskotliwa jest Millie. Nie mogę uwierzyć, że wcześniej tego nie zauważyłam: przepowiadanie lunchów, wybieranie najodpowiedniejszych strojów na moje randki, instynktowna wiedzy, kiedy coś jest dobre, złe albo brzydkie. I czyż nie napisała doskonałej charakterystyki każdego z dwunastu facetów – zauważyła nawet, że Jon miał swoją ciemną stronę na długo przed tym, nim ja go rozgryzłam. Odziedziczony przez nią dar jasnowidzenia w połączeniu z geniuszem w dziedzinie astrologii wyniosły ją na szczyt i była teraz dumną szefową Millie de Prix Inc.

Zara zawsze była niekonkretna i zazdrosna, tak strzegła swojej metodologii. Teraz wiemy dlaczego: była ubraną w kaftan, pieprzącą się z gwiazdorami, wielką, wstrętną oszustką, która wywołała skandal zaczynający się od Stephena Knighta, a kończący na jej przyznaniu się do wstrętnego uzależnienia od seksu, narkotyków i terapii spod znaku New Age. Zara została zmuszona do ujawnienia wszystkiego, w zamian za ugodę z „Daily Globe", w myśl której gazeta zmilczy, że podszywała się pod wróżkę. Tak czy owak, Stephen Knight zwiał do Hollywood, a większość klientów Zary się ulotniła. Ale ona była zadowolona, bo według jej od zawsze powtarzanej mantry, każda reklama oznacza parę tysięcy funtów na koncie. A w związku z plotkami o postępującym uzależnieniu Zary i Conna od kokainy, potrzebny był im każdy pens.

Wydawcy Zary otrzymali jednak rewolucyjny przewodnik randkowy od anonimowego nadawcy (ja!). Wysłałam im rękopis Millie. Nieprawdopodobnie szczegółowy *Zodiakalny przewodnik po miłości*, odrzucał uogólnienia na temat pasujących do siebie znaków, które oferowała Zara, a zamiast tego zawierał indywidualną analizę każdego dnia roku. Książka Millie, która rozeszła się w ponad stu tysiącach egzemplarzy, i lukratywny kontrakt w telewizji zostały wynegocjowane przez...

– Cholera jasna, co to za hałas? Kierownik planu go zabije!

Colin Bilson-Smythe, chłopak Millie i prawnik, który zadzwonił do Delta Inc., próbując mnie wytropić i przeprosić za naszą fatalną randkę, zorientował się, że rozmawia z moją piękną towarzyszką z poprzedniego wieczoru i poprosił ją o spotkanie. Pobrali się przed upływem miesiąca... Widocznie tak było zapisane w gwiazdach. Dziwne, Millie wcale nie przeszkadza jego śmiech brzmiący jak zepsuty mikser.

Dzisiaj, w ramach osobistej przysługi dla swojej osobistej asystentki (czyli dla mnie!), Millie na żywo wróżyła Glendzie Smith, która właśnie w tej chwili dusiła Goldie w niedźwiedzim uścisku, mając nadzieję, że dostanie jakiś znak od swojej najukochańszej zmarłej matki – tej, która zmarła dwa lata temu podczas wyścigów konnych w Aintree. Syn Glendy, Gregory, i jego „specjalny przyjaciel" Alex oglądali program w pokoju przygotowań. Glenda potrzebowała trochę czasu, żeby oswoić się z tą sytuacją, ale kiedy Alex przestał być kibicem Arsenalu i stał się kibicem Chelsea, było jej zdecydowanie łatwiej.

– To jakie są twoje noworoczne postanowienia na ten rok? – szepnęła Trish. – Grey prosił, żeby ci przypomnieć, iż unikanie rozniecania ognia powinno być jednym z nich.

Zaśmiałam się cicho, ani trochę nie naśladując odgłosu kuchennych utensyliów.

Po tym, jak parę miesięcy temu nieumyślnie podpaliłam ogrodową szopę, trzy kosze na śmieci na kółkach, dwie deskorolki i słupek do kosza, które były we wspólnym ogródku naszego apartamentowca, Grey palnął mi parę kazań. Kto mógł przewidzieć, że niefortunna kombinacja ogniska rozpalonego w myśl zasad opisanych w poradniku oraz wiatru wiejącego od zachodu spowoduje takie szkody?

Tyle o niekontrolowanym ogniu. Poza tym nie zamierzam podejmować żadnych postanowień noworocznych. To byłaby prawdziwa zachłanność po tym, jak udało mi się osiągnąć dużo więcej, niż miałam nadzieję osiągnąć kiedykolwiek, wygłaszając te na wpół pijackie deklaracje zaledwie dwanaście miesięcy temu. W końcu pozbyłam się z mojego życia Bena, w końcu znalazłam nową wspaniałą pracę, którą kocham, w końcu wyrosłam z różnych lęków i braku pewności siebie, i w końcu zdałam sobie sprawę, że moja zdolność oceny ludzi nie jest tak zupełnie beznadziejna – czyż nie zakochałam się w pielęgniarzu Dave od pierwszego wejrzenia?

O, i jestem też popularną gwiazdą YouTube, dzięki pewnym nagraniom wideo z mojego niesprawiedliwego aresztowania w trakcie nalotu na londyńskich dilerów narkotykowych. Na szczęście nikt nie pokazał tego jeszcze mojej babci. W tym roku życzyłabym sobie spokojnego i wolnego od dramatycznych momentów życia – nie dlatego, że wróciłam do moich starych cech charakteru, bycia przewidywalną i stateczną, ale dlatego, że jestem naprawdę szczęśliwa. Wszyscy jesteśmy.

– Szczęśliwego Nowego Roku, Leni!

Czyjeś ręce objęły mnie od tyłu, opasując moją talię i mocno mnie ściskając.

– Pachniesz szpitalem – zamruczałam słodko do Pielęgniarza Dave'a, który, jak obiecał, przyszedł prosto po nocnym dyżurze.

Trish znowu zrobiła minę, jakby chciało jej się wymiotować.

Zlekceważyłam ją.

Podeszła do mnie Millie i powiedziała łagodnie, uważając, żeby nie zdenerwować wykończonego kierownika planu:

– Po programie mogę przepowiedzieć ci przyszłość, Leni. Czy chcesz wiedzieć, co ci się przydarzy w tym roku?

Zastanawiałam się głęboko i długo nad tą propozycją... przez całe półtorej sekundy.

– Nie, dzięki, Millie, myślę, że poczekam i pozwolę gwiazdom mnie zaskoczyć.

KONIEC

Jest minuta po północy, wypiłaś kilka kieliszków wina i już przysięgasz, że będziesz się zdrowiej odżywiała i wydawała mniej pieniędzy na buty. Ale rano nagle masz ochotę na pełne angielskie śniadanie, a potem nie możesz sobie odmówić wyprawy do centrum handlowego.

Dowiedz się, jakie jest prawdopodobieństwo, że dotrzymasz postanowień noworocznych, odpowiadając na poniższe pytania.

1. Kiedy zaczynasz myśleć o noworocznych postanowieniach?

a) Z wybiciem północy, zwykle między dwoma kieliszkami martini.
b) Poprzedniego dnia, kiedy Tarmararia de Glutenfreebia z twojego biura zaczyna lamentować, jakie to **strasznie trudne** utrzymać rozmiar S, kiedy **co** wieczór jest się zapraszanym na kolację.
c) Przynajmniej dwa miesiące wcześniej. Poza tym masz przecież mnóstwo rzeczy, które powinnaś w sobie zmienić i konieczne będzie przygotowanie tabelki w Excelu, żeby niczego nie przeoczyć. Będzie to wymagało planowania i robienia **wielu** list.

2. Przykład typowego postanowienia to:

a) Powinnam wreszcie odpowiedzieć na wiadomość głosową mamy z zeszłego tygodnia.
b) **Muszę** schudnąć 30 kilo, przestać pić, nigdy więcej nie obgryzać paznokci i stać się perfekcyjną boginią, wzbudzającą zazdrość w pracy i wśród przyjaciół.
c) Znowu pobiegnę w maratonie, ale tym razem dziesięć minut szybciej niż poprzednio. Dostanę awans. **Znowu**.

3. Kiedy wspominasz przyjaciołom o swoich noworocznych postanowieniach na ogół reakcją jest:

a) Milczenie. Może chichot/kaszel.
b) Pełne współczucia uściski i uśmiechy, ponieważ wszyscy pamiętają, jak skończyło się zeszłoroczne postanowienie: **„znaleźć cudownego chłopaka i zaręczyć się..."**.
c) Seria poważnych skinięć głową. Oni też zdecydowali się ogolić głowy na rzecz ugandyjskich sierot, a także wjechać rowerem na szkocki szczyt Ben Nevis.

4. Według ciebie sylwester to:

a) Wkładanie błyszczących rajtek, upijanie się i wystylizowanie się na kociaka. W powyższej kolejności.
b) Okazja, żeby się zmienić i stać się osobą, jaką zawsze chciałaś być: uroczą i niedostępną i ze zrobionym manicurem.
c) Stawianie sobie zadań i wymaganie od siebie maksimum. Nic nie daje większej satysfakcji niż osiąganie celu. Jeżeli ktoś coś osiągnął, ty zrobisz to lepiej.

5. Ujemne strony postanowień to:

a) Rano wszyscy pytają, jakie były twoje postanowienia. Ty **oczywiście** nie pamiętasz, ale jakie to ma znaczenie? To, co **ma** znaczenie, to to, gdzie zostawiłaś swoje koturny Louboutina.
b) Poczucie klęski, kiedy następnego dnia jakimś dziwnym trafem zjadasz całe czekoladowe ciastko.
c) Konieczność wymyślania co roku czegoś ciekawszego i mądrzejszego, żeby zadziwić przyjaciół i kolegów.

Jeżeli odpowiedziałaś:

NAJWIĘCEJ A – Masz, delikatnie mówiąc, dosyć obojętny stosunek do postanowień noworocznych, uważasz, że są głównie dla zdeterminowanych lub nieszczęśliwych. Twoje długoterminowe plany ograniczają się do zastanawiania się, dokąd by tu pójść w piątek wieczorem i czy włożenie topu bez ramiączek do minispódniczki łamie zasadę, „że pokazujemy albo nogi, albo dekolt". Mimo że fajnie jest żyć chwilą i nie czujesz potrzeby, żeby cokolwiek zmieniać, powinnaś poważnie pomyśleć o przyszłości i zastanowić się, kim chcesz być za rok.

Zalecenie: Zrób listę celów. Zacznij od małych. Na przykład: „Jutro przyjdę do pracy punktualnie". Albo: „Zrealizuję wreszcie mój bon podarunkowy sprzed pół roku".

NAJWIĘCEJ B – Dosyć tego! Nadszedł czas, żeby przestać udawać kogoś, kim zdecydowanie nie jesteś. Pomyśl, kiedy ostatni raz, patrząc na siebie w majtkach, pomyślałaś, że wyglądasz całkiem dobrze? Jesteś dziewczyną, która twierdzi, że nie może kupować więcej worków na śmieci, ponieważ wydała całą pensję na portfel Mulberry.

Zalecenie: Usiądź i zrób listę. Nie jedną z tych, którą zawsze gubisz, a i tak nie postępujesz według niej, ale rozsądną, na przykład: przypominać sobie, że jestem boginią godną zazdrości.

NAJWIĘCEJ C – Działasz jak robot albo cierpisz na dobrze skrywany brak poczucia własnej wartości. Cele, które osiągasz, naprawdę robią wrażenie, a większość krajów rozwijających się powinno podziękować ci za nowe pompy wodne, ale jest parę pytań, które powinnaś sobie zadać, dotyczących wiecznego współzawodnictwa między tobą a wszystkimi innymi. Dlaczego wszystko traktujesz jak wyścig? Czy dobrze robisz, podejmując te wszystkie wyzwania? I co najważniejsze, czy jesteś **naprawdę** szczęśliwa, osiągając cele?

Zalecenie: Przez jeden dzień spróbuj być niezorganizowana. To oznacza wstawanie nie wcześniej niż dwadzieścia minut przed pracą, zostawienie komórki w domu i nie robienie żadnych list. Notabene: to nie jest wyzwanie.

Wielkie podziękowania dla znakomitej Sheili Crowley za to, że jest najbardziej inspirującą i entuzjastyczną agentką, o jakiej marzy każdy pisarz. Wielkie dzięki także dla całego zespołu wydawnictwa Avon: Maxine Hitchcock, Keshini Naidoo, Sammii Rafique i Sarze Foster za wspaniałe wsparcie podczas pracy nad książką.

Serdeczne uściski dla Gemmy Low, która jeszcze się mnie nie wyrzekła, mimo iż to bardzo stresujące, kiedy twoja macocha pisze o sprawach seksu.

Jak zawsze Sadie Hill, Rosina Hill, Liz Murphy, Paul i Beccy Murphy i Anne Marie Low są nie tylko rodziną, ale i wielkimi przyjaciółmi.

I w końcu, jeżeli to prawda, że najwięksi przyjaciele to ci, którzy potrafią sprawić, że będziesz się śmiała, mimo że wszystko bezceremonialnie się pieprzy (no dobrze, przyznaję, że mogłam wymyślić to określenie), to moi są naprawdę cudowni: Carmen Reid, Lennox Morrison, Janice McCallum, Linda Lowery, Wendy Morton, Pamela McBurnie, Sylvia Lavizani, Mitch Murphy, Gillian Armstrong, Frankie Plater i Jan Johnston.

Wydawca poleca:

Z tobą lub bez ciebie

Kiedy Jake mówi, że coś się popsuło, Lyssa domyśla się, że nie chodzi mu o toster. Nie wie jednak o jego romansie z inną kobietą. Lyssa zdaje sobie sprawę, że szlochanie w poduszkę i czekanie, aż Jake wróci z podkulonym ogonem, nic nie da. Postanawia więc wyruszyć na trekking do Nepalu. Siostra żartuje, że Lyssa pozna tam włochatego pasterza jaków, nikt się jednak nie spodziewa – a najmniej sama zainteresowana – że u stóp Himalajów znajdzie miłość.

Gdy nadchodzi czas powrotu do domu, do zimnego Londynu i skruszonego Jake'a. Lyssa musi podjąć najtrudniejszą decyzję w życiu.

To zabawna i mądra opowieść o każdej z nas.

Klub niewiernych żon

„Klub niewiernych żon" jest błyskotliwą, a zarazem przezabawną książką, która ukazuje kulisy życia zamożnych i gotowych na wszystko mieszkanek Los Angeles.

Tak dobre jak „Gotowe na wszystko" i „Seks w wielkim mieście"! Czytałem i nie mogłem przestać!

Artur Szklarczyk *Olivia*

Historia o tym, jak smakuje zdrada i jak dużo przyjemności daje zemsta. I jak marnie kończą ci, którzy kiepsko zaczęli. Wszystko opowiedziane lekko, zabawnie i z dystansem.

Aldona Sosnowska-Szczuka *Joy*

Żony na pokaz

Haley bezpowrotnie utraciła pozycję księżniczki Los Angeles, kiedy jej mąż, producent filmowy, znalazł do tej roli młodszą kobietę.

Haley Cutler jest żoną na pokaz. A właściwie była. Wyszła za mąż za królewicza z bajki w wieku zaledwie dwudziestu lat w czasach, gdy pasemka uzyskiwało się, spędzając popołudnie na plaży.

Niestety, po siedmiu latach przeżytych u boku Jaya Cutlera, podczas których cieszyła się wysoką pozycją oraz, jak sądziła, miłością męża, zostaje porzucona.

Seria Arabska:

Przepowiednia Szeherezady

Zapamiętajcie to nazwisko: Alia Yunis! Potrafi snuć magiczną opowieść, która wciąga jak baśnie Szeherezady. Nie można oderwać się od historii życia Libanki Fatimy, jej dzieci i wnuków, którzy zrządzeniem losu żyją w USA... Uśmiech przeplata się ze łzami, przepyszna anegdota goni anegdotę... Kawał dobrej prozy.

Hanna Budzisz *Poradnik Domowy*

Arabska pieśń

Sudan, początek lat 50. Piękna, młoda Soraja szykuje się do małżeństwa z swoim kuzynem Nurem. Jednak los zgotuje im okrutną niespodziankę... W sadze rodziny Abuzajdów znajdziemy miłość, zazdrość, konflikt charakterów oraz starcie arabskich tradycji z zachodnim stylem życia. Dramatyczne losy bohaterów walczących o prawo do szczęścia i niezależności trzymają w napięciu a egzotyczne tło dodaje opowieści uroku. Historia inspirowana prawdziwymi wydarzeniami udowadnia, że bez względu na wiek, pochodzenie i przekonania inspirują nas i motywują marzenia.

Maria Barcz *Pani*

Arabska perła

Akcja książki rozgrywa się w regionie otaczającym dzisiejszy Dubaj. To historia młodej kobiety z gór, dzikiej, niepokornej i kochającej swobodę, sprzedanej jako trzecia żona bogatemu i o wiele od niej starszemu handlarzowi pereł.

Minaret

W swoim muzułmańskim hidżabie, ze spuszczonym wzrokiem, Najwa jest niewidzialna dla większości, szczególnie dla bogaczy, których domy sprząta. Dwadzieścia lat wcześniej. Najwa, studiująca na uniwersytecie w Chartumie, nie przypuszcza nawet, że pewnego dnia będzie zmuszona pracować jako służąca.